BLODSKYLD

ÅSA LARSSON

På dansk er udkommet:

Solstorm 2004

Blodskyld 2004

Sort sti 2006

Indtil din vrede er ovre 2008

ÅSA LARSSON
BLODSKYLD

Oversat af Ellen Boen

Modtryk

BLODSKYLD
Oversat fra svensk efter: DET BLOD SOM SPILLTS
© Åsa Larsson 2004
First published by Albert Bonniers Förlag, Stockholm, Sweden
Published in the Danish language by arrangement with
Bonnier Group Agency, Stockholm, Sweden
Omslag: Henrik Koitzsch
Tryk: Norhaven A/S
2. udgave, 5. oplag 2010

ISBN 10: 87-7394-970-1
ISBN 13: 978-87-7394-970-2

www.modtryk.dk

For nu går Herren ud af sin bolig
for at straffe jordens beboere for deres synd.
Jorden må afsløre sin blodskyld,
for den kan ikke længere skjule de dræbte.

Esajas' Bog 26,21

Jeres pagt med døden skal ophæves,
jeres forbund med dødsriget skal ikke bestå.
Når flodbølgen vælter frem og stiger,
bliver I trampet ned.
Når den stiger, tager den jer med;
morgen efter morgen skal den stige,
ved dag og ved nat.
Den, der fatter budskabet,
må skælve.

Esajas' Bog 28,18-19

Fredag den 21. juni

JEG LIGGER PÅ SIDEN på slagbænken. Kan umuligt sove. Her midt om sommeren er nætterne bleglyse og skænker ingen fred. Væguret oven over mig vil snart slå et. I stilheden vokser pendulets tikken. Hakker hver sætning i stykker. Hvert tilløb til en fornuftig tanke. På bordet ligger brevet fra hende kvinden.

Lig stille, siger jeg til mig selv. Nu ligger du stille og sover.

Jeg kommer til at tænke på Traja, en pointertæve, vi havde, da jeg var lille. Hun kunne aldrig finde fred, trissede rundt i køkkenet som et genfærd med kløerne klikkende mod det lakerede trægulv. De første måneder havde vi hende i bur inden døre for at tvinge hende til at slappe af. Familiens "dæk", "sit", "bliv liggende" genlød uafbrudt i huset.

Nu er det ligesådan. Der ligger en hund i brystet på mig, som vil springe op, hver gang uret tikker. Hver gang jeg trækker vejret. Men det er ikke Traja, der ligger på spring i mit bryst. Traja ville bare traske omkring. Løbe rastløsheden ud af kroppen. Denne hund vender hovedet væk fra mig, når jeg prøver at kigge på hende. Hun er opfyldt af onde hensigter.

Jeg vil prøve at sove. Nogen burde låse mig inde. Jeg burde have et bur i køkkenet.

Jeg står op og kigger ud ad vinduet. Klokken er kvart over et. Det er lyst som om dagen. Skyggerne fra de gamle fyrretræer i udkanten af grunden strækker sig lange hen mod huset. Jeg tænker, at de ligner arme. Hænder, der strækker sig op af deres urolige grave og griber ud efter mig. Brevet ligger der på køkkenbordet.

Jeg er i kælderen. Klokken er fem minutter over halv to. Hunden, som ikke er Traja, er på benene. Den løber rundt i udkanten af min forstand. Jeg prøver at kalde på den. Vil ikke følge efter den ind i denne uberørte vildmark. Hovedet er blankt på indersiden. Hånden farer hen over væggen. Griber forskellige genstande. Hvad skal jeg med dem? Mukkerten. Kobenet. Kæden. Hammeren.

Hænderne lægger det hele i bagagerummet. Det er som et puslespil. Jeg kan ikke se, hvad det forestiller. Jeg sætter mig i bilen og venter. Jeg tænker på kvinden og brevet. Det er hendes skyld. Det er hende, der har jaget mig ud af min forstand.

Jeg kører bilen. Der er et ur på instrumentbrættet. Kantede streger uden mening. Vejen fører ud af tiden. Hænderne holder så hårdt om rattet, at det gør ondt i fingrene. Hvis jeg kører mig ihjel nu, må de skære rattet ud af bilen og begrave mig med det. Men jeg vil ikke køre mig ihjel.

Jeg standser bilen hundrede meter fra bredden, hvor hun har sin båd. Jeg går ned til elven. Den ligger blank og stille og venter. Det klukker svagt under robåden. Solen danser i krusningerne efter en ørred, der kommer op til overfladen og spiser pupper. Myggene flokkes om mig. Svirrer rundt om ørerne. Slår sig ned omkring øjnene og i nakken og suger blod. Jeg tager mig ikke af dem. En lyd får mig til at vende mig om. Det er hende. Hun står kun ti meter fra mig.

Hendes mund åbner sig og former sig rundt om nogle ord. Men jeg hører ingenting. Der er sat låg på ørerne. Hendes øjne bliver smalle. Irritationen tændes derinde. Jeg træder to prøvende skridt frem. Jeg ved endnu ikke, hvad jeg vil. Jeg befinder mig i grænselandet uden for vid og sans.

Nu får hun øje på kobenet i min hånd. Munden går i stå. De smalle øjne udvides igen. Et sekund af overraskelse. Derefter frygt.

Jeg får selv øje på kobenet. Min hånd bliver hvid omkring stålet. Og pludselig er hunden tilbage. Enorm. Poterne er som hove. Børsterne rejser sig fra nakken og helt ned til halen. Kindtænderne er blottede. Den vil sluge mig med hud og hår. Og bagefter vil den sluge kvinden.

Jeg er henne ved hende. Hun kigger som forhekset på kobenet, og derfor rammer det første slag lige over tindingen. Jeg knæler ved hendes side og lægger kinden mod hendes mund. Et varmt pust mod huden. Jeg er ikke færdig med hende endnu. Hunden kaster sig som en vanvittig over alt på sin vej. Kløerne river store sår i jorden. Jeg raser. Jeg løber ind i vanviddets overdrev.

Og nu skridter jeg hurtigere til.

KIRKEBETJENT PIA SVONNI står i sin rækkehushave og ryger. Normalt holder hun cigaretten, som piger skal, mellem pegefinger og langemand. Men nu holder hun den klemt fast mellem tommel og pegefinger. Der er fandens til forskel. Midsommer nærmer sig, det er derfor. Man går nærmest amok. Vil ikke sove. Har heller ikke behov for det. Natten hvisker og lokker og trækker i én, så man må ud.

Elverpigerne ifører sig nye sko af den blødeste birkebark. Det er den rene prinsessekonkurrence. De glemmer enhver forsigtighed og danser og svanser på engene, selvom der måske kommer en bil forbi. Slider skoene itu, mens de underjordiske står gemt mellem træerne og betragter dem med store øjne.

Pia Svonni maser cigaretten ned mod bunden af den omvendte urtepotte, der fungerer som askebæger, og lader skoddet falde ned i hullet. Hun får den indskydelse at cykle ned til Jukkasjärvi kirke. Der er vielse i morgen. Hun har allerede gjort rent og pyntet op, men nu får hun den idé, at hun vil plukke en stor buket blomster til alteret. Hun vil gå ud på engen bag kirkegården. Der vokser engblommer, smørblomster og purpurfarvede storkenæb i en sky af vild kørvel. Og forglemmigejerne hvisker i grøftekanten. Hun stopper mobiltelefonen i lommen og binder snørebåndene på sine joggingsko.

Midnatssolen lyser over grunden. Det spæde lys falder ind gennem stakittet, og de lange skygger fra tremmerne får græsplænen til at ligne et hjemmevævet kludetæppe med gulgrønne og mørkegrønne striber. En flok stære kæfter op og laver et farligt postyr i et af birketræerne.

Det går ned ad bakke hele vejen til Jukkasjärvi. Pia tramper i pedalerne og skifter gear. Farten er livsfarlig. Og ingen hjelm har hun på. Håret blæser væk fra hovedet. Det er, som dengang hun var fire år og gyngede stående på bildækket ude på gårdspladsen, til det føltes, som om gyngen ville tage turen hele vejen rundt.

Hun cykler gennem Kauppinen, hvor nogle heste glor på hende fra deres indhegning. Da hun passerer broen over Torneälven, ser hun to smådrenge fiske med flue et stykke nede ad strømmen.

Vejen løber parallelt med elven. Landsbyen sover. Hun passerer turistområdet og kroen, den gamle Konsumbutik og det grimme forsamlingshus. Hjemstavnsmuseets sølvgrå tømmervægge og de hvide tågeslør på engen inden for stengærdet.

Helt ude i udkanten af landsbyen, hvor vejen ender, står den mørkerøde trækirke. Der lugter af frisk tjære fra tagspånerne.

Klokketårnet er bygget sammen med stakittet. For at komme ind i kirken går man ind gennem klokketårnet og hen ad en brolagt sti, som fører over til kirketrappen.

Den ene af de blå døre til klokketårnet står på vid gab. Pia stiger af cyklen og stiller den op ad stakittet.

Der skal være lukket, tænker hun og går langsomt hen mod porten.

Det pusler i birkekrattet til højre for stien ned til præstegården. Hendes hjerte slår hårdere, og hun står stille og lytter. Det var bare en svag puslen. Sikkert et egern eller en markmus.

Endog bagdøren til klokketårnet er åben. Hun kan se lige gennem tårnet. Kirkeporten står også åben.

Nu hamrer hjertet vildt. Sune kan ganske vist have glemt døren til klokketårnet, hvis han har festet igennem her aftenen før midsommer. Men ikke kirkedøren. Hun kommer i tanker om de der unge mennesker, som smadrede kirkeruderne inde i byen og smed brændende klude derind. Det er et par år siden. Hvad er der nu sket? Hun ser en masse billeder for sit indre blik. Altertavlen sprayet til og overpisset. Lange knivmærker på de nymalede kirkebænke. Formodentlig er de kommet ind ad et vindue og har derefter åbnet døren indefra.

Hun bevæger sig hen mod kirkeporten. Går langsomt. Lytter vagtsomt i alle retninger. Hvordan er det kommet hertil? Smådrenge, der burde have travlt med at tænke på piger og udbore knallerter. Hvordan bliver de kirkebrændere og trækkerdrenge?

Da hun er kommet gennem våbenhuset, standser hun op. Står under orgelgalleriet, hvor der er så lavt til loftet, at højere personer er nødt til at dukke sig. Der er stille og dunkelt i kirken, men alt forekommer normalt. Kristus, Laestadius og lappepigen Maria lyser ubesmittet fra altertavlen. Og alligevel er der noget, der får hende til at tøve. Der er et eller andet, der ikke stemmer herinde.

Der ligger seksogfirs lig under kirkegulvet. Som regel tænker hun ikke på dem. De hviler i fred i deres grave. Men nu føler hun deres uro stige op gennem gulvet og stikke som nåle under fødderne.

Hvad er der med jer? tænker hun.

Altergangen er dækket af et vævet rødt tæppe. Lige der, hvor orgelgalleriet slutter, og kirkerummet åbner sig op mod loftet, ligger noget på tæppet. Hun bøjer sig ned.

En sten, tænker hun først. En lille hvid flis af en sten.

Hun tager den op med tommel og pegefinger og går op mod sakristiet.

Men døren ind til sakristiet er låst, og hun vender sig om for at gå ned ad altergangen igen.

Når hun står oppe foran alteret, kan hun se den nederste del af orglet. Det er næsten helt skjult af stræbepillen, en skillevæg af træ, der går tværs over kirkerummet fra taget og en tredjedel ned. Men den underste del af orglet kan hun se. Og hun ser et par fødder hænge ned foran orgelgalleriet.

Hendes første, umiddelbare tanke er, at nogen har lukket sig ind i kirken og hængt sig. Og lige netop i dette første sekund bliver hun vred. Føler, at det er hensynsløst. Derefter tænker hun overhovedet ingenting. Løber ned ad altergangen og forbi stræbepillen, og så ser hun den krop, der hænger foran orgelpiberne, og det samiske soltegn.

Kroppen hænger i et reb, nej, det er ikke et reb, det er en kæde. En lang jernkæde.

Og nu ser hun de mørke pletter på tæppet på nøjagtig det sted, hvor stenflisen lå.

Blod. Kan det være blod? Hun bøjer sig ned.

Og så forstår hun det. Den sten, hun har mellem tommel og pegefinger. Det er jo ingen sten. Det er en flis af en tand.

Op på benene. Fingrene slipper den hvide flis, smider den næsten fra sig.

Hånden fisker telefonen op af lommen, taster et-et-to.

Nu har hun en fyr, der lyder så forbandet ung, i den anden ende. Samtidig med at hun svarer på hans spørgsmål, rykker hun i døren op til orgelgalleriet. Den er låst.

"Den er låst," siger hun til ham. "Jeg kan ikke komme derop."

Hun styrter tilbage til sakristiet. Ingen nøgle til orgelgalleriet. Kan hun bryde døren op? Med hvad?

Fyren i den anden ende råber for at få hendes opmærksomhed. Han siger, hun skal vente udenfor. Der er hjælp på vej, lover han.

"Det er Mildred," råber hun. "Det er Mildred Nilsson, som hænger der. Hun er vores præst. Gud, hvor ser hun ud!"

"Er du udenfor nu?" spørger han. "Er der nogen i nærheden?"

Fyren i telefonen får hende ud på kirketrappen. Hun fortæller ham, at der ikke er nogen mennesker inden for synsvidde.

"Afbryd ikke forbindelsen," siger han. "Bliv hængende i røret. Der er hjælp på vej. Du må ikke gå ind i kirken igen."

"Må jeg tænde en smøg?"

Det må hun godt. Det er okay, at hun lægger telefonen fra sig.

Pia sætter sig på kirketrappen med telefonen ved siden af

sig. Ryger og noterer sig, hvor rolig og fattet hun føler sig. Men cigaretten brænder så dårligt. Til sidst ser hun, at hun har sat ild til filteret. Efter syv minutter hører hun udrykningssirener i det fjerne.

De tog hende, tænker hun.

Og nu begynder hænderne at ryste. Cigaretten ryger sig selv. De svin. De tog hende.

Fredag den 1. september

REBECKA MARTINSSON STEG ud af bådtaxien og så op mod Lidö Herregård. Eftermiddagssol på den lysegule facade med de hvide træudskæringer. Masser af mennesker ude på den store gårdsplads. Nogle hættemåger dukkede op ud af det blå og skreg over hendes hoved. Emsige og irriterende.

At I gider, tænkte hun.

Hun gav føreren for mange drikkepenge. Kompensation for, at hun svarede med enstavelsesord, da han prøvede at komme i snak med hende.

"Jaså, nu skal der nok festes," sagde han med et nik i retning af hotellet.

Hele advokatfirmaet var troppet op. Næsten to hundrede personer daskede rundt deroppe. Talte sammen i grupper. Løsrev sig og vandrede videre. Man gav hånd, uddelte kindkys. Der var stillet en række store grillsteder frem. Nogle hvidklædte personer anrettede en grillbuffet på et langbord med dug. De pilede frem og tilbage mellem hotellets køkken og langbordet som hvide mus iført komisk høje kokkehuer.

"Ja," svarede Rebecka og slængte rejsetasken i imiteret krokodilleskind over skulderen. "Men man har overlevet det, der er værre."

Han udstødte en kort latter og for af sted, så forstavnen løftede sig op over vandet. En sort kat smuttede lydløst ned fra anløbsbroen og forsvandt i det høje græs.

Rebecka begyndte at gå. Det var en træt ø efter sommeren. Nedtrampet, udtørret og nedslidt.

Her har de gået, tænkte hun. Alle børnefamilierne med skovturstæpper, alle de småberusede, velklædte sejlere.

Græsset var sprødt og gulnet. Træerne støvede og tørstige. Hun kunne forestille sig, hvordan der så ud i skoven. Under blåbærbuske og bregner flød det garanteret med flasker, dåser, brugte kondomer og menneskefækalier.

Stien op til hotellet var hård som beton. Som den sprukne ryg på en fortidsøgle. Hun var selv en øgle. Netop landet med sit rumfartøj. Iført menneskedragt og på vej til ildprøven. At imitere menneskelig adfærd. Betragte de andre og opføre sig nogenlunde ligesådan. Bare nu forklædningen ikke gik op i sømmene.

Nu var hun næsten fremme ved gårdspladsen.

Styr dig nu, sagde hun til sig selv. Du skal nok klare det her.

Efter at hun havde dræbt de der mænd i Kiruna, havde hun varetaget sit job i advokatfirmaet Meijer & Ditzinger, som om intet var hændt. Det var gået fint, troede hun. I virkeligheden var det gået ad helvede til. Hun havde ikke tænkt på blodet og ligene. Når hun nu tænkte tilbage på tiden før sygemeldingen, kunne hun ikke rigtig huske, at hun overhovedet havde tænkt. Hun havde troet, hun arbejdede. Men til sidst havde hun blot flyttet papir fra den ene bunke til den anden. Ganske vist sov hun dårligt. Og blev ligesom fraværende. Det kunne tage en evighed bare at gøre sig i stand om morgenen og komme af sted på arbejde. Katastrofen kom bagfra. Hun nåede aldrig at se den, før den kastede sig over hende. Det var i forbindelse med en ganske triviel sag. Klienten havde spurgt til opsigelsestiden på en lejekontrakt. Og hun havde svaret helt hen i vejret. Mappen med alle aftalerne lå lige for næsen af hende, men hun havde ikke anet, hvad der stod. Klienten – et fransk postordrefirma – havde afkrævet advokatfirmaet erstatning.

Hun huskede, hvordan Måns Wenngren, hendes chef, havde kigget på hende. Ildrød i ansigtet bag skrivebordet. Hun havde forsøgt at sige op, men det var han ikke gået med til.

"Det vil jo stille firmaet i et overordentlig dårligt lys," havde han sagt. "Alle vil tro, du er blevet opfordret til at forlade din stilling. At vi svigter en medarbejder med psykiske ... som ikke har det godt."

Samme eftermiddag forlod hun vaklende kontoret. Og da hun stod ude på Birger Jarlsgatan i efterårsmørket med lyset fra de dyre biler, der susede forbi, og forretningernes smagfuldt indrettede udstillingsvinduer og værtshusene nede ved Stureplan, var hun blevet overmandet af en voldsom følelse af, at hun aldrig ville være i stand til at vende tilbage til Meijer & Ditzinger. Hun havde følt, at hun ville så langt væk fra dem som muligt. Men sådan skulle det ikke gå.

Hun blev sygemeldt. Først én uge ad gangen. Derefter i månedsvis. Lægen havde opfordret hende til at foretage sig ting, hun trivedes godt med. Hvis der var noget ved hendes job, hun syntes om, skulle hun fortsætte med det.

Efter Kiruna havde advokatfirmaet for alvor fået vind i sejlene, hvad angik straffesager. Hendes navn og billede var ganske vist holdt uden for aviserne, men firmaets navn blev flittigt nævnt i medierne. Og det havde givet resultat. Folk henvendte sig og ville repræsenteres af "hende pigen, der var oppe i Kiruna". De fik det standardsvar, at firmaet kunne bistå med en mere erfaren strafferetsadvokat, men at hende pigen kunne være bisidder samt assistere. På den måde fik man en fod indenfor i de store retssager, der havde mediernes bevågenhed. I denne periode var der tale om to gruppevoldtægter, et rovmord og en bestikkelsesskandale.

Ledelsen foreslog, at hun fortsatte med at møde op i retten, selv mens hun var sygemeldt. Det skete jo ikke så tit. Og det var en god måde at holde kontakten med jobbet ved lige på. Og hun behøvede ikke forberede sig. Bare være bisidder. Men kun hvis hun havde lyst, naturligvis.

Hun var gået med til det, da hun ikke mente, hun havde noget valg. Hun havde gjort firmaet til skamme, skaffet dem en erstatningssag på halsen og mistet en klient. Det var umuligt at sige nej. Hun stod i gæld til dem og nikkede og smilede.

De dage, hvor hun skulle møde i retten, fik hun i det mindste halet sig op af sengen. Almindeligvis var det de tiltalte, der først tiltrak sig nævningenes og dommerens blik, men nu var hun cirkussets store trækplaster. Hun fæstede blikket på bordet foran sig og lod dem glo. Forbrydere, dommere, anklagere, nævninge. Hun kunne næsten høre deres tanker: "Nå, så dér er hun ..."

Nu var hun nået frem til gårdspladsen uden for herregården. Her var græsset pludselig grønt og frisk. Sprinkleren måtte have kørt på højtryk i den tørre sommer. Årets sidste vilde roser udsendte et duftspor, der fulgte aftenbrisen ind mod land. Luften var behageligt varm. De yngre kvinder var iført ærmeløse lærredskjoler. De lidt ældre skjulte overarmene i tynde bomuldstrøjer fra Iblues og Max Mara. Mændene havde ladet slipsene blive derhjemme. De ilede frem og tilbage i deres Gant-bukser med drinks til damerne. Tjekkede gløderne i grillene og sludrede jovialt med køkkenpersonalet.

Hun granskede menneskemængden. Ingen Maria Taube. Ingen Måns Wenngren.

Og der kom en af advokatfirmaets partnere hen mod hende, Erik Rydén. På med smilet.

"Er det hende?"

Petra Wilhelmsson så Rebecka Martinsson komme op ad stien mod herregården. Petra var nyansat i firmaet. Hun stod lænet op ad trappegelænderet uden for hovedindgangen. Ved hendes ene side stod Johan Grill, også nyansat, og ved hendes anden side stod Krister Ahlberg, en strafferetsadvokat i trediveårsalderen.

"Ja, det er hende," bekræftede Krister Ahlberg. "Firmaets egen lille Modesty Blaise."

Han tømte sit drinkglas og stillede det med et lille smæld på gelænderet. Petra rystede langsomt på hovedet.

"Tænk, at hun har slået et menneske ihjel," sagde hun.

"Tre mennesker, faktisk," sagde Krister.

"Gud, jeg får kuldegysninger! Se lige!" sagde Petra og holdt armen op mod de to opvartende kavalerer.

Krister Ahlberg og Johan Grill betragtede opmærksomt hendes arm. Den var slank og brun. Nogle få, meget fine dun var bleget næsten hvide af sommersolen.

"Det er altså ikke, fordi hun er en kvinde," fortsatte Petra, "men hun ligner ikke typen, der ..."

"Det var hun jo heller ikke. Hun endte med at få et nerve-sammenbrud. Og hun kan ikke passe sit arbejde. Er sommeti-der bisidder ved de saftige straffesager. Og en anden én må tage det tunge læs og sidde på kontoret med mobilen tændt for det tilfælde, at noget skulle dukke op. Mens hun er den berømte."

"Er hun berømt?" spurgte Johan Grill. "Man skrev da ikke om hende, vel?"

"Nej, men i juristkredse ved alle, hvem hun er. Juristsverige er *så* lille, det vil du snart opdage."

Krister Ahlberg opmålte en centimeter med højre hånds tommel og pegefinger. Han så, at Petras glas var tomt, og over-vejede, om han skulle tilbyde at fylde det. Men i så fald måtte han lade lille Petra være alene med Johan.

"Gud," sagde Petra, "gad vide, hvordan det føles at dræbe et menneske."

"Lad mig præsentere jer for hinanden," sagde Krister. "Vi arbejder ikke i samme afdeling, men vi tog det samme kursus i kontraktsret. Vi må lige vente, til Erik Rydén har sluppet hende."

Erik Rydén omfavnede Rebecka og bød hende velkommen. Han var en kraftig mand og fik det hurtigt med varme under sine værtsforpligtelser. Hans krop dampede som en mose i august. En dunst af Chanel Pour Monsieur og alkohol. Hendes højre hånd gav ham en serie raske klap på ryggen.

"Herligt, du kunne komme," sagde han med sit allerbredeste smil.

Han tog hendes rejsetaske og gav hende et glas champagne og en værelsesnøgle til gengæld. Rebecka så på nøgleringen. Det var en hvid og rødmalet træstump, der var fastgjort til nøglen med en kunstfærdig lille knop.

For det tilfælde, gæsterne bliver fulde og taber dem i vandet, tænkte hun.

De udvekslede nogle ligegyldigheder. Pragtfuldt vejr. Bestilte det til dig, Rebecka. Hun lo høfligt, spurgte, hvordan det gik. Jo, for fanden, så sent som i sidste uge havde han landet en stor klient inden for bioteknikbranchen, der stod over for en fusion med et amerikansk firma, så de havde masser at se til lige nu. Hun lyttede og smilede. Så ankom endnu en forsinket gæst, og Erik måtte videre med sine værtspligter.

En advokat fra straffesagsafdelingen kom hen til hende. Han hilste, som var de gamle bekendte. Hun ransagede febrilsk sin hjerne for at komme i tanker om hans navn, men det var som bortblæst. Han havde to nyansatte på slæb, en pige og en fyr. Fyren havde en blond manke oven over et ansigt, der havde den type solbrændthed, man kun får af sejlads. Han var en anelse lavstammet og bred over skuldrene. Firkantet, fremstående hage, og fra den opsmøgede, dyre bluse stak to muskuløse underarme frem.

Som en tjekket Karl-Alfred, tænkte hun.

Pigen var også blond. Manken fastklemt med et par dyre solbriller oven på hovedet. Smilehuller i kinderne. En trøje, der matchede hendes kortærmede bluse, hang over Karl-Alfreds arm. De hilste på hinanden. Pigen kvidrede som en solsort. Hun hed Petra. Karl-Alfred hed Johan, og så hed han noget fint til efternavn, men det lykkedes ikke Rebecka at lagre det i hukommelsen. Sådan var det blevet det sidste år. Tidligere havde hun haft forskellige bokse i hovedet, hvori hun kunne sortere information. Nu var der ingen bokse. Alt væltede ind hulter til bulter, og det meste faldt ved siden af. Hun smilede og trykkede deres hænder tilpas fast. Spurgte, hvem de arbejdede for i firmaet. Hvordan de trivedes. Hvad de havde skrevet speciale om, og hvor de havde tjenstgjort som fuldmægtige. Ingen spurgte hende om noget.

Hun krydsede videre mellem grupperne. Alle stod parat med linealen i lommen. Målte hinanden. Sammenlignede med sig selv. Løn. Bopæl. Navn. Hvem man kendte. Hvad man havde foretaget sig i sommerens løb. En var ved at bygge et hus i Nacka. En anden ledte efter en større lejlighed, nu da barn nummer to var kommet, helst i den rigtige ende af Östermalm.

"Jeg er totalt smadret," udbrød husbyggeren med et lykkeligt smil.

En nylig fraskilt i selskabet henvendte sig til Rebecka.

"I maj måned var jeg faktisk oppe i din hjemegn," sagde han. "Stod på ski mellem Abisko og Kebnekaise, man måtte stå op klokken tre om natten og løbe på den frosne sneskorpe. Om dagen var sneen så blød, at man sank helt igennem. Så gjaldt det bare om at ligge i forårssolen og nyde det."

Stemningen blev med ét anstrengt. Var han nødt til at nævne hendes hjemegn? Kiruna trængte sig ind mellem dem som et spøgelse. Pludselig opremsede alle navnene på tusind andre steder, man havde besøgt. Italien, Toscana, forældre i Jönköping og Legoland, men Kiruna ville ikke forsvinde. Rebecka cirkulerede videre, og alle drog et lettelsens suk.

De ældre jurister havde været i deres sommerhuse på Vestkysten, i Skåne eller ude i skærgården. Arne Eklöf havde mistet sin mor og fortalte åbenhjertigt Rebecka om, hvordan sommeren var gået med at skændes om dødsboet.

"Ja, føj for den lede," sagde han. "Når Vorherre kommer med døden, kommer Djævelen med arvingerne. Lidt mere?"

Han nikkede mod hendes glas. Hun afslog. Han sendte hende et næsten vredt blik. Som om hun havde sagt nej til

23

yderligere betroelser. Formodentlig var det nøjagtig, hvad hun havde gjort. Han vandrede hen mod bordet med drikkevarer. Rebecka blev stående og fulgte ham med blikket. Det var anstrengende at tale med folk, men et mareridt at stå der alene med sit tomme glas. Som en stakkels potteplante, der ikke engang kan bede om vand.

Jeg kan gå på toilettet, tænkte hun og så på uret. Og jeg kan blive derinde i syv minutter, hvis der ikke er kø. Tre, hvis der står nogen udenfor og venter.

Hun så sig om efter et sted at stille sit glas. I samme øjeblik dukkede Maria Taube op ved siden af hende. Hun rakte hende et lille bæger med waldorfsalat.

"Spis," sagde hun. "Bare synet af dig er jo angstfremkaldende."

Rebecka tog imod salaten. Erindringen om begivenhederne i foråret for gennem hende, da hun så på Maria.

Skarp forårssol uden for Rebeckas beskidte vinduer. Men hun har persiennerne trukket ned. En formiddag midt på ugen kommer Maria på besøg. Bagefter undrer Rebecka sig over, hvordan det gik til, at hun lukkede hende ind. Hun burde være blevet liggende og have gemt sig under dynen.

Men nu. Hun går hen til hoveddøren. Knap nok bevidst om dørklokkens ringetoner. Nærmest fraværende fjerner hun sikkerhedskæden. Så drejer hun på smæklåsen med venstre hånd, mens højre hånd trykker dørhåndtaget ned. Hjernen er koblet fra. Nøjagtig ligesom når man pludselig opdager, at man står foran sit åbne køleskab og undrer sig over, hvad man overhovedet laver ude i køkkenet.

Bagefter tænker hun, at der måske boede en klog lille person inde i hende. En lille pige i røde gummistøvler og flydevest. En overlever. Og at den lille pige havde genkendt de der lette, hurtige skridt.

Pigen til Rebeckas hænder og fødder: "Schh, det er Maria.

Sig det ikke til hende. Få hende bare op af sengen og sørg for, at hun åbner døren."

Maria og Rebecka sidder i køkkenet. De drikker kaffe uden noget til. Rebecka siger ikke meget. Pyramiden af stinkende tallerkener ved vasken, dyngerne af breve og reklamer og aviser på entrégulvet, det krøllede og svedige tøj, hun har på, fortæller alligevel alt.

Og midt i det hele begynder hendes hænder at ryste. Hun må sætte kaffekoppen fra sig på bordet. Hænderne flakser formålsløst som et par høns uden hoved.

"Ikke mere kaffe til mig," siger hun i et forsøg på at lave sjov.

Hun udstøder en kort latter, men det lyder snarere som et klangløst skrald.

Maria ser hende ind i øjnene. Rebecka fornemmer, at hun ved det. Hvordan Rebecka sommetider står ude på altanen og ser på den hårde asfalt nedenfor. Og hvordan hun sommetider ganske enkelt ikke er i stand til at gå ud og ned til butikken men må leve af det, der er i huset. Drikke te og spise agurkesalat direkte fra glasset.

"Jeg er ikke psykolog," siger Maria, "men jeg ved, det bliver værre, hvis man ikke spiser og sover. Og du må klæde dig på om morgenen og komme ud."

Rebecka gemmer hænderne under spisebordet.

"Du tror garanteret, jeg er blevet sindssyg."

"Sødeste ven, i min familie myldrer det med kvinder med dårlige nerver. De besvimer og dåner, lider af hypokondri og får angstanfald for et godt ord. Og min moster, har jeg fortalt dig om hende? Den ene dag sidder hun på den lukkede og skal have hjælp til at komme i tøjet. Ugen efter opretter hun en Montessori-børnehave. Det dér er jeg så vant til."

Næste dag tilbyder en af partnerne, Torsten Karlsson, Rebecka at låne hans ødegård. Maria har arbejdet for Torsten med virksomhedsjura, før hun skiftede afdeling og begyndte at arbejde sammen med Rebecka for Måns Wenngren.

"Du vil gøre mig en tjeneste," siger Torsten. "Så slipper jeg for at være bekymret for, om der har været indbrud, og tage derned bare for at vande. Egentlig burde jeg jo sælge stedet, men det er også et fandens besvær."

Hun burde selvfølgelig have sagt nej. Det var helt indlysende. Men hende pigen i røde gummistøvler sagde ja, før hun overhovedet fik åbnet munden.

Rebecka gik pligtskyldigst i gang med at spise waldorf-salaten. Hun begyndte med den halve valnød. Lige så snart den kom ind i munden, blev den så stor som en blomme. Hun tyggede og tyggede. Gjorde sig klar til at synke. Maria betragtede hende.

"Hvordan har du det?" spurgte hun.

Rebecka smilede. Tungen føltes ru.

"Det har jeg faktisk ingen anelse om."

"Men du har det okay med at være her i aften?"

Rebecka trak på skuldrene.

Nej, tænkte hun. Men hvad gør man? Tvinger sig selv til at komme ud. Ellers ender man inden længe i et eller andet sommerhus, jagtet af myndighederne, rædselsslagen for andre mennesker, med alverdens allergier og en hel masse katte, der skider inden døre.

"Jeg ved det ikke," sagde hun. "Det føles, som om folk tager mål af mig, når jeg kigger væk. Taler om mig, når jeg ikke er der. Så snart jeg viser mig, skifter folk ligesom emne. Forstår du, hvad jeg mener? 'Så I den sidste tenniskamp,' siger folk panisk, lige så snart jeg nærmer mig."

"Men sådan er det jo," siger Maria smilende. "Du er jo firmaets egen Modesty Blaise. Og nu bor du ude på Torstens bøhland og bliver mere og mere isoleret og sær. Det er klart, de snakker om dig."

Rebecka lo.

"Tak, nu har jeg det meget bedre."

"Jeg bemærkede, at du hilste på Johan Grill og Petra Wilhelmsson. Hvad syntes du om miss Spinning? Hun er sikkert skidesød, men jeg kan ikke fatte sympati for en, der har rumpen siddende oppe mellem skulderbladene. Min røv er som en teenager. Den har ligesom løsrevet sig fra mig og vil stå på egne ben."

"Ja, jeg syntes jo nok, jeg hørte et eller andet slæbe hen over græsset, da du kom."

De tav og kiggede ud mod sejlrenden, hvor en gammel Fingal havde slået motoren til.

"Du skal ikke bekymre dig," sagde Maria. "Inden længe har folk en ordentlig kæp i øret, og så kommer de dinglende og vil snakke."

Hun vendte sig om mod Rebecka, lænede sig tæt op ad hende og sagde med grødet stemme:

"Hvordan føles det at slå et menneske ihjel?"

Rebecka og Marias chef Måns Wenngren stod et stykke derfra og betragtede dem.

Godt, tænkte han. Godt gået.

Han så, hvordan Maria Taube fik Rebecka Martinsson til at le. Marias hænder fægtede i luften, vred og vendte sig. Skuldrene løftedes og sænkedes. Det var et mirakel, at hun kunne styre sit glas. Mange års træning i fin familie, formentlig. Og Rebeckas holdning blødgjordes. Hun så solbrændt og stærk ud, noterede han sig. Mager som et kosteskaft, men det havde hun jo altid været.

Torsten Karlssson stod skråt bag Måns og studerede grillbuffeten. Det sugede i maven. Indonesisk lammespyd, spyd med cajunkrydret svinemørbrad eller scampi, caribisk fiskespyd med ingefær og ananas, kyllingespyd med salvie og citron eller, i asiatisk udgave, yoghurtmarineret med ingefær, garam masala og gurkemeje, forskellige slags sovs og salat som tilbehør. Hvidvin og rødvin, øl og cider. Han var udmærket klar over, at han i firmaet blev kaldt *Karlsson på taget*. Lavstammet og kompakt med det sorte hår som en skurebørste oven på hovedet. På Måns, derimod, sad tøjet løst. Til ham var der

28

så sandelig ingen kvinder, der sagde, at han var nuttet eller fik dem til at grine.

"Jeg hørte, du har fået dig en ny bil," sagde han og snuppede en oliven fra bulgursalaten.

"Mmm, en E-type cabriolet, mint condition," svarede Måns mekanisk. "Hvordan har hun det?"

Torsten Karlsson var et kort øjeblik i tvivl om, hvorvidt Måns spurgte til hans egen bil. Han kiggede op, fulgte Måns' blik og så Rebecka Martinsson og Maria Taube.

"Hun låner jo din ødegård," fortsatte Måns.

"Hun kunne jo ikke sidde indespærret i sin lille etværelses. Hun virkede, som om hun ikke havde nogen steder at tage hen. Hvorfor spørger du hende ikke selv? Hun er jo din fuldmægtig."

"Fordi jeg spørger *dig*," snerrede Måns.

Torsten Karlsson løftede hænderne med en skyd-ikke-jeg-overgiver-mig bevægelse.

"Jeg ved det faktisk ikke," sagde han. "Jeg er aldrig ude på ødegården. Og når jeg er der, taler vi om andre ting."

"Jaså, om hvad?"

"Tja, om at tjære trappen, om den røde farve på facaden, om at hun skal kitte vinduerne. Hun arbejder uafbrudt. På et tidspunkt var hun som besat af kompostering."

Måns' blik opfordrede ham til at fortsætte. Interesseret, næsten som om det morede ham. Torsten Karlsson lod fingrene glide gennem hårets stride børster.

"Ja, gudfader," sagde han. "Først gik hun i gang med at opføre et trekomponentkomposteringsanlæg til have- og husholdningsaffald. Og købte et, der var rottesikret. Og derefter opførte hun en hurtigkomposteringstønde. Ja, hun tvang mig næsten til at notere, hvordan man skulle lægge lag på lag af græs og sand ... den rene videnskab. Og så, da hun skulle på det der kursus i koncernbeskatning i Malmø, kan du huske det?"

"Ja da."

"Ja, så ringede hun til mig og sagde, hun ikke kunne tage

af sted, fordi komposten var blevet, ja, hvordan var det nu, der var noget galt med den, for lidt kvælstof. Og så havde hun hentet husholdningsaffald fra en eller anden børnehave i nærheden, og nu var den for våd. Så hun ville være nødt til at blive hjemme og strø og bore."

"Bore?"

"Ja, jeg måtte love at tage derud og bore i komposten med et gammelt isbor den uge, hvor hun skulle være væk. Og så fandt hun de tidligere ejeres kompost et stykke inde i skoven."

"Ja?"

"Og der lå alt muligt. Gamle katteskeletter og knuste glasflasker og alt muligt lort ... Og alt det skulle hun rense. Hun fandt en gammel seng bag udhuset med en af de der metalsengebunde. Den brugte hun som si. Skovlede jord op på sengen og rystede den, så den rene jord blev siet fra. Man skulle have haft nogle klienter med og præsenteret dem for en af vores lovende unge jurister."

Måns stirrede på Torsten Karlsson. Han så for sig Rebecka med røde kinder og uglet hår, mens hun rystede vildt i en jernseng oppe på en jordbunke. Torsten nedenfor sammen med nogle måbende klienter i mørke jakkesæt.

De brød ud i latter på samme tid og og havde svært ved at holde op. Torsten tørrede øjnene med bagsiden af hænderne.

"Men nu er hun faldet til ro," sagde han. "Hun er ikke lige så ... jeg ved ikke rigtig ... sidst jeg kiggede forbi, sad hun på trappen med en bog og en kop kaffe."

"Hvilken bog?" spurgte Måns.

Torsten Karlsson sendte ham et underligt blik.

"Det tænkte jeg ikke på," sagde han. "Snak med hende."

Måns tømte sit glas med rødvin.

"Jeg vil hilse på hende," sagde han. "Men du ved jo, hvor dårlig jeg er til at snakke med folk. Og endnu værre til at snakke med kvinder."

Han forsøgte at le, men nu fortrak Torsten ikke en mine.

"Du må spørge, hvordan hun har det."

Måns pustede luft ud gennem næsen.

"Ja, ja, jeg ved det."

Jeg er bedre til korttidsforhold, tænkte han. Klienter. Taxichauffører. Kassedamer i supermarkedet. Ingen gamle konflikter og skuffelser, der ligger som sammenfiltret tang under overfladen.

Sensommermiddag på Lidö. Rød aftensol, der lægger sig over de bløde klipper som en gylden hinde. En skærgårdskrydser lister forbi i sejlrenden. Sivene nede ved vandet lægger hovederne sammen og hvisker og tisker med hinanden. Gæsternes snakken og latter føres ud over vandet.

Middagen var så langt fremskreden, at cigaretpakkerne var kommet på bordet. Det var helt i orden at strække benene inden desserten, så det var tyndet ud ved bordene. De bluser og trøjer, der havde været bundet om livet og hængt løs over skuldrene, blev nu trukket over aftenkolde arme. Nogle forsynede sig for tredje eller fjerde gang ved grillbuffeten og stod og småsludrede med kokkene, der vendte de sydende spyd over gløderne. Andre var begyndt at oparbejde en solid brandert. Måtte støtte sig til gelænderet, når de gik op ad herregårdens trappe på vej mod toiletterne. Gestikulerede og dryssede cigaretaske på tøjet. Talte med en anelse for høj stemme. En af partnerne insisterede på at hjælpe en af servitricerne med at bære desserten ud. Han befriede hende myndigt og gentlemanlike fra en stor bakke med tærte med vaniljecreme og ribs. Tærten gled foruroligende ud mod kanten af bakken. Servitricen smilede anstrengt og vekslede blikke med kokkene, der var travlt beskæftiget ved grillene. En af dem slap, hvad han havde i hænderne, og hastede sammen med hende ind i køkkenet efter resten af bakkerne.

Rebecka og Maria sad nede på klipperne. Stenen afgav den varme, som den havde opsuget i løbet af dagen. Maria kløede på et myggestik på indersiden af vristen.

"Torsten skal op til Kiruna i næste uge," sagde hun. "Har han fortalt det?"

"Nej."

"Det er det dér samarbejde med Janssongruppen Revision A/S. Nu da folkekirken er blevet adskilt fra staten, er det en interessant klientgruppe at få fingre i. Tanken er at sælge en juridisk pakkeløsning, inklusive regnskab og revision, til menighedsrådene rundt omkring i landet. Tilbyde hjælp med alt a la 'hvordan slipper vi af med fibromyalgi-Berit', 'hvordan indgår vi økonomisk fordelagtige aftaler med entreprenører', hele molevitten. Jeg er ikke sikker, men jeg tror, de har en langsigtet plan om at indlede et samarbejde med en eller anden børsmægler og rage kapitalforvaltningen til sig. I hvert fald skal Torsten op og gøre sine hoser grønne hos menighedsrådet i Kiruna."

"Jaså?"

"Du kan jo tage med ham. Du ved jo, hvordan han er. Han ville synes, det var hyggeligt med lidt selskab."

"Jeg kan ikke tage til Kiruna," udbrød Rebecka.

"Nej, det ved jeg, du mener. Men jeg gad godt vide hvorfor."

"Jeg ved ikke, jeg ..."

"Hvad er det værste, der kan ske? Hvad så, hvis du render ind i nogen, der ved, hvem du er? Og din farmors hus, du savner det jo, ikke?"

Rebecka tav trodsigt.

Jeg kan ikke tage derop, sådan er det bare, tænkte hun.

Maria svarede, som om hun havde læst hendes tanker.

"Jeg vil i hvert fald bede Torsten spørge dig. Hvis man har uhyrer under sengen, kan man lige så godt se at få tændt lyset og lægge sig på maven og kigge efter."

Dans på herregårdens stenterrasse. Abba og Niklas Strömstedt ud af højttalerne. Ud ad de åbne vinduer til hotelkøkkenet høres skramlen af porcelæn og en brusen af vand, når nogen spuler tallerkenerne, før de sættes i opvaskemaskinen. Solen har trukket sine røde slør med sig ned i vandet. Lygter hænger ned fra træerne. Trængsel foran den udendørs bar.

Rebecka gik ned til kajen. Hun havde danset med sin bordherre og var derefter smuttet væk. Nu lagde mørket armen om hende og trak hende ind til sig.

Det gik jo godt, sagde hun til sig selv. Det gik så godt, som man kunne begære.

Hun satte sig på en træbænk ved vandet. Lyden af bølgeskvulp mod betonmolen. Lugten af halvrådden tang, salt hav og diesel. En lygte spejlede sig i den sorte, blanke flade.

Måns var kommet hen for at hilse på hende, lige før de skulle sætte sig til bords.

"Hvordan går det, Martinsson?" havde han spurgt.

Hvad fanden svarer man? tænkte hun.

Hans ulvesmil og det, at han tiltalte hende ved efternavn, var som et veritabelt stopskilt: Betroelser, tårer og oprigtighed frabedes.

Så hun havde holdt hovedet koldt og redegjort for, hvordan hun havde givet vinduesrammerne ude på Torstens ødegård linoliemaling. Efter Kiruna havde det virket, som om han interesserede sig for hende. Men da hun ikke længere kunne arbejde, var han helt forsvundet.

Så er man ingenting, tænkte hun. Når man ikke kan arbejde.

Skridt på grusstien fik hende til at kigge op. Først kunne hun ikke skelne ansigtet, men hun genkendte den der lyse stemme. Det var den blonde nyansatte. Hvad var det nu, hun hed? Petra.

"Hej, Rebecka," sagde Petra, som om de kendte hinanden.

Hun stillede sig alt for tæt på. Rebecka undertvang sin instinktive lyst til at rejse sig, skubbe hende til side og skynde sig væk. Men sådan kunne man virkelig ikke opføre sig. Så hun blev siddende. Foden på det ben, der lå krydset ind over det andet, afslørede hende. Vippede op og ned af ubehag. Ville spurte af sted.

Petra sank ned ved siden af hende med en stønnen.

"Gud, nu har Åke danset tre danse i træk med mig. Du ved, hvordan de er. Bare fordi man arbejder for dem, tror de, man er deres personlige ejendom. Jeg var nødt til at stikke af et øjeblik."

Rebecka gryntede et eller andet anerkendende. Om et øjeblik ville hun sige, hun skulle på toilettet.

Petra drejede overkroppen om mod Rebecka og lagde hovedet på skrå.

"Jeg har hørt, hvad du var igennem sidste år. Det må have været frygteligt."

Rebecka svarede ikke.

Lad os nu se, tænkte hun ondskabsfuldt. Når byttet ikke vil komme ud af sin hule, må man lokke det med noget. Formentlig en lille privat betroelse. Man rækker sin lille tilståelse frem og bytter den med den andens hemmelighed som et andet glansbillede.

"Min søster havde sådan en væmmelig oplevelse for fem år siden," fortsatte Petra, da Rebecka tav. "Hun fandt naboens søn druknet i en grøft. Han var kun fire år. Siden dengang har hun været ..."

Hun lod en vag håndbevægelse afslutte sætningen.

"Nå, så her sidder I."

Det var Karl-Alfred. Han kom hen til dem med en gin og tonic i hver hånd. Han rakte den ene til Petra, og efter et mikrosekunds tøven rakte han den anden til Rebecka. Den var egentlig til ham selv.

Hvilken gentleman, tænkte Rebecka træt og satte glasset ved siden af sig.

Hun kiggede på Karl-Alfred. Karl-Alfred kiggede lystent på Petra. Petra kiggede lystent på Rebecka. Karl-Alfred og Petra ville mæske sig i hende. Og derefter ville de parre sig.

Petra måtte have fornemmet, at Rebecka var på nippet til at flygte. At chancen snart ville slippe hende af hænde. Under normale omstændigheder ville hun have ladet Rebecka stikke af og tænkt, at der ville komme flere chancer. Men nu havde alt for mange drinks og glas med vin til maden forplumret hendes dømmekraft.

Hun lænede sig ind mod Rebecka. Hendes kinder var blanke og rødmossede, da hun spurgte:

"Altså, hvordan føles det at slå et menneske ihjel?"

Rebecka marcherede lige gennem vrimlen af berusede mennesker. Nej, hun ville ikke danse. Nej tak, hun ville ikke have noget fra baren. Hun havde tasken over skulderen og var på vej ned mod anløbsbroen.

Hun havde klaret Petra og Karl-Alfred. Havde anlagt et eftertænksomt udtryk, fæstet blikket langt ude på det mørke farvand og svaret: "Det føles frygteligt, selvfølgelig."

Hvad ellers? Sandheden? "Det har jeg ingen anelse om. Jeg kan ikke huske det."

Hun skulle måske have fortalt om de der helt igennem latterlige samtaler med terapeuten. Rebecka, der sidder og smiler og smiler under hver konsultation og til sidst næsten er ved at dø af grin. Hvad kan hun gøre? Hun kan jo ikke huske noget. Terapeuten, der så sandelig ikke smiler tilbage, det her er ikke noget at grine ad. Og til sidst bliver de enige om at holde en pause. Rebecka er velkommen til at vende tilbage senere.

Da hun ikke længere kan arbejde, genoptager hun ikke kontakten med terapeuten. Kan ikke få sig selv til det. Forestiller sig scenen, hvor hun sidder og græder over ikke at kunne klare sit liv, og hans ansigt, hvor en passende portion medfølelse skal dække over hvad-sagde-jeg-udtrykket.

Nej, Rebecka havde svaret Petra som et normalt menneske, at det føltes frygteligt, men at livet jo måtte gå videre, hvor banalt det end kunne lyde. Derefter havde hun bedt dem undskylde sig og forladt dem. Det var gået godt, men fem minutter senere kom vreden, og nu ... Nu var hun så rasende, at hun kunne rykke et træ op med rode. Eller hun skulle måske stille sig op ad herregårdens mur og vælte den omkuld som et korthus. De to blondiner gjorde klogest i ikke længere at befinde sig nede ved kajen, for i så fald ville hun sparke dem i vandet.

Pludselig var Måns lige bag hende. Ved siden af hende.

"Hvad er der? Er der sket noget?"

Rebecka sagtnede ikke farten.

"Jeg smutter. En af fyrene i køkkenet sagde, jeg kunne låne plasticjollen. Jeg ror ind til fastlandet."

Måns frembragte en vantro lyd.

"Er du blevet sindssyg? Du kan da ikke ro derover i mørke. Hvordan skal du komme videre derfra? Jamen så stands dog. Hvad er der med dig?"

Hun standsede op lige før anløbsbroen. Vendte omkring på hælen og knurrede.

"Hvad fanden tror du?" spurgte hun. "Folk spørger mig, hvordan det føles at slå et menneske ihjel. Hvordan i helvede skal jeg vide det? Jeg sad jo ligesom ikke og skrev et digt imens og mærkede efter. Jeg ... det skete bare!"

"Hvad er du vred på mig for? Jeg har da ikke spurgt."

Rebeckas stemme blev pludselig drævende.

"Nej, Måns, du spørger ikke om noget. Det kan ingen beskylde dig for."

"Hvad fanden," svarede han, men Rebecka var allerede vendt om på hælen og trampet ud på anløbsbroen.

Han skyndte sig efter hende. Hun havde kastet sin rejsetaske ned i jollen og løsnede fortøjningen. Måns ledte efter noget at sige.

"Jeg snakkede med Torsten," sagde han. "Han fortalte, at han havde tænkt sig at bede dig tage med ham op til Kiruna. Men jeg sagde, han skulle lade være."

"Hvorfor det?"

"Hvorfor? Jeg tænkte, det var det sidste, du havde brug for."

Rebecka så ikke på ham, da hun svarede.

"Jeg burde måske selv få lov at bestemme, hvad jeg har brug for eller ej."

Hun begyndte at blive svagt bevidst om, at folk i nærheden rettede antennerne mod hende og Måns. Man lod, som om man var travlt optaget af at danse og snakke, men var bruset af stemmer ikke stilnet lidt af? Nu ville man måske få noget at snakke om på kontoret i næste uge.

Måns syntes også at have bemærket det og dæmpede stemmen.

"Jeg ville jo bare vise hensyn, men det må du skam meget undskylde."

Rebecka hoppede ned i båden.

"Åh, hensyn. Er det derfor, du vil have mig til at være bisidder som en anden luder ved alle de kriminalsager?"

"Nu må du sgu styre dig," hvæsede Måns. "Du sagde jo selv, du ikke havde noget imod det. Jeg syntes, det var en god måde at holde dig i kontakt med jobbet på. Kom så op af den båd!"

"Som om jeg havde noget valg! Og det ved du vist udmærket, hvis du tænker dig om!"

"Men så drop da de straffesager, for fanden. Kom op af den båd og gå op og sov, så tales vi ved i morgen, når du er blevet ædru."

Rebecka gik et skridt frem i båden. Den begyndte at vippe. Et øjeblik for den tanke gennem hovedet på Måns, at hun ville klatre op på molen og lange ham én. Det ville have set kønt ud.

"Når jeg er blevet ædru? Du ... du er virkelig utrolig!"

Hun satte foden på anløbsbroen og stødte fra. Måns overvejede at gribe fat i båden, men det ville også have set kønt ud. Hvordan han holdt fast i stævnen, til han trimlede i vandet. Kontorets egen onkel Melker. Båden gled ud.

"Jamen så tag da til Kiruna!" råbte han uden at tage sig af, hvem der hørte det. "For min skyld kan du gøre, hvad fanden du vil."

Båden forsvandt ud i mørket. Han hørte årerne skramle i åregaflerne og plasket, når årebladene ramte vandet.

Men Rebeckas stemme lød stadigvæk tæt på, og nu var tonelejet blevet højere.

"Som om noget kan være værre end det her."

Han genkendte stemmen fra de evindelige skænderier med Madelene i sin tid. Først Madelenes indestængte vrede. Og han, som heller ikke dengang havde haft den fjerneste anelse om, hvad han havde gjort forkert. Derefter skænderiet, hver eneste gang som århundredets orkan. Og efter det den dér stemme, der steg en anelse og inden længe ville blive til gråd. Så kunne det være tid til forsoning. Hvis man var villig til at betale prisen: påtage sig skylden. Med Madelene havde han haft et gammelt manus at ty til: Han selv, der sagde, at han var et forbandet røvhul, Madelene, der hulkede som et barn i hans arme med hovedet mod hans bryst.

Og nu Rebecka ...Tanken tog et luntende fuldemandsskridt i hovedet på jagt efter de rette ord, men det var allerede for sent. Lyden af åretagene forsvandt længere og længere væk.

Fandeme om han ville råbe efter hende. Det kunne hun godt glemme.

Pludselig stod Ulla Carle, den ene af firmaets to kvindelige partnere, bag ved ham og spurgte, hvad der var sket.

"Rend mig i røven," sagde han og begyndte at gå op mod hotellet. Han styrede hen mod den udendørs bar under guirlanderne af kulørte lamper.

Tirsdag den 5. september

POLITIINSPEKTØR SVEN-ERIK STÅLNACKE kørte fra Fjällnäs til Kiruna. Gruset smældede op mod bilens understel, og bag ham fløj vejstøvet op i en stor sky. Da han drejede af op mod Nikkavägen, rejste Kebnekajsemassivets isblå krop sig mod himlen på hans venstre side.

Det er underligt, at man aldrig bliver træt af det, tænkte han.

Selvom han havde passeret de halvtreds, blev han stadig lige betaget af årstidernes vekslen. Efterårets rene, klare fjeldluft, der kom brusende ned gennem dalstrøgene fra højfjeldet. Solens tilbagevenden sidst på vinteren. De første dryp fra tagene. Og isens opbrud. Man blev næsten værre med årene. Kunne have brug for en uges ferie bare for at sidde og glo på naturen.

Og far havde det på samme måde, tænkte han.

I sine sidste leveår, ja, det var sikkert femten, havde hans far gentaget den samme remse: "Denne sommer bliver min sidste. Dette efterår var det sidste, jeg fik lov at opleve."

Det var, som om netop dette havde skræmt ham mest ved døden. Ikke at få lov at opleve endnu et forår, en lys sommer, et glødende efterår. At årstiderne skulle fortsætte med at komme og gå uden ham.

Sven-Erik skævede til uret. Halv to. En halv time til mødet med anklageren. Han ville kunne nå et smut ind forbi Annies grill og snuppe sig en burger.

Han vidste udmærket, hvad anklageren ville. Det var nu snart tre måneder, siden præsten Mildred Nilsson blev myrdet, og de var ikke kommet nogen vegne. Nu var anklageren blevet godt træt. Og hvem kunne bebrejde ham det?

Ubevidst trykkede han hårdere på pedalen. Han skulle have spurgt Anna-Maria til råds, det var han klar over nu. Anna-Maria Mella var hans gruppeleder. Hun havde barselsorlov, og Sven-Erik vikarierede for hende. Det forholdt sig bare sådan, at det ikke føltes naturligt at forstyrre hende hjemme. Det var mærkeligt. Når de arbejdede sammen, føltes det, som om de havde et tæt forhold, men uden for arbejdstid kunne han ikke finde på noget at sige. Han savnede hende, men alligevel havde han kun besøgt hende én gang, og det var lige efter drengens fødsel. Hun var kommet ind på stationen et par gange for at sige hej, men da stod hele den forbandede flok høns fra sekretariatet og kaglede rundt om hende, så han lige så godt kunne holde sig væk. I midten af januar ville hun genoptage arbejdet.

Som de dog havde stemt dørklokker. Nogen burde have set noget. I Jukkasjärvi, hvor man havde fundet præsten hængende ned fra orgelgalleriet, og i Poikkijärvi, hvor hun boede. Intet. De havde taget en dørklokkerunde til. Ikke en skid.

Og det var dét, der var så besynderligt. En eller anden havde slået hende ihjel i fuld åbenhed på hjemstavnsmuseets grund nede ved elven. Morderen havde i fuld åbenhed båret liget hen til kirken. Det havde ganske vist været midt om natten, men det havde jo været lyst som ved højlys dag.

De havde fundet ud af, at hun var en kontroversiel præst. Da Sven-Erik havde spurgt, om hun havde nogen fjender, havde et flertal af de aktive kvinder i menigheden svaret: "Stort set hver eneste mand." På kirkekontoret havde en kvinde med skarpe furer på begge sider af den sammenknebne mund nærmest sagt direkte, at præsten selv havde været ude om det. Hun havde været genstand for overskrifter i lokalpressen, selv mens hun levede. Ballade med menighedsrådet, da hun arrangerede selvforsvarskurser for kvinder i menighedens lokaler. Ballade med kommunen, da hendes bibelkreds for kvinder,

Magdalena, forlangte, at en tredjedel af tiden på kommunens skøjtebaner skulle reserveres til ishockey og kunstskøjteløb for pigehold. Og nu på det sidste var hun kommet op at toppes med flere jægere og rensdyrejere. Det gjaldt den hunulv, der havde slået sig ned på kirkens jorder. Mildred Nilsson havde sagt, at det var kirkens pligt at beskytte ulven. Lokalavisen *NSD* havde haft et midteropslag med et billede af hende og en af hendes modstandere under overskriften "Ulveelskeren og Ulvehaderen".

Og i Poikkijärvi præstegård på den anden side af elven over for Jukkasjärvi sad hendes mand. Sygemeldt og ude af stand til at hitte rede i hendes efterladenskaber. Sven-Erik genkaldte sig atter den smerte, der havde fyldt ham, når han talte med fyren. "Er det nu jer igen? Får I da aldrig nok?" Hver samtale havde været som at slå hul på isen over en netop tilfrossen våge. Sorgen, der strømmede op. De forgrædte øjne. Ingen børn at dele sorgen med.

Sven-Erik havde ganske vist et barn, en datter, der boede i Luleå, men han genkendte den der satans ensomhed. Han var fraskilt og boede alene. Men han havde jo katten, og der var ingen, der havde myrdet hans kone og hængt hende op i en kæde.

Man havde tjekket alle samtaler og breve fra diverse tosser, der havde erklæret sig skyldig i udåden, men det havde selvfølgelig ikke givet noget. De var ikke andet end nogle ynkelige tabere, der et kort øjeblik oplevede en feberagtig optændthed over avisernes overskrifter.

For vist havde det skabt overskrifter. Tv og aviser var gået helt amok. Mildred Nilsson var blevet myrdet midt i sommerens agurketid, og så var det jo ikke engang to år siden, at en anden religiøs leder var blevet myrdet i Kiruna, nemlig Viktor Strandgård, frontfigur i menigheden Kraftkilden. Man havde spekuleret over lighederne, skønt den, der myrdede Viktor Strandgård, nu var død. Men vinklingen lå dog lige for: en kirkens mand, en kirkens kvinde. Begge fundet brutalt myrdet i hver sin kirke. Præster og prædikanter udtalte sig i de landsdækkende medier. Følte de sig truet? Agtede de at flytte? Var ræverøde Kiruna en farlig by at bo i, hvis man var præst? Avisernes sommervikarer kom tilrejsende og granskede politiets arbejde. De var unge og sultne og lod sig ikke spise af med "på grund af den tekniske efterforskning ... ingen kommentarer på nuværende tidspunkt". I to uger havde pressens hårdnakkede interesse bidt sig fast.

"Det er dog fandens, som man vender skoene og ryster dem, før man tager dem på," havde Sven-Erik sagt til kriminalkommissæren. "Man ved sgu aldrig, om en eller anden journalist ligger dernede med spidset brod."

Men da politiet ikke kom nogen vegne, var nyhedsreporterne omsider rejst fra byen. To personer, der var blevet mast ihjel under en festival, overtog mediernes interesse.

I løbet af sommeren havde politiet arbejdet ud fra copycatteorien. En eller anden var blevet inspireret af mordet på Viktor Strandgård. Rigspolitiet havde i begyndelsen ikke været meget for at udarbejde en gerningsmandsprofil. Så vidt man vidste, drejede det sig jo ikke om en seriemorder. Og det var overhovedet ikke sikkert, at man havde at gøre med en copycat. Men lighederne med mordet på Viktor Strandgård og det store medieopbud havde til sidst ført til, at en psykiater fra rigspolitiets gerningsmandsprofil-gruppe havde måttet afbryde sin ferie og var kommet op til Kiruna.

Først i juli havde hun haft et formiddagsmøde med Kirunapolitiet. De havde været omkring ti personer, der havde siddet og svedt i mødelokalet. Man turde ikke risikere, at nogen udenforstående hørte samtalen, så vinduerne var lukket.

Retspsykiateren var en kvinde i fyrrerne. Det, der slog Sven-Erik, var, at hun talte om psykopater, massemordere og seriemordere med en sådan ro og en sådan forståelse, ja, næsten ømhed. Når hun nævnte eksempler fra virkeligheden, sagde hun ofte "den stakkels mand" eller "vi havde en ung fyr, som ..." eller "heldigvis for ham blev han pågrebet og dømt". Og om en anden fortalte hun, at han efter nogle år på retspsykiatrisk afdeling kunne udskrives og nu tog sin daglige medicin, levede et liv med faste rammer og havde deltidsarbejde i et malerfirma plus en hund.

"Jeg kan ikke understrege nok," havde hun sagt, "at det er politiets opgave at afgøre, hvilken teori vi skal arbejde med. Hvis jeres morder er en copycat, kan jeg give jer et virkelighedstro portræt af ham, men intet er jo sikkert."

Hun havde opridset en profil og opfordret dem til at afbryde med spørgsmål.

"Han er mand. Alder femten til halvtreds. Sorry."

Det sidste tilføjede hun, da hun blev opmærksom på deres smil.

"Vi vil jo foretrække 'syvogtyve år og tre måneder, arbejder som avisbud, bor hjemme hos sin mor og kører i en rød Volvo'," sagde en af dem for sjov.

Hun fortsatte ufortrødent:

"Og skonummer 42. Nå, men efterlignere er specielle i den forstand, at de kan debutere med grov voldsanvendelse. Han behøver altså ikke tidligere at have været dømt for grov vold. Desuden har I jo taget fingeraftryk, men har ikke fundet dem i strafferegistret."

Folk nikkede.

"Han kan befinde sig i registret over mistænkte, eller han er dømt for småkriminalitet, der er typisk for en marginaliseret personlighed. Typen, der følger efter folk eller laver telefonchikane, eller måske smårapser. Men hvis vi har at gøre med en imitator, har han siddet hjemme på sit værelse i halvandet år og læst om mordet på Viktor Strandgård. Stille og roligt. Det var en andens mord. Foreløbig var det nok for ham. Men fra og med nu har han lyst til at læse om sig selv."

"Men egentlig er mordene jo ikke ens," havde nogen indvendt. "Viktor Strandgård blev jo slået ned og dolket og fik øjnene stukket ud og hænderne skåret af."

Hun havde nikket.

"Det stemmer, men forklaringen kan være, at det her er hans første forsøg. At dolke, skære og bore med en kniv giver større, hvad skal jeg sige, nærkontakt, end det er tilfældet med et længere redskab, som tilsyneladende er brugt her. Der er en højere tærskel, der skal overskrides. Næste gang er han måske parat til at bruge kniv. Han er måske ikke meget for fysisk nærhed."

"Han bar hende jo op til kirken."

"Men da var han allerede færdig med hende. Da var hun ingenting, blot et stykke kød. Okay, han bor alene, eller også har han adgang til et helt privat sted, for eksempel et hobbyrum, hvor andre aldrig kommer, eller et værksted eller, ja, et eller andet aflåst lokale. Der har han sine avisudklip. De ligger formentlig fremme, sandsynligvis sat op på væggen. Han er isoleret, har kun få sociale kontakter. Han har højst tænkeligt tillagt sig et eller andet fysisk særpræg for at holde folk på afstand. Dårlig hygiejne, for eksempel. Spørg om det, hvis I har en mistænkt, spørg, om han har nogen venner, for det har han ikke. Men som sagt, det behøver ikke være en copycat. Det kan jo være en eller anden, som tilfældigvis er blevet grebet af raseri. Hvis vi er så uheldige at få endnu et mord på halsen, kan vi jo tales ved."

Sven-Erik blev afbrudt i sine tanker, da han passerede en bilist, der motionerede sin hund ved at holde en snor ud af en nedrullet bilrude og lade hunden løbe ved siden af. Det var en elghundkrydsning, så Sven-Erik. Hunden galopperede af sted med tungen hængende ud af halsen.

"Skide dyrplager," mumlede han, mens han iagttog dem i bakspejlet.

Det var formodentlig en elgjæger, der ville have sin hund i form til jagten. Et kort øjeblik overvejede han at vende bilen og tage sig en snak med hundeejeren. Den slags skulle overhovedet ikke have lov til at have dyr. Resten af året var den garanteret lukket inde i hundegården.

Men han vendte ikke om. Han havde for nylig været ude og tale med en fyr, som overtrådte sit polititilhold mod sin eks-kone og oven i købet nægtede at møde op til afhøring, selvom han var blevet indkaldt.

Ballade dag ud og dag ind, tænkte Sven-Erik. Fra man står op, til man går i seng. Hvor skal man trække grænsen? En skønne dag står man på sin fridag og råber ad folk, der smider ispapir på gaden.

Men billedet af den galopperende hund og dens smadrede trædepuder pinte ham hele vejen ind til byen.

Femogtyve minutter senere trådte Sven-Erik Stålnacke ind på anklager Alf Björnfots kontor. Den tresårige anklager sad på kanten af skrivebordet med et lille barn i armene. Drengen trak fornøjet i snoren til lysarmaturet, der hang over skrivebordet.

"Og se lige!" udbrød anklageren, da Sven-Erik trådte ind. "Her har vi søreme Sven-Erik. Det er Gustav, Anna-Marias knægt."

Det sidste sagde han til Sven-Erik og missede nærsynet med øjnene. Gustav havde taget hans briller og slog dem mod snoren til lysarmaturet, så den svingede frem og tilbage.

I samme øjeblik trådte politiinspektør Anna-Maria Mella ind. Hun hilste på Sven-Erik ved at hæve øjenbrynene, mens hesteansigtet frembragte et hurtigt, skævt smil. Som om de havde set hinanden ved det daglige morgenmøde. I virkelig-heden var det flere måneder siden.

Det slog ham, hvor lille hun var. Det var sket før, når de ikke havde mødt hinanden et stykke tid, for eksempel i ferieperio-der. I hans tanker var hun altid meget større. Det kunne ses, at hun havde haft orlov. Hun havde en dyb solbrændthed af den slags, der ikke ville forsvinde før langt inde i den mørke vinter. Fregnerne var ikke længere synlige, da de havde samme farve som resten af ansigtet. Den tykke fletning var næsten hvid. Helt oppe ved hårkanten havde hun en række opkradsede myggestik, små brune prikker af indtørret blod.

De tog plads. Anklageren bag sit overfyldte skrivebord og Anna-Maria og Sven-Erik ved siden af hinanden i hans gæstesofa. Anklageren fattede sig i korthed. Efterforskningen af mordet på Mildred Nilsson var gået i stå. Hen over sommeren havde den lagt beslag på næsten alle politiets ressourcer, men nu måtte den nedprioriteres.

"Det er uomgængeligt," sagde han beklagende til Sven-Erik, som stædigt kiggede ud ad vinduet. "Vi kan ikke holde underskuddet på budgettet nede ved at tilsidesætte andre efterforskninger og forundersøgelser. Det ender med, vi får rigsadvokaten på nakken."

Han holdt en kort pause og betragtede Gustav, der hev indholdet op af hans papirkurv og anbragte sine fund i en nydelig række på gulvet. En tom æske skråtobak. En bananskræl. En Läkerolæske. Nogle sammenkrøllede stykker papir. Da papirkurven var tømt, trak Gustav skoene af og smed dem ned i kurven. Anklageren smilede og fortsatte.

Det var nu lykkedes ham at overtale Anna-Maria til at komme tilbage og arbejde på halv tid, indtil hun igen skulle gå op på fuld tid efter jul. Tanken var altså, at Sven-Erik skulle fortsætte som gruppeleder og Anna-Maria tage sig af mordet, til det var tid at begynde at arbejde fuldtids på ny.

Han skubbede brillerne godt på plads på næsen og lod blikket feje hen over bordet. Omsider fandt han Mildred Nilssons sagsmappe og skubbede den over mod Anna-Maria og Sven-Erik.

Anna-Maria bladrede lidt i mappen, mens Sven-Erik kiggede med over hendes skulder. Han blev tung indvendig. Det var, som om en sorg opfyldte ham, da han så siderne.

Anklageren bad ham give en sammenfatning af efterforskningen.

Sven-Erik tænkte sig om et par sekunder, mens han trak fingrene gennem sit stride overskæg, og fortalte derefter uden de store falbelader, at præsten Mildred Nilsson var blevet taget af dage natten til midsommeraften den 21. juni. Hun havde holdt en midnatsgudstjeneste, der sluttede kvart i tolv, i Jukkasjärvi kirke. Elleve personer deltog i gudstjenesten, hvoraf de seks var turister, der boede på vildmarkshotellet. De var blevet hevet op af sengen allerede klokken fire om morgenen og afhørt af politiet. De øvrige kirkegængere tilhørte præstens dameklub Magdalena.

"Dameklub?" spurgte Anna-Maria og kiggede op fra sagsmappen.

"Ja, hun havde en bibelkreds, der udelukkende bestod af kvinder. De kaldte sig Magdalena. Et af de der netværk, der er så populære for tiden. De plejede at komme i den kirke, hvor Mildred Nilsson holdt gudstjeneste. De har vakt vrede i flere forskellige sammenhænge. Betegnelsen bruges både af deres modstandere og dem selv."

Anna-Maria nikkede og kiggede atter i sagsmappen. Hun kneb øjnene sammen, da hun nåede til obduktionserklæringen og overlæge Pohjanens udtalelse.

"Hun blev ilde tilredt," sagde hun. "'Kraniebrud som følge af indtrykning ... revner i kraniet ... kvæstelser i hjernen, hvor kraniet er slået ind ... blødning mellem de bløde og den hårde hjernehinde ...'"

Hun bemærkede nogle hurtige grimasser af ubehag hos både anklageren og Sven-Erik og fortsatte i tavshed med at skimme teksten.

Altså ukarakteristisk vold udført med en stump genstand. De fleste skader cirka tre centimeter lange med bindevævsbroer mellem kanterne. Vævet knust. Men her var en lang skade: "Aflangt, blårødt mærke og hævelse i venstre tinding ... tre centimeter neden for og to centimeter foran øregang i venstre side ses bageste afgrænsning af ydre læsion ..."

Ydre læsion? Hvad stod der om den i udtalelsen? Hun bladrede frem.

"... den ydre læsion og den aflange, sideafgrænsede rift over venstre tinding tyder på anvendelsen af et koben-lignende våben."

Sven-Erik fortsatte sin beretning:

"Efter gudstjenesten klædte præsten om i sakristiet, låste kirken og spadserede ned til elven neden for hjemstavnsmuseet, hvor hun havde sin båd. Der blev hun overfaldet. Morderen bar præsten tilbage til kirken. Låste porten op og bar hende op til orgelgalleriet, trak en jernkæde rundt om hendes hals, bandt kæden fast til orglet og hængte hende op i orgelgalleriet.

Hun blev fundet kort tid efter af en af kirkebetjentene, der impulsivt var cyklet ned til landsbyen for at plukke blomster til kirken."

Anna-Maria kastede et blik på sin søn. Han havde opdaget kassen med dokumenter, der skulle til makulering. Han rev det ene papir efter det andet i stykker. Hvilken ufattelig fryd.

Anna-Maria læste hastigt videre. Adskillige brud på overkæben og kindbenet. Den ene pupil ødelagt. Venstre pupil målte seks millimeter, højre fire. Skyldtes hævelsen i hjernen. "Overlæben voldsomt opsvulmet. Blåviolet misfarvning i højre side, tværsnit viser kraftig sortrød blødning ..." Herregud! Samtlige fortænder i overmunden slået ud. "Munden fyldt med frisk og levret blod. I mundhulen er to strømper presset hårdt ind mod svælget."

"Slog næsten kun efter hovedet," sagde hun.

"To læsioner i brystet," sagde Sven-Erik.

"Koben-lignende genstand."

"Formodentlig et koben."

"Aflang læsion i venstre tinding. Tror du, det er første slag?"

"Ja. I så fald må man vel gå ud fra, at han er højrehåndet."

"Eller hun."

"Ja, men morderen bar hende et temmelig langt stykke. Fra elven til kirken."

"Hvor ved man fra, at han bar hende? Han lagde hende måske i en trillebør eller sådan noget."

"Ved og ved, du kender jo Pohjanen. Men han påpegede, hvordan blodet havde løbet på hende. Først løb det nedad mod ryggen."

"Da hun lå på ryggen på jorden."

"Ja. Til sidst fandt teknikerne frem til stedet. Blot en ganske kort afstand fra bredden, hvor hun plejede at have sin båd. Sommetider tog hun båden over elven. Boede jo på den anden side, i Poikkijärvi. Hendes sko lå også ved båden på bredden."

"Hvad skete der så? Med blødningen."

"Derefter blødte det lidt mindre fra læsionerne i ansigtet og hovedet ned mod issen."

"Okay," sagde Anna-Maria. "Morderen bærer hende over skulderen, så hovedet hænger nedad."

"Det kunne være forklaringen. Og det er jo ikke ligefrem gymnastik for husmødre, vi taler om her."

"Jeg ville godt have kunnet bære hende," sagde Anna-Maria. "Også hænge hende op i orglet. Hun var jo meget lille af vækst."

Ikke mindst hvis jeg var helt ... helt ude af mig selv af raseri, tænkte hun.

Sven-Erik fortsatte:

"Den sidste blodstrøm løb ned mod fødderne."

"Da hun blev hængt op."

Sven-Erik nikkede.

"Så da var hun ikke død endnu?"

"Ikke helt. Det står i udtalelsen."

Anna-Maria skimmede udtalelsen. Der var en lille blodud-trædning i huden under halslæsionerne. Ifølge retslæge Poh-janen tydede det på, at døden var nært forestående. Hun var altså næsten død, da hun blev hængt. Formentlig ikke ved bevidsthed.

"De der strømper i mundhulen ..." begyndte Anna-Maria.

"Hendes egne," sagde Sven-Erik. "Skoene blev jo efterladt nede ved bredden, og hun var barfodet, da hun blev fundet hængt."

"Det dér er jeg stødt på før," sagde anklageren. "Typisk når nogen er blevet slået ihjel på den måde. Ofret spjætter og raller. Det er temmelig ubehageligt. Og for at sætte en stopper for denne rallen ..."

Han afbrød sig selv. Tænkte på en hustrumishandling, der var endt med drab. Det halve af soveværelsesgardinet nede i halsen.

Anna-Maria så på nogle af fotografierne. Det smadrede ansigt. Munden, der gabte sort uden fortænder.

Hvad med hænderne? tænkte hun. Håndkanten? Armene?

"Ingen skader, der tyder på modstand," sagde hun.

Anklageren og Sven-Erik rystede på hovedet.

"Og ingen intakte fingeraftryk?" spurgte Anna-Maria.

"Nej. Vi har en stump af et aftryk på den ene strømpe."

Nu var Gustav gået over til at flå bladene af en stor stuebirk, der stod på gulvet i en potte med lecakugler. Da Anna-Maria trak ham væk, stak han i et vræl.

"Nej, og jeg mener nej," sagde Anna-Maria, da han prøvede at kæmpe sig ud af hendes greb og vende tilbage til stuebirken.

Anklageren forsøgte at sige noget, men Gustav hylede som en sirene. Anna-Maria prøvede at bestikke ham med sine bilnøgler og sin mobiltelefon, men alt røg på gulvet med et brag. Han havde indledt barberingen af stuebirken, og han agtede at fuldføre sit forehavende. Anna-Maria tog ham under armen og rejste sig. Mødet var så helt afgjort forbi.

"Jeg indrykker en annonce under 'bortgives'," sagde hun mellem tænderne. "Eller 'byttes': 'Halvandenårig dreng i god stand byttes til plæneklipper, alt har interesse'."

Sven-Erik fulgte Anna-Maria hen til bilen. Stadig den samme

skrammede Ford Escort, noterede han sig. Gustav glemte sine sorger, da hun satte ham ned, så han kunne gå selv. Først løb han i vaklende overmod hen mod en due, der pikkede i resterne ved en affaldskurv. Fuglen fløj træt sin vej, og Gustav rettede sin opmærksomhed mod affaldskurven. Et eller andet lyserødt var løbet ud over kanten og lignede indtørret bræk fra om lørdagen. Anna-Maria fik indfanget Gustav lige i sidste øjeblik, inden han nåede derhen. Han begyndte at græde, som gjaldt det livet. Hun masede ham ned i autosædet og lukkede døren. Indefra hørtes hans dæmpede skrig.

Hun vendte sig om mod Sven-Erik med et skævt smil.

"Jeg lader ham sidde og går hjem," sagde hun.

"Så tror da fanden, han protesterer, når du snyder ham for hans mellemmad," sagde Sven-Erik med et hovedkast i retning af den ulækre affaldskurv.

Anna-Maria trak på skuldrene med forstilt gysen. De tav et par sekunder.

"Jamen," sagde Sven-Erik med et smørret grin, "så skal man altså trækkes med dig igen."

"Ja, din stakkel," smilede hun tilbage. "Nu er freden forbi."

Så blev hun alvorlig.

"I aviserne skrev de, at hun var rødstrømpe, arrangerede kurser i selvforsvar og den slags. Men hun gjorde ikke modstand!"

"Jeg ved det," sagde Sven-Erik.

Han trak op i overskægget med en eftertænksom mine.

"Måske ventede hun ikke at blive slået," sagde han. "Hun kendte ham måske."

Han grinede lidt.

"Eller hende!" tilføjede han.

Anna-Maria nikkede grundende. Bag hende kunne Sven-Erik se vindmøllerne på Peuravaara. Et af deres yndlingsemner. Han syntes, de var smukke. Hun syntes, de var grimme som ind i helvede.

"Måske," sagde hun.

"Han havde måske hund," sagde Sven-Erik. "Teknikerne fandt to hundehår på hendes tøj, og hun havde ikke nogen."

"Hvilken slags hund?"

"Vides ikke. Efter Helene fra Hörby prøvede man at udvikle teknikken. Man kan ikke afgøre, hvad det er for en race, men hvis man finder en mistænkt med hund, kan man sammenligne og se, om hårene stammer fra netop den hund."

Skrigene inde i bilen steg i styrke. Anna-Maria tog plads og startede motoren. Der måtte være gået hul på udstødningsrøret, for den lød som en forpint motorsav, da hun gassede op. Hun for af sted med et ryk og kørte med hvinende dæk ud på Hjalmar Lundbohmsvägen.

"Det var da fandens til kørsel!" råbte han efter hende gennem den fedtede udstødningssky.

I bagruden så han hendes hånd, der blev løftet til en vinken.

REBECKA MARTINSSON SAD i den lejede Saab på vej ned mod Jukkasjärvi. Torsten Karlsson sad i passagersædet med tilbagelænet hoved og lukkede øjne og slappede af før mødet med sognepræsten. Fra tid til anden kiggede han ud ad bilvinduet.

"Sig til, hvis vi kommer forbi noget, der er værd at kigge på," sagde han til Rebecka.

Rebecka smilede skævt.

Det hele, tænkte hun. Det hele her er værd at kigge på. Aftensolen mellem fyrretræerne. Insekterne, der svirrer omkring i grøftekanten. Frostsprækkerne i asfalten. Det, der ligger dødt og udsplattet på vejen.

Mødet med sognepræsterne fra Kiruna Stift skulle ikke finde sted før næste morgen, men sognepræsten i Kiruna havde ringet til Torsten.

"Hvis I kommer allerede tirsdag aften, så slå på tråden," havde han sagt. "Så skal jeg vise jer to af Sveriges smukkeste kirker. Kiruna og Jukkasjärvi."

"Så kører vi på tirsdag!" havde Torsten afgjort. "Det er forbandet vigtigt, at vi har ham på vores side om onsdagen. Klæd dig nu lidt pænt på."

"Du kan selv klæde dig pænt på!" havde Rebecka svaret.

I flyet var de havnet ved siden af en kvinde, der straks kom i snak med Torsten. Hun var en stor dame iført en løstsiddende hørjakke og med et kolossalt hængesmykke fra Kalevala om halsen. Da Torsten fortalte, at det var første gang, han besøgte Kiruna, havde hun begejstret slået hænderne sammen. Derefter havde hun givet ham tips om alt det, han absolut burde se.

"Jeg har medbragt min private guide," havde Torsten sagt og nikket mod Rebecka.

Kvinden havde smilet til Rebecka.

"Ja, så du har været her før?"

"Jeg er født her."

Kvinden havde sendt hende et hurtigt, granskende blik. Der anedes en snert af mistro i hendes øjne.

Rebecka var begyndt at kigge ud ad vinduet og havde ladet Torsten fortsætte samtalen. Det havde såret hende, at hun lignede en fremmed. Nydeligt ekviperet i grå dragt og sko fra Bruno Magli.

Det er min by, havde hun tænkt med en vis trodsighed.

Netop da havde flyet drejet, og byen lå udbredt under hende. Denne klynge af bebyggelse, der ihærdigt havde klamret sig fast til bjerget fuldt af jern. Rundt omkring den ikke andet end fjeld og myr, lav skovbevoksning og vandløb. Hun havde snappet efter vejret.

I lufthavnen havde hun også følt sig som en fremmed. På vej hen til den lejede bil havde hun og Torsten mødt en flok hjemvendende turister. De havde lugtet af myggeolie og sved. Fjeldluften og septembersolen havde hærdet deres hud. Solbrændte med hvide rynker i øjenkrogene af at misse mod solen.

Rebecka vidste, hvordan de havde det. Ømme fødder og trætte muskler efter en uge på fjeldet, tilfredse og lidt sløve. De havde været iklædt spraglede anorakker og praktiske, kakifarvede bukser. Selv var hun iført frakke og halstørklæde.

Torsten rettede ryggen og sendte lange, nysgerrige blikke efter nogle fluefiskere, da de passerede elven.

"Så må vi jo bare bede til, at vi haler en aftale i land," sagde han.

"Selvfølgelig gør du det," sagde Rebecka. "De vil elske dig."

"Tror du? Det er jo ikke så smart, at jeg aldrig har været her før. Jeg har sgu ikke været nord for Gävle."

"Nej, men nu er du overmåde lykkelig over at være her. Du har jo altid drømt om at komme herop og se den storslåede fjeldverden og besøge minen. Næste gang har du tænkt dig at holde ferie heroppe i forbindelse med besøget og lege turist."

"Javel."

"Og ikke noget med 'hvordan fanden kan I holde ud at bo her under den lange, mørke vinter, hvor solen ikke engang står op'."

"Selvfølgelig ikke."

"Heller ikke, hvis de selv laver sjov med det."

"Ja ja."

Rebecka parkerede bilen uden for klokketårnet. Ingen sognepræst. De gik ned ad grusgangen mod præstegården. Rødt træværk og hvide hushjørner. Neden for præstegården strømmede elven. Septemberlav vandstand. Torsten dansede myggedans. Der var ingen, der åbnede, da de ringede på døren. De ringede på igen og ventede. Til sidst vendte de sig om for at gå.

En mand kom ud gennem åbningen i stakittet ind til kirkegården. Han vinkede til dem og råbte noget. Da han kom nærmere, så de, at han bar præsteskjorte.

"Hej," sagde han, da han kom hen til dem. "I må være fra Meijer & Ditzinger."

Han rakte hånden frem mod Torsten Karlsson først. Rebecka indtog sekretærstilling et halvt skridt bag Torsten.

"Stefan Wikström," sagde præsten.

Rebecka præsenterede sig uden titel. Han måtte tro, hvad der var mest bekvemt for ham. Hun studerede præsten. Han var i fyrrerne. Cowboybukser, løbesko og præsteskjorte med hvid præstekrave. Han havde altså ikke lige forrettet sit embede, og alligevel bar han præsteskjorte.

Altså en præst med døgnåbent, tænkte Rebecka.

"I havde aftalt at mødes med sognepræst Bertil Stensson," fortsatte præsten. "Han blev desværre forhindret i aften, så han bad mig tage imod jer og vise jer kirken."

Rebecka og Torsten svarede et eller andet høfligt og fulgte med ham hen til den lille røde trækirke. Der duftede af tjære fra spåntaget. Rebecka holdt sig i kølvandet på de to mænd.

Præsten henvendte sig næsten udelukkende til Torsten, når han talte. Torsten spillede uden videre med og henvendte sig heller ikke til Rebecka.

Det kunne naturligvis forholde sig sådan, at sognepræsten virkelig var blevet forhindret, tænkte Rebecka, men det kunne også betyde, at han havde besluttet at gå imod advokatfirmaets tilbud.

Der var dunkelt inde i kirken. Luften stod stille. Torsten kløede på tyve nye myggestik.

Stefan Wikström fortalte om trækirken, der var fra 1700-tallet. Rebecka lod tankerne få frit spil. Hun kendte historien om den smukke altertavle og de døde, der hvilede under gulvet. Så bemærkede hun, at de havde skiftet samtaleemne, og spidsede ører.

"Der. Foran orglet," sagde Stefan Wikström og pegede.

Torsten kiggede op mod de blanke orgelpiber og det samiske soltegn midt på orglet.

"Det må have været et chok for jer alle."

"Hvad?" spurgte Rebecka.

Præsten så på hende.

"Ja, det var her, hun hang," sagde han. "Min kollega, der blev myrdet i sommer."

Rebecka kiggede dumt på ham.

"Blev myrdet i sommer?" gentog hun.

Der opstod en forvirret pause.

"Ja, i sommer," sagde Stefan Wikström prøvende.

Torsten Karlsson stirrede på Rebecka.

"Hold nu op," sagde han.

Rebecka så på ham og rystede næsten umærkeligt på hovedet.

"En kvindelig præst blev myrdet i Kiruna i sommer. Herinde. Vidste du ikke det?"

"Nej."

Han så uroligt på hende.

"Du må være den eneste i hele Sverige, der ... Jeg gik ud fra, du vidste det. Det stod jo i samtlige aviser. Hver eneste nyhedsudsendelse ..."

Stefan Wikström fulgte deres samtale, som var det en bordtenniskamp.

"Jeg har ikke læst aviser denne sommer," sagde Rebecka. "Og ikke set fjernsyn."

Torsten vendte håndfladerne opad i en hjælpeløs bevægelse.

"Jeg troede virkelig ..." begyndte han. "Nå ja, folk turde sgu ikke ..."

Han afbrød sig selv og sendte præsten et flovt blik, modtog et smil som tegn på syndernes forladelse og fortsatte:

"Der var nok ingen, der turde fortælle dig det. Vil du hellere vente udenfor? Eller vil du have et glas vand?"

Rebecka skulle lige til at smile, men skiftede så mening. Kunne ikke beslutte sig for, hvilken mine hun skulle sætte op.

"Jeg har det udmærket, tak. Men jeg vil gerne vente udenfor."

Hun forlod mændene inde i kirken og gik ud. Blev stående på kirketrappen.

Jeg burde helt klart føle noget, tænkte hun. Måske besvime.

Eftermiddagssolen opvarmede klokketårnets mur. Hun fik lyst til at læne sig op ad den, men lod være for tøjets skyld. Lugten af varm asfalt blandede sig med lugten fra det nytjærede tag.

Hun spekulerede på, om Torsten i dette øjeblik fortalte Stefan Wikström, at det var hende, der skød Viktor Strandgårds morder. Måske bryggede han en eller anden løgnehistorie sammen. Han gjorde sandsynligvis det, han mente gavnede forretningen bedst. Lige i øjeblikket lå hun jo i den sociale godtepose. Sammen med salte anekdoter og indsukret sladder. Hvis Stefan Wikström havde været advokat, ville Torsten have fortalt, hvordan det stod til. Rakt godteposen frem og budt på en Rebecka Martinsson. Men præster var måske ikke et lige så sladderagtigt folkefærd som jurister.

Efter ti minutter kom de ud til hende. Præsten gav dem begge hånden. Det føltes, som om han ikke rigtig ville slippe deres hænder.

"Det var jo trist, at Bertil var nødt til at tage af sted. Det var en bilulykke, og så kan man ikke undslå sig. Vent lidt, så prøver jeg at få fat i ham på mobilen."

Mens Stefan Wikström prøvede at ringe til sognepræsten, vekslede Rebecka og Torsten blikke. Så var sognepræsten altså virkelig forhindret. Rebecka spekulerede på, hvorfor Stefan Wikström var så ivrig efter, at de skulle hilse på ham inden morgendagens møde.

Han er ude på noget, tænkte hun. Hvad mon?

Stefan Wikström stoppede telefonen i baglommen med et beklagende smil.

"Desværre," sagde han. "Der var telefonsvarer på. Men vi ses i morgen."

Et kort og uhøjtideligt farvel, eftersom der jo kun var en nats søvn, til de skulle ses igen. Torsten bad Rebecka om en pen og skrev en bogtitel ned, som præsten havde anbefalet ham. Udviste oprigtig interesse.

Rebecka og Torsten kørte tilbage mod byen. Rebecka fortalte om Jukkasjärvi. Hvordan landsbyen var før det store turist-boom. Fredsommeligt hvilende ved elven. Befolkningen, som tavst sivede ud af den som sandet i et timeglas. Konsumbutik-ken, der var det rene madantikvariat. I ny og næ en turist på hjemstavnsmuseet, hvor de serverede opvarmet kaffe og havde en Delicatostøvsuger, der efterhånden var grå af ælde. Husene havde været usælgelige. Tavse og huløjede havde de stået der med utæt tag og mus i væggene. Engene tilgroet af nye træskud.

Og nu: Turister fra hele verden kom for at sove mellem rens-dyrskind på ishotellet, fare af sted med snescooter i tredive graders kulde, køre med hundespand og lade sig vie i iskirken.

Og når det ikke var vinter, gik man i sauna på badstuetømmerflåder og dyrkede riverrafting.

"Stands!" råbte Torsten pludselig. "Der er et sted, hvor vi kan spise!"

Han pegede på et skilt i vejkanten. Det bestod af to håndmalede bræddestykker anbragt oven på hinanden. De var udsavet til pile og pegede til venstre. Grønne bogstaver på hvid bund forkyndte "VÆRELSER" og "Servering til kl. 23".

"Nej, det kan vi ikke," sagde Rebecka. "Det dér er vejen ned til Poikkijärvi. Der er ingenting."

"Styr dig nu, Martinsson," sagde Torsten og spejdede forventningsfuldt ned ad vejen. "Hvor er din eventyrlyst blevet af?"

Rebecka sukkede som en mor og drejede ind på vejen til Poikkijärvi.

"Her er absolut ingenting," sagde hun. "En kirkegård og et kapel og et par huse. Jeg forsikrer dig, at den, der opsatte det skilt for hundrede år siden, gik konkurs efter en uge."

"Når vi har forvisset os om det, vender vi om og kører ind til byen og spiser," sagde Torsten sorgløst.

Asfaltvejen afløstes af en grusvej. På deres venstre side strømmede elven, og man kunne se Jukkasjärvi på den anden side. Gruset knasede under bildækkene. Der var træhuse på begge sider af vejen, de fleste rødmalede. Nogle haver prydedes af halvvisnede blomster i traktordæk og miniaturevindmøller, andre af gyngestativer og sandkasser. Hunde løb, så langt de kunne i deres indhegninger, og bjæffede hæst efter den forbipasserende bil. Rebecka kunne mærke blikkene inde fra husene. En bil, man ikke genkendte. Hvem kunne det være? Torsten kiggede rundt som et lykkeligt barn, kommenterede de grimme tilbygninger og vinkede til en ældre mand, som holdt op med at rive visne blade sammen og stirrede efter dem. De passerede nogle smådrenge på cykel og en overvægtig fyr på knallert.

"Dér," pegede Torsten.

Restauranten lå i udkanten af landsbyen. Det var et gammelt, ombygget bilværksted. Bygningen lignede en firkantet papkasse, og det engang hvide puds var skallet af flere steder. To store garageporte på kassens langside vendte ud mod vejen. Portene var forsynet med aflange vinduer for at slippe lys ind. På den ene gavl var der en dør af normal størrelse samt et vindue med gitter. På begge sider af døren stod der nogle plastickrukker med brandgule tagetes. Portene, døren og vinduesrammerne var malet med brun plasticmaling, der skallede af. Ved den anden gavl, på kroens bagside, stod der nogle blegrøde sneplove i det høje, tørre efterårsgræs.

Tre høns flagrede op og forsvandt rundt om hjørnet, da Rebecka kørte ind på den grusbelagte gårdsplads. Et støvet neonskilt med ordene "LAST STOP DINER" stod lænet op ad langsiden, der vendte ned mod elven. Et sammenfoldeligt træskilt ved siden af døren forkyndte "BAR åben". Der stod tre andre biler parkeret på gårdspladsen.

På den anden side af vejen lå fem tømmerhytter. Rebecka gættede på, at det var dem, der blev lejet ud.

Hun standsede motoren. I samme øjeblik kørte den knallert, de havde passeret lidt før, op ved siden af dem og parkerede op ad huset. En meget kraftig dreng sad på sadlen. Han blev siddende et øjeblik på knallerten og så ud, som om han ikke kunne beslutte sig for at stige af eller ej. Han gloede under kanten af hjelmen på Rebecka og Torsten i den fremmede bil og vippede et par gange frem og tilbage mod styret. Hans kraftige kæbeparti gik fra side til side. Til sidst steg han af knallerten og gik hen til døren. Gangen var let foroverbøjet. Blikket mod jorden og armene bøjet i en vinkel på halvfems grader.

"Der har vi jo chefkokken," sagde Torsten spøgefuldt.

Rebecka udstødte et "hm", hvilket var den lyd, der blev brugt af advokatfuldmægtige, når man ikke ville le ad dårlige vittigheder, men heller ikke ville virke afvisende eller støde en partner eller en klient.

Nu stod den store dreng foran døren.

Ikke helt ulig en kæmpestor bjørn i grøn jakke, tænkte Rebecka.

Han vendte sig om og gik tilbage til knallerten. Han tog sin grønne sportsjakke af, lagde den sammen og anbragte den forsigtigt i fiskekassen bag på knallerten. Så tog han hjelmen af og lagde den varsomt, som var den af skørt glas, oven på den sammenfoldede jakke. Han trådte oven i købet et skridt tilbage og tjekkede, gik nærmere igen og flyttede hjelmen en millimeter. Hovedet stadig bøjet og lidt på skrå. Han skævede hen til Rebecka og Torsten og gned sig over sin store hage. Rebecka gættede på, at han var lidt under tyve. Men en dreng mentalt, ingen tvivl om det.

"Hvad laver han?" hviskede Torsten.

Rebecka rystede på hovedet.

"Jeg går ind og spørger, om de er klar med aftensmaden," sagde hun.

Rebecka steg ud af bilen. Fra det åbne vindue med grønt myggenet kom lyden fra en eller anden tv-sportsudsendelse, lavmælte stemmer og klirren af porcelæn. Ude fra elven hørtes lyden af en motorbåd. Der lugtede af mad. Det var blevet koldere. Eftermiddagskøligheden lagde sin hånd over mos og blåbærbuske.

Som at være hjemme, tænkte Rebecka og kiggede ind i skoven på den anden side af vejen. En søjlehal af slanke fyrretræer på den magre, sandede jord. Solstrålerne når langt mellem de kobberfarvede stammer over den lavtvoksende underskov og de mosgroede sten.

Pludselig kunne hun se sig selv for sig. En lille pige i strikket kunstfiberbluse, der gjorde håret helt elektrisk, når man trak den over hovedet. Bukser i jernbanefløjl, der var forlænget med et kantebånd forneden. Hun kommer ud af skovbrynet. I hånden har hun en porcelænskande med blåbær, hun har plukket. Hun er på vej til sommerstalden. Derinde sidder farmor. På cementgulvet brænder et lille bål mod myg. Det er lige tilpas stort, for fyrer man for meget op under det, begynder køerne at hoste. Farmor malker Mansikka, holder kohalen fastklemt mod Mansikkas side med sin pande. Det sprøjter ned i spanden. Kæderne rasler, når køerne bøjer sig ned efter mere hø.

"Jaså, Pikku-piika," siger farmor, mens hænderne rytmisk klemmer om kopatterne. "Hvor har du været hele dagen?"

"I skoven," svarer den lille Rebecka.

Hun propper nogle blåbær ind i munden på farmor. Først nu mærker hun, hvor sulten hun er.

Torsten bankede på bilruden.

Jeg vil blive her, tænkte Rebecka og forundredes over sin egen heftighed.

Tuerne i skoven lignede puder, betrukket med blanke, mørkegrønne, tykbladede tyttebærplanter og sartgrønne blåbærbuske, der forsigtigt begyndte at gå over i rødt.

Kom og læg dig, hviskede skoven. Læg dit hoved ned og se, hvordan vinden vugger trækronerne fra side til side.

En banken på bilruden igen. Hun hilste på den kraftige dreng med et nik. Han stod stadig ude på trappen, da hun gik indenfor.

De to garager i det tidligere værksted var blevet bygget om til krostue og bar. Langs væggene var opstillet seks borde i mørklakeret fyrretræ med plads til syv personer ved hver, såfremt der også sad en ved bordenden. Vinylgulvbelægningen med koralrød marmorering matchede det lyserøde strukturtapet med den malede frise, der løb hele vejen rundt i lokalet, endog tværs over svingdørene ud til køkkenet. Rundt om de synlige vandrør, der også var malet lyserøde, havde nogen viklet lianer af plasticvedbend i et forsøg på at piffe stemningen op. Bag den mørkbejdsede bar til venstre i lokalet stod en mand med blåt forklæde og tørrede glas af, som han stillede op på en hylde, hvor de kæmpede om pladsen med diverse flasker. Han hilste, da Rebecka trådte ind. Han havde mørkebrunt, kortklippet skæg og en ring i højre øre. Ærmerne på den sorte T-shirt var smøget op over de svulmende muskler. Ved et af bordene sad tre mænd med en stråkurv med brød foran sig og ventede på deres mad. Bestikket var rullet ind i vinrøde servietter. Blikkene fæstet på fodbolden på tv'et. Hænderne i brødkurven. Arbejdskasketterne i en bunke på en af de tomme stole. De bar forvaskede flonelsskjorter uden på T-shirts med reklametryk og flossede halsudskæringer. En af dem var iført blå arbejdsbukser med et eller andet firmalogo på selerne. De to andre havde knappet deres blå overalls op og krænget overdelen af, så den hang ned på gulvet bag dem.

En enlig, midaldrende kvinde dyppede sit brød i en tallerken suppe. Hun sendte Rebecka et kort smil og proppede så hurtigt brødet i munden, inden det faldt fra hinanden. Ved hendes fødder lå en sort labrador med hvide aldersstriber på snuden og sov. Hen over stolen ved siden af hende hang en ubeskrivelig grim Barbie-lyserød dynefrakke. Håret var meget kortklippet i en frisure, som i bedste fald kunne beskrives som praktisk.

"Kan jeg hjælpe dig med noget?" spurgte ringen i øret bag bardisken.

Rebecka vendte sig om mod ham og nåede ikke at sige mere end ja, før svingdørene ind til køkkenet blev slået op, og en kvinde i tyverne kom bragende ud med tre tallerkener. Hendes lange hår var farvet i striber af blondt, unaturligt rødt og sort. Hun var piercet i øjenbrynet og havde to glitrende sten i næsefløjen.

Sikken smuk pige, tænkte Rebecka.

"Ja?" sagde pigen opfordrende til Rebecka.

Hun ventede ikke på svar, men stillede tallerkenerne på de ventende mænds bord. Rebecka havde skullet til at spørge, om de serverede mad, men det så hun jo, at de gjorde.

"Der står 'værelser' på skiltet," hørte hun sig selv sige i stedet, "hvad koster de?"

Ringen i øret så forvirret på hende.

"Mimmi," sagde han. "Hun spørger efter et værelse."

Kvinden med det stribede hår vendte sig om mod Rebecka, tørrede hænderne i forklædet og strøg en svedig hårlok væk fra ansigtet.

"Vi har hytter," sagde hun. "Tømmerhytter, du ved. De koster 270 kroner pr. nat."

Hvad har jeg gang i? tænkte Rebecka.

Og straks efter tænkte hun:

Jeg vil blive her. Alene.

"Okay," sagde hun lavmælt. "Jeg kommer tilbage om lidt og spiser sammen med en mand. Hvis han også spørger efter et værelse, skal du sige, du kun har plads til mig."

Mimmi rynkede brynene.

"Hvorfor skulle jeg det?" sagde hun. "Det er sgu da en ski-dedårlig forretning for os."

"Overhovedet ikke. Hvis du siger, han også kan overnatte her, skifter jeg mening, og så tager vi begge to ind på Vinter-paladset inde i byen. Altså: én overnatning eller ingen."

"Vil stodderen ikke lade dig være i fred, eller hva'?" spurgte ringen i øret med et smørret grin.

Rebecka trak på skuldrene. De kunne tro, hvad de ville. Og hvad skulle hun svare?

Mimmi trak også på skuldrene.

"Jamen så okay," sagde hun. "Men I skal spise begge to? Eller skal vi sige, vi kun har mad nok til dig?"

Torsten læste menukortet. Rebecka sad over for ham og betragtede ham. Hans runde kinder var lyserøde af lykke. Læsebrillerne fastklemt netop så langt nede på næsen, som det var muligt uden at forhindre ham i at trække vejret. Håret strittede til alle sider. Mimmi stod bøjet over hans skulder og pegede på menukortet samtidig med, at hun læste højt. Som en lærerinde og et skolebarn.

Han elsker det her, tænkte Rebecka.

Mændene med deres barkede arme og dolke hængende i bæltet. Som brummede genert, da Torsten fejede ind i sit grå jakkesæt og hilste fornøjet. Kønne Mimmi med sin store barm og sin høje stemme. Så langt fra de imødekommende piger på Stockholms in-steder, som man kunne komme. Små historier tog allerede form i hans hoved.

"Du kan enten vælge dagens ret," sagde Mimmi og pegede på en sort tavle på væggen, hvor der stod "Roastbeef med svampe- og grøntsagsrisotto". "Eller du kan vælge en af retterne fra fryseren. Du kan få den med kartofler eller ris eller pasta efter eget valg."

Hun pegede på menukortet, hvor der var anført en række retter under overskriften "fra fryseren": lasagne, frikadeller, blodbudding, *kroppkakor*, rensdyrgullasch, røget rensdyrfilet og bankekød.

"Man skulle måske prøve blodbudding," sagde han begejstret til Rebecka.

Døren gik op, og den kraftige knægt med knallerten kom ind. Han blev stående lige inden for døren. Hans vældige korpus var proppet ind i en stribet, nystrøget bomuldsskjorte, der var knappet helt op i halsen. Han turde ikke rigtig se på de øvrige gæster. Han holdt hovedet skråt til siden, så den store hage pegede på det aflange vindue. Som om den udpegede en flugtvej.

"Jamen Nalle!" udbrød Mimmi og glemte alt om Torsten og menukortet. "Sikke fin du er!"

Den store dreng sendte hende et genert smil og et hurtigt blik.

"Kom herhen, så jeg kan se dig!" råbte kvinden med hunden og skubbede suppetallerkenen fra sig.

Nu så Rebecka, hvor meget Mimmi og kvinden med hunden

lignede hinanden. De måtte være mor og datter.

Hunden ved kvindens fødder løftede hovedet og slog to trætte slag med halen. Så lagde den hovedet ned og faldt i søvn igen.

Drengen gik hen til kvinden med hunden. Hun slog hænderne sammen.

"Så flot du er!" sagde hun. "Til lykke med fødselsdagen! Sikken pæn skjorte!"

Nalle smilede smigret og løftede hagen mod loftet i en næsten komisk poseren, der fik Rebecka til at tænke på Rudolf Valentino.

"Ny," sagde han.

"Ja, selvfølgelig kan vi se, den er ny," sagde Mimmi.

"Ska' du ud og danse, Nalle, hva'?" råbte en af mændene.

"Mimmi, gider du hente fem færdigretter fra fryseren? Du kan selv vælge."

Nalle pegede på sine bukser.

"Også," sagde han.

Han løftede armene og holdt dem strakt ud fra kroppen, så alle kunne se bukserne rigtigt. Det var et par grå lærredsbukser, der blev holdt oppe med et militærbælte.

"Er de også nye? Superflotte!" forsikrede begge de beundrende kvinder.

"Sæt dig her," sagde Mimmi og trak stolen ud over for kvinden med hunden. "Din far er ikke kommet endnu, men du kan jo sidde her hos Lisa og vente."

"Lagkage," sagde Nalle og tog plads.

"Selvfølgelig skal du have lagkage. Tror du, jeg har glemt det? Efter maden!"

Mimmi rakte hånden ud og strøg ham hurtigt over håret. Så forsvandt hun ud i køkkenet.

Rebecka lænede sig ind over bordet mod Torsten.

"Jeg har tænkt mig at overnatte her," sagde hun. "Jeg er jo vokset op 20-30 kilometer længere oppe ad elven, du ved, så jeg blev en smule nostalgisk. Men jeg kører dig ind til byen og henter dig i morgen."

"Helt i orden," sagde Torsten med eventyrroserne i fuld blomst. "Jeg kan også blive her."

"Jeg tror næppe, de har Hästens-senge på værelserne," forsøgte Rebecka sig.

Mimmi kom ud med fem foliebakker under armen.

"Vi har tænkt os at sove her i nat," sagde Torsten til hende. "Har I nogen ledige værelser?"

"Sorry," svarede Mimmi. "Kun én ledig hytte. Med enkeltseng."

"Det er okay," sagde Rebecka til Torsten. "Jeg kører dig."

Han smilede til hende. Inde bag smilet og den vellønnede, succesfulde partner sad en tyk dreng, hun ikke ville lege med, og prøvede at se ud, som om han var ligeglad. Det skar hende i hjertet.

Da Rebecka kom tilbage fra byen, var det næsten helt mørkt. Skoven stod som en silhuet mod den sortblå himmel. Hun parkerede bilen foran kroen og låste den. Der stod flere biler parkeret udenfor. Indefra hørtes grove mandsstemmer, lyden, når de af fuld kraft stak gafler gennem kød og ramte porcelænet nedenunder, fjernsynet som en grundtone under det hele, velkendte reklamejingler. Nalles knallert stod stadigvæk udenfor. Hun håbede, han havde en fin fødselsdagsfest derinde.

Hytten, hun skulle sove i, lå i skovbrynet på den anden side af landevejen. En lille lampe over døren oplyste tallet 5.

Her kan jeg være i fred, tænkte hun.

Hun gik hen til hyttens dør, men vendte pludselig om og gik nogle meter ind i skoven. Granerne stod stille og så op mod stjernerne, som begyndte at tændes. Deres lange, blågrønne fløjlskapper bevægede sig forsigtigt hen over mosset.

Rebecka lagde sig på jorden. Fyrretræerne lagde hovederne sammen og hviskede beroligende. Sommerens sidste myg og stikfluer summede i kor og søgte hen mod de dele af hende, de kunne komme til. Det var, hvad hun kunne byde på.

Hun lagde ikke mærke til Mimmi, der kom ud med noget affald.

Mimmi kom ind til Micke i køkkenet.

"Manner," sagde hun, "kællingen har sgu knald i låget."

Hun fortalte, at deres overnattende gæst havde lagt sig, dog ikke i sin seng i hytten, men på jorden udenfor.

"Ja, man hører jo så meget," sagde Micke.

Mimmi rullede med øjnene.

"Inden længe finder hun vel ud af, at hun har shamanblod i årerne eller er heks, flytter ud i skoven, laver urteopkog over åben ild og danser rundt om et alter."

Gule Ben

DET ER PÅSKE. Hunulven er tre år gammel, da et menneske ser hende første gang. Det er i det nordlige Karelen ved floden Vodla. Selv har hun set mennesker mange gange. Hun genkender deres ramme lugt. Og hun forstår, hvad disse mænd er i færd med lige nu. De fisker. Da hun var en ranglet etårig, sneg hun sig ofte ned til floden i skumringen og slugte grådigt, hvad de tobenede havde efterladt: fiskeaffald, indvolde, skaller og emder.

Volodja lægger garn ud med sin bror. Broderen har hugget fire huller i isen, og de skal lægge tre garn. Volodja ligger på knæ ved det andet hul, parat til at tage imod stagen, som broderen rækker ham under isen. Hænderne er våde og smerter af kulde. Og han stoler ikke på isen. Han sørger hele tiden for at have skiene i nærheden. Hvis isen giver efter, kan han lægge sig på maven på skiene og trække sig ind mod land. Alexander vil lægge garn ud lige her, for det er et godt sted. Her står fiskene. Der er kraftig strøm, og Alexander har hugget med isøksen præcis der, hvor den lavvandede bund falder brat ned i det dybe flodleje.

Men det er et farligt sted. Hvis vandet stiger, fortærer floden isen nedefra. Det ved Volodja. Den ene dag kan isen være tre håndsbredder tyk, den næste to fingre.

Han har ikke noget valg. Han er på besøg hos broderens familie i påsken. Alexander, hans kone og to døtre klemmer sig sammen i stueetagen. Alexander og Volodjas mor huserer på første sal. Alexander er låst fast med ansvaret for kvinderne. Selv lever Volodja et omflakkende liv for olieselskabet Transneft. Forrige vinter var han i Sibirien. I efteråret ved Viborg-bugten. De sidste måneder har han siddet ude i skoven på Den Karelske Halvø. Da broderen foreslog, at de tog ud og lagde garn, kunne han ikke sige nej. Hvis han havde nægtet, ville Alexander være taget af sted alene. Og i morgen aften ville Volodja have siddet ved spisebordet og spist helt, som han ikke havde gidet hjælpe til med at fange.

Sådan er Alexanders vrede, den får ham til at tvinge sig selv og sin yngre bror ud på den farlige is. Nu da de er her, synes trykket over Alexanders hjerte at lette. Han smiler næsten lidt nu, hvor han ligger med de blåfrosne hænder nede i vågen. Måske ville denne indestængte vrede mildne, hvis han fik en søn, tænker Volodja.

Og nøjagtig i dette øjeblik, mens han sender Den Hellige Jomfru en flygtig bøn om, at barnet i broderens kones mave er en søn, får han øje på ulven. Hun står i skovbrynet på den anden side af floden og iagttager dem. Overhovedet ikke ret langt væk. Skævøjet og langbenet er hun. Pelsen er busket og vintertyk. Lange, grove sølvstrå stikker op af det lodne. Det føles, som om deres blikke mødes. Broderen ser ingenting. Han har ryggen til hende. Hendes ben er virkelig meget lange. Og gule. Hun ligner en dronning. Og Volodja ligger på knæ på isen foran hende som den landsbyknægt, han er, med gen-nemblødte handsker og skindhuen med øreklapper på sned over det svedige hår.

Zjoltye nogi, siger han. Gule ben.

Men kun inde i sit hoved. Læberne bevæger sig ikke.

Han siger ikke noget til broderen. Måske ville Alexander gribe fat i geværet, der står lænet op ad rygsækken, og affyre et skud.

Så bliver han nødt til at slippe hende med blikket og løsne garnlinen fra stagen. Og da han kigger op igen, er hun væk.

Da Gule Ben er kommet tre hundrede meter ind i skoven, har hun allerede glemt de to mænd på isen. Hun vil aldrig tænke på dem igen. Efter to kilometer standser hun op og hyler. Hun får svar fra de andre medlemmer af flokken, de er mindre end ti kilometer borte, og hun sætter i trav. Sådan er hun. Går ofte sine egne veje.

Volodja husker hende resten af sit liv. Hver gang han vender tilbage til det sted, hvor han så hende, spejder han hen mod skovbrynet. Tre år senere møder han den kvinde, der skal blive hans kone.

Da hun første gang ligger i hans arme, fortæller han om ulven med de gule, lange ben.

Onsdag den 6. september

MØDET VEDRØRENDE OPTAGELSE i en juridisk og økonomisk paraplyorganisation blev holdt i sognepræst Bertil Stenssons hjem. Til stede var Torsten Karlsson, partner i advokatfirmaet Meijer & Ditzinger, Stockholm, Rebecka Martinsson, advokat samme sted, sognepræsterne fra menighederne i Jukkasjärvi, Vittangi og Karesuando, menighedsrådsformændene, formanden for stiftets fællesråd samt kapellan Stefan Wikström. Rebecka var den eneste tilstedeværende kvinde. Mødet var begyndt klokken otte, og nu var den kvart i ti. Klokken ti ville der blive serveret kaffe som afslutning.

Sognepræstens spisestue måtte gøre det ud for konferencelokale. Septembersolen lyste ind gennem de mundblæste, ujævne ruder i de store, småsprossede vinduer. Væggene var dækket af bogreoler fra gulv til loft. Der var ingen nipsgenstande eller blomster nogen steder. I stedet var vindueskarmene fyldt med sten, nogle blødt rundede og glatte, andre uslebne og sorte med gnistrende røde granatøjne. Oven på stenene lå underligt forvredne grene. På græsplænerne og grusgangen udenfor lå der driver af gule, raslende blade og nedfaldne rønnebær.

Rebecka sad ved siden af sognepræst Bertil Stensson. Hun skævede til ham. Han var en ungdommelig mand i tresserne. Hyggeonkel med drengefrisure i lyst sølv. Solbrændt og med et varmt smil.

Tjenestemandssmil, tænkte hun. Det havde været næsten komisk at se ham og Torsten stå og smile til hinanden. Man kunne have troet, de var brødre eller gamle barndomsvenner. Sognepræsten havde trykket Torstens hånd og samtidig grebet fat om Torstens overarm med sin venstre hånd. Torsten havde ladet sig charmere. Smilet og ladet hånden glide gennem sit hår.

Hun spekulerede på, om det var sognepræsten, der havde taget stenene og grenene med hjem. Normalt var det jo kvinder, der hyggede sig med den slags. Gik i strandkanten og fyldte lommerne med glatte sten, til frakken slæbte hen ad jorden.

Torsten havde forvaltet sine to timer godt. Han havde hurtigt afført sig jakken og havde anslået en passende personlig tone. Underholdende uden at blive useriøs og overfladisk. Han havde serveret hele pakken som en treretters menu. Som aperitif havde han hældt lidt smiger i dem, ting, de allerede vidste: At de var et af landets mest velstående stifter. Og smukkeste. Forretten bestod af små eksempler på områder, hvor kirken havde behov for juridisk kompetence, hvilket var stort set alle: civilret, selskabsret, arbejdsret, skatteret ... Som hovedret havde han serveret hårde kendsgerninger, tal og kalkyler. Påvist, at det ville blive billigere og bedre at indgå en aftale med firmaet, få adgang til deres samlede kompetence inden for jura og økonomi. Samtidig havde han åbent gjort rede for ulemperne, som ganske vist var få, men alligevel, og derved gjort et troværdigt og redeligt indtryk. Det var ikke nogen støvsugersælger, de sad foran. Nu var han i fuld gang med at made dem med desserten. Han gav et sidste eksempel på, hvad man havde hjulpet en anden menighed med.

Kirkegårdsforvaltningen i nævnte menighed havde kostet enorme summer. Kirker og andre bygninger, der skulle vedligeholdes, græsplæner, der skulle slås, grave skulle graves, gange rives og mos skrabes af gravsten, ja, hvad vidste han, men den slags kostede penge. Mange penge. I denne menighed havde man haft en del jobtræningsansættelser, eller hvad det nu hed, det vil sige arbejdskraft, der sponsoreredes af staten via arbejdsformidlingen. Hvorom alting var, så havde menigheden ikke haft de store lønudgifter til disse personer, og så gjorde det jo ikke noget, at de ansatte måske ikke var specielt effektive. Men siden hen var folk blevet ansat i midlertidige stillinger inden for kirken, som nu måtte betale hele lønudgiften. Der var tale om mange ansatte, og flertallet knoklede ikke just livet af sig, hvis han måtte udtrykke det sådan. Så man ansatte flere, men arbejdskulturen var nu blevet sådan, at den ikke tillod folk at smøge ærmerne op og tage fat. Gjorde man det, blev man nærmest frosset ud. Det var med andre ord vanskeligt at få tingene gjort. Det lykkedes oven i købet nogle af de ansatte at have et fuldtidsarbejde ved siden af deres fuldtidsansættelse i kirken. Og nu var man pludselig adskilt fra staten, menigheden var autonom og havde et helt nyt ansvar for økonomien. Løsningen havde været, at man hjalp menigheden med at lægge kirkegårdsforvaltningen ud i entreprise. Nøjagtig som mange kommuner havde gjort i løbet af de sidste femten år.

Torsten nævnte besparelsen i kroner og øre pr. år. De tilstedeværende vekslede blikke.

En fuldtræffer, tænkte Rebecka.

"Og så," fortsatte Torsten, "har jeg ikke engang medtaget den besparelse, det er for kirken at have færre ansatte, som de har arbejdsgiveransvar for. Ud over flere penge i kassen får man mere tid tilovers til kirkens kernevirksomhed, nemlig på forskellig måde at tilgodese menighedens åndelige behov. Det er ikke meningen, at sognepræster skal være administratorer, men ofte er de bundet op på den slags."

Sognepræst Bertil Stensson skubbede et stykke papir hen foran Rebecka.

"I har virkelig givet os noget at tænke over," stod der.

Jaså? tænkte Rebecka.

Hvad var han ude på? Skulle de sidde og skrive til hinanden som to skoleelever, der har hemmeligheder for læreren? Hun smilede og nikkede let.

Torsten sluttede af, svarede på nogle spørgsmål.

Bertil Stensson rejste sig og bekendtgjorde, at kaffen ville blive serveret ude i solen.

"Vi, der bor heroppe, må udnytte chancen," sagde han. "Det er ikke så tit, vi har mulighed for at slide på havemøblerne."

Han vinkede folk ud mod gårdspladsen, og mens de gik, trak han Torsten og Rebecka med ind i dagligstuen. Torsten skulle se hans maleri af Lars Levi Sunna. Rebecka lagde mærke til, at sognepræsten sendte Stefan Wikström et blik, der betød: vent udenfor sammen med de andre.

"Efter min mening er det her lige netop, hvad vores menigheder har brug for," sagde sognepræsten til Torsten. "Dog kunne jeg have brug for jer nu og ikke om et år, når alt det her kan realiseres."

Torsten studerede maleriet. Det forestillede en kvieøjet hunren, der gav die til sin kalv. Gennem den åbne hoveddør så Rebecka en kvinde, der var dukket op ud af det blå, bære en bakke med termokander og klirrende kaffekopper udenfor.

"Vi har jo været igennem en meget svær tid i menigheden," fortsatte sognepræsten. "Jeg går ud fra, I har hørt om mordet på Mildred Nilsson."

Torsten og Rebecka nikkede.

"Jeg må besætte hendes stilling," sagde sognepræsten. "Og det er vist ingen hemmelighed, at hun og Stefan ikke gik i spænd. Stefan er imod kvindelige præster. Jeg deler ikke hans opfattelse, men jeg må respektere den. Og Mildred var vores mest fremtrædende lokalfeminist, om jeg så må sige. Det var ikke nogen enkel sag at være deres overordnede. Jeg ved, at der er en velkvalificeret kvinde, der vil søge stillingen, når jeg slår den op. Jeg har intet imod hende, tværtimod, men for arbejdsroens og husfredens skyld vil jeg besætte stillingen med en mand."

"Der er mindre kvalificeret?" spurgte Torsten.

"Ja. Kan jeg gøre det?"

Torsten tog sig til hagen uden at fjerne blikket fra maleriet.

"Javist," sagde han roligt. "Men hvis den kvindelige ansøger, som du har forbigået, sagsøger dig, vil du blive kendt erstatningsansvarlig."

"Og er nødt til at ansætte hende?"

"Nej, nej. Hvis stillingen først er gået til den anden, kan man ikke tage jobbet fra ham. Jeg vil finde ud af, hvor stor erstatning der er blevet tilkendt i lignende sager. Uden beregning."

"Han mener garanteret, at det er dig, der skal gøre det uden beregning," sagde sognepræsten leende til Rebecka.

Rebecka smilede høfligt. Sognepræsten henvendte sig igen til Torsten.

"Det vil jeg sætte pris på," sagde han alvorligt. "Der er også en anden ting. Eller to."

"Fyr løs," sagde Torsten.

"Mildred oprettede en fond. I skovene rundt om Kiruna lever en hunulv, som hun havde fattet kærlighed til. Fonden skulle støtte arbejdet med at holde den i live. Erstatning til samer, helikopterovervågning i samarbejde med Naturstyrelsen ..."

"Ja?"

"Fonden er muligvis ikke så forankret i menigheden, som hun havde ønsket. Ikke at vi er modstandere af ulve i området, men vi vil holde en upolitisk profil. Alle, både ulvehadere og ulveelskere, skal kunne føle sig hjemme i kirken."

Rebecka så ud ad vinduet. Formanden for fællesrådet stod udenfor og kiggede nysgerrigt ind på dem. Han holdt underkoppen som dråbefanger under hagen, mens han drak af koppen. Han var iført en rædsom skjorte. Den havde sandsynligvis været beigefarvet engang, men nu så den ud til at have været vasket sammen med en blå sok.

Heldigt, at han fandt et matchende slips i Ullared, tænkte Rebecka.

"Vi vil afvikle fonden og bruge midlerne til et andet formål, der passer bedre ind i kirkens virke," sagde sognepræsten.

Torsten lovede at videregive spørgsmålet til en med særligt kendskab til selskabsret.

"Og så har vi en penibel sag. Mildred Nilssons mand bor stadig i præstegården i Poikkijärvi. Det føles jo frygteligt at skulle jage ham fra hus og hjem, men ... ja, vi skal jo bruge præstegården til andre formål."

"Jamen det skulle vel nok kunne løse sig," sagde Torsten. "Rebecka, du bliver her jo et stykke tid, så du kan lige kigge på lejekontrakten og tale med ... hvad hedder manden?"

"Erik. Erik Nilsson."

„Hvis det er okay med dig?" sagde Torsten til Rebecka. "Ellers kan jeg kigge på det. Det er jo en tjenestebolig, så i værste fald må det blive en fogedforretning."

Sognepræsten skar en lille grimasse.

"Og hvis det kommer så vidt," sagde Torsten roligt, "er det rart at have en skide advokat at skyde skylden på."

"Jeg skal nok tage mig af det," sagde Rebecka.

"Erik har Mildreds nøgler," sagde sognepræsten til Rebecka. "Altså nøglerne til kirken. Dem vil jeg have tilbage."

"Ja," sagde hun.

"Blandt andet nøglen til hendes boks på kirkekontoret. Den ser sådan ud."

Han trak et nøgleknippe op af lommen og viste Rebecka en af nøglerne.

"En boks?" sagde Torsten.

"Til penge, notater fra sjælesorgssamtaler og ja, ting, man nødig vil miste," sagde sognepræsten. "En præst er jo sjældent på kontoret, og der kommer og går mange mennesker i menighedslokalerne."

Torsten kunne ikke modstå trangen til at spørge.

"Har politiet ikke fået nøglen?"

"Nej," sagde sognepræsten ubekymret, "de har ikke spurgt efter den. Se, nu tager Bengt Grapa sit fjerde stykke smørrebrød. Kom, ellers bliver der ikke noget til os."

Rebecka kørte Torsten til lufthavnen. Sensommersol over de gulplettede fjeldbirke.

Torsten iagttog hende fra siden. Han spekulerede på, om der var foregået et eller andet mellem hende og Måns. Nu var hun i hvert fald sur. Skuldrene oppe ved ørerne, munden som en streg.

"Hvor længe bliver du så heroppe?" spurgte han.

"Det ved jeg ikke," svarede hun svævende. "Weekenden over."

"Så jeg ved, hvad jeg skal sige til Måns, når jeg kommer hjem uden hans medarbejder."

"Spørgsmålet synes ikke at interessere ham," sagde hun.

De tav. Til sidst kunne Rebecka ikke nære sig.

"Politiet kender tydeligvis ikke til eksistensen af den der skide boks," udbrød hun.

Torstens stemme blev overdrevent tålmodig.

"De har vel bare overset den," sagde han. "Men vi skal ikke gøre deres arbejde. Vi skal gøre vores arbejde."

"Hun blev myrdet," sagde Rebecka lavmælt.

"Vores arbejde går ud på at løse klientens problemer, så længe der ikke er tale om noget ulovligt. Det er ikke ulovligt at skaffe kirkens nøgler tilbage."

"Nej. Og så hjælper vi dem med at beregne, hvor meget det eventuelt vil koste at kønsdiskriminere, så de kan opbygge deres mandeklub."

Torsten kiggede ud af sideruden.

"Og jeg skal smide hendes mand på porten," fortsatte Rebecka.

"Jeg sagde jo, du ikke var nødt til det."

Åh, styr dig, tænkte Rebecka. Du gav mig ikke noget valg. Ellers havde du fået kongens foged til at tvinge ham ud af huset.

Hun øgede farten.

Pengene kommer først, tænkte hun. Det er vigtigst.

"Af og til er jeg ved at brække mig," sagde hun træt.

"Det er en del af jobbet," sagde Torsten. "Så er det bare at kridte skoene og komme videre."

POLITIINSPEKTØR ANNA-MARIA MELLA kørte op mod Lisa Stöckels hus. Lisa Stöckel var formand for kvindenetværket Magdalena. Hendes hus lå afsides oppe på en ås over for kapellet i Poikkijärvi. Bag huset styrtede åsen ned mod en stor grusgrav, og på den anden side af højderyggen løb elven.

Huset havde oprindelig været et lille brunt sommerhus, der var opført i tresserne. Senere var der bygget til, og huset havde fået snirklede hvide vinduesrammer og en overdådighed af hvidmalede træudskæringer omkring bislaget. Nu lignede det en brun skotøjsæske klædt ud som peberkagehus. Ved siden af stuehuset lå en aflang, faldefærdig og rødmalet træbygning med bliktag. Et enligt, sprosset vindue med enkeltglas. Brændeskur, forråd og gammel kostald, gættede Anna-Maria. Der måtte have ligget et andet stuehus tidligere, som man rev ned, hvorefter man opførte sommerhuset. Lod staldlængen blive stående.

Hun kørte meget langsomt ind på gårdspladsen. Tre hunde sprang på kryds og tværs foran bilen. Nogle høns flagrede op og søgte ly i en solbærbusk. Henne ved ledstolpen stod en kat stiv af koncentration foran et musehul, klar til spring. Kun en irriteret dunken med halen afslørede, at den havde lagt mærke til den larmende Ford Escort.

Anna-Maria parkerede foran huset. Gennem sideruden så hun ned i gabet på hundene, der sprang op ad bildøren. De logrede ganske vist livligt, men alligevel. En af dem var utrolig stor. Desuden var den sort. Hun slukkede for motoren.

En kvinde kom ud af huset og tog opstilling i bislaget. Hun var iført en Barbie-lyserød og ubeskrivelig grim dynefrakke. Hun kaldte på hundene.

"Kom her!"

Øjeblikkelig forlod hundene bilen og stormede op ad trappen til bislaget. Kvinden med dynefrakken fik dem til at sætte sig og kom hen til bilen. Anna-Maria steg ud og præsenterede sig.

Lisa Stöckel var i halvtredserne. Hun bar ingen makeup. Ansigtet var solbrændt efter sommeren. Rundt om øjnene havde hun hvide striber efter at have misset mod solen. Håret var meget kortklippet; havde det været en millimeter kortere, ville det have strittet ud fra hovedet som en skurebørste.

Sej, tænkte Anna-Maria. Som en cowboypige. Hvis man kunne forestille sig en cowboypige med lyserød dynefrakke.

Frakken var virkelig hæslig. Den var oversået med hundehår, og der stak hvide totter af fyldningen ud af små huller og flænger i stoffet.

Og pige og pige. Anna-Maria kendte ganske vist damer i halvtredserne, der holdt pigemiddage og ville vedblive med at være piger, til de gik i graven, men Lisa Stöckel var ikke nogen pige. Der var noget i hendes blik, der gav Anna-Maria en følelse af, at hun aldrig havde været pige, ikke engang da hun var lille.

Og så var der en næsten umærkelig linje, der løb fra øjenkrogen, hen under øjet og ned mod kindbenet. En mørk skygge i øjenkrogene.

Smerte, tænkte Anna-Maria. I kroppen eller i sjælen.

De gik sammen op mod huset. Hundene lå i bislaget og peb ivrigt efter lov til at rejse sig og hilse på den fremmede.

"Bliv dér," kommanderede Lisa Stöckel.

Det var henvendt til hundene, men Anna-Maria adlød også.

"Er du bange for hunde?"

"Nej, ikke hvis jeg ved, de er godmodige," svarede Anna-Maria og kiggede på den store sorte.

Den lange lyserøde tunge hang som et slips ud af gabet. Poter som en løve.

"Okay, der ligger også en i køkkenet, men hun er blid som et lam. Det er de her også, de er bare en flok gadedrenge uden manerer. Kom indenfor."

Hun åbnede døren for Anna-Maria, der smuttede ind i entreen.

"Mage til bøller," sagde Lisa Stöckel kærligt til hundene. Så løftede hun armen og råbte:

"Afgang!"

Hundene kom på benene i en fart, deres kløer afsatte lange mærker i træet, da de accelererede, tog trappen ned fra bislaget i ét lykkeligt spring og for hen over gårdspladsen.

Anna-Maria stod inde i den trange entré og så sig omkring. Det halve af gulvpladsen var optaget af to hundekurve. Der stod også en stor, rustfri vandskål, gummistøvler, vandrestøvler, løbesko og praktiske sko i goretex. Der var knap nok plads til, at hun og Lisa kunne være der samtidig. Væggene var fyldt med kroge og hylder. Der hang flere hundesnore, arbejdshandsker, tykke huer og vanter, en kedeldragt med mere. Anna-Maria spekulerede på, hvor hun skulle hænge sin jakke, alle kroge var besat og bøjlerne ligeså.

"Hæng jakken over stolen i køkkenet," sagde Lisa Stöckel. "Ellers bliver den fuld af hundehår. Nej, behold endelig skoene på."

Fra entreen førte én dør ind til en dagligstue, en anden ud til køkkenet. I dagligstuen stod adskillige papkasser fyldt med bøger. Der stod bøger stablet op på gulvet. Ved den ene væg stod en støvet og tom bogreol i mørkt træ med indbygget vitrineskab i kulørt glas.

"Skal du flytte?" spurgte Anna-Maria.

"Nej, jeg er bare ... Man får samlet så meget ragelse. Og bøgerne, de samler bare støv."

Køkkenet var møbleret med en tung møbelgruppe i gulnet, lakeret fyrretræ. På en slagbænk i almuestil lå en sort labrador retriever og sov. Hun vågnede, da de to kvinder trådte ind i køkkenet, og dunkede med halen mod bænken til goddag. Så lagde hun hovedet ned igen og faldt i søvn.

Lisa præsenterede hunden som Majken.

"Fortæl mig, hvordan hun var," sagde Anna-Maria, da de havde sat sig. "Jeg ved, I arbejdede sammen med det der kvindenetværk Magdalena."

"Det har jeg jo fortalt til ham ... en temmelig stor fyr med et af de der overskæg, du ved."

Lisa Stöckel holdt hånden et par decimeter ud foran overlæben. Anna-Maria smilede.

"Sven-Erik Stålnacke."

"Ja."

"Vil du fortælle det igen?"

"Hvor skal jeg begynde?"

"Hvordan lærte I hinanden at kende?"

Anna-Maria holdt øje med Lisa Stöckels ansigt. Når folk søgte tilbage i hukommelsen efter en bestemt begivenhed, sænkede de ofte paraderne. Forudsat det ikke var en begivenhed, de havde tænkt sig at lyve om, selvfølgelig. Sommetider glemte de et øjeblik den person, der sad foran dem. Et kort sekund gled et skævt smil hen over Lisa Stöckels ansigt. Et kort øjeblik var der noget, der blødtes op. Hun havde syntes om præsten.

"For seks år siden. Hun var lige flyttet ind i præstegården, og samme efterår skulle hun stå for konfirmationsundervisningen for de unge her og i Jukkasjärvi. Og hun kastede sig over opgaven som en jagthund. Opsøgte forældrene til alle de børn, der ikke havde tilmeldt sig. Præsenterede sig og fortalte om, hvorfor hun mente, konfirmationsundervisningen var så vigtig."

"Hvorfor var den vigtig?" spurgte Anna-Maria, som ikke syntes, hun havde fået en skid ud af det dengang for hundrede år siden, da hun selv gik til præst.

"Mildred syntes, kirken skulle være et samlingssted. Hun tog sig ikke videre af, om folk troede eller ej, det var en sag mellem dem selv og Gud. Men hvis hun kunne få dem hen i kirken til dåb, konfirmation og vielser og store højtider, så folk kunne mødes, og så de følte sig tilstrækkelig hjemme i kirken til at søge derhen, hvis livet engang blev svært at leve, så ... Og når folk sagde, "men han tror jo ikke, det føles forkert, hvis han kun følger undervisningen for at få gaver," sagde hun, at det da var helt fint at få gaver, og der var ingen af de unge, der var vilde med at læse, hverken i skolen eller i kirken, men det hørte med til almen dannelse at vide, hvorfor vi holder jul, påske, pinse og Kristi himmelfartsdag, og at kunne navnene på evangelisterne."

"Så du havde en søn eller datter, som ..."

"Nej, nej. Eller jo, jeg har en datter, men hun var blevet konfirmeret flere år forinden. Hun arbejder nede på kroen i landsbyen. Nej, det gjaldt min fætters søn, Nalle. Han er udviklingshæmmet, og Lars-Gunnar ville ikke have ham konfirmeret. Så hun kom for at snakke om ham. Vil du have kaffe?"

Anna-Maria sagde ja tak.

"Hun siges at have irriteret folk," sagde hun.

Lisa Stöckel trak på skuldrene.

"Hun var bare så ... gik lige til sagen. Der var ligesom ikke noget bakgear i hendes gearkasse."

"Hvordan mener du?" spurgte Anna-Maria.

"Jeg mener, at hun aldrig gik og fedtede med tingene. Der var ikke plads til diplomati eller fløjlshandsker. Hun syntes, noget var forkert, og så kørte hun ligesom bare derudad."

Som dengang hun fik alle kirkebetjentene på nakken, tænkte Lisa.

Hun blinkede, men billederne inde i hovedet forsvandt ikke så let. Først var det to citronsommerfugle, der dansede rundt om hinanden over duftende gåsemad. Derefter hængebirkens grene, der fejede forsigtigt frem og tilbage i brisen fra den roligt flydende sommerelv. Og så Mildreds ryg. Hendes militæriske march mellem gravstenene. Tramp, tramp, tramp over gruset.

Lisa småløber efter Mildred ned ad grusgangen på Poikkijärvi kirkegård. Henne for enden sidder kirkebetjentene og holder kaffepause. De holder mange pauser, nærmest hele tiden. Arbejder, når sognepræsten kigger på. Men der er ingen, der tør stille krav til dem. Hvis man får dette slæng på nakken, må man forrette jordfæstelse midt i en grusdynge. Eller overdøve en motorplæneklipper to meter væk. Prædike i iskolde kirker om vinteren. Den forbandede vatpik til sognepræst gør ikke en skid. Det har han ingen grund til, for de er kloge nok ikke at rage uklar med ham.

"Lav nu ikke ballade over det her," bønfalder Lisa.

"Jeg laver ikke ballade," siger Mildred.

Og hun mener det virkelig.

Mankan Kyrö får øje på dem først. Han er gruppens uformelle leder. Intet bider på ham. Mankan bestemmer. Det er ham, Mildred ikke skal komme op at toppes med.

Hun går lige til sagen. De andre lytter interesseret.

"Barnegraven," siger hun, "har I fået gravet den?"

"Hvad mener du?" siger Mankan sløvt.

"Jeg har lige snakket med forældrene. De fortalte, at de havde valgt det gravsted med udsigt til elven oppe i den nordlige ende, men at du havde frarådet dem det."

Mankan Kyrö svarer ikke. I stedet sender han en stor spytklat ned i græsset og graver i sin baglomme efter æsken med skråtobak.

"Du sagde til dem, at hængebirkens rødder ville vokse ind i kisten og lige gennem den lilles krop," fortsatte Mildred.

"Ville de da ikke det?"

"Det sker, uanset hvor man graver en kiste ned, og det ved du godt. Du ville bare ikke grave deroppe under birken, fordi der er stenet og en masse rødder. Det var simpelthen for besværligt. På mig virker det ufatteligt, at du satte din egen bekvemmelighed så højt, at du syntes, det var helt okay at plante den slags forestillinger i deres hoved."

Ikke på noget tidspunkt har hun hævet stemmen. Slænget rundt om Mankan kigger ned i jorden. De skammer sig. Og de hader denne præst, der får dem til at skamme sig.

"Javel, og hvad vil du have, jeg skal gøre?" spørger Mankan Kyrö. "Nu har vi gravet en grav – på et bedre sted, hvis du spørger mig – men vi skal måske tvinge dem til at begrave deres barn der, hvor du vil have det?"

"Nej. Nu er det for sent, du har afskrækket dem. Du skal bare vide, at hvis det her sker igen ..."

Nu smiler han næsten. Prøver hun at true ham?

"... så trækker du for store veksler på min kærlighed til dig," afslutter hun og går.

Lisa løber efter. Hurtigt, så hun slipper for at høre kommentarerne bag deres ryg. Hun kan forestille sig dem. Hvis præstens mand gav hende det, hun havde brug for i sengen, ville hun måske slappe lidt mere af.

"Så hvem ragede hun uklar med?" spurgte Anna-Maria.

Lisa trak på skuldrene og tændte for kaffemaskinen.

"Hvor skal jeg begynde? Skoleinspektøren i Jukkasjärvi, fordi hun krævede, at han gjorde noget ved mobningen, madammerne på socialkontoret, fordi hun blandede sig i deres arbejde."

"Hvordan det?"

"Tja, hun lod en masse kvinder og børn bo i præstegården, kvinder, der havde forladt deres mænd ..."

"Hun havde oprettet en eller anden fond for en ulv," sagde Anna-Maria. "Det vakte jo en heftig debat."

"Hmm, jeg har ikke noget brød og ingen mælk i huset, så du må drikke den sort."

Lisa Stöckel satte et skåret krus med et reklametryk foran Anna-Maria.

"Sognepræsten og flere af de andre præster kunne heller ikke udstå hende."

.or?"

blandt andet på grund af os, kvinderne i Magdalena.
...næsten to hundrede personer i netværket. Og der var
...er af mennesker, der godt kunne lide hende, også ikke-
...lemmer, mange af dem mænd, faktisk, selvom folk sik-
...rt har hævdet det modsatte. Vi studerede Bibelen sammen
...med hende. Deltog i de gudstjenester, hvor hun prædikede.
Og udførte praktisk arbejde."

"Med hvad?"

"Masser af ting. Der var for eksempel madholdet. Vi spe-
kulerede over, hvad man helt konkret kunne gøre for enlige
mødre. De syntes, det var hårdt altid at være så isoleret med
børnene, og at al tid gik med praktiske gøremål. Arbejde, købe
ind, gøre rent, lave mad, og bagefter var der kun fjernsynet.
Så fra mandag til onsdag har vi fællesspisning i menigheds-
huset inde i byen, og torsdag og fredag foregår det herude i
præstegården. Sommetider har man pligt til at tage sin tørn
med, det koster tyve kroner for en voksen og femten pr. barn.
Et par gange om ugen slipper mødrene for at købe ind og lave
mad. Indimellem passer de hinandens børn, så de kan komme
ud og få lidt motion eller bare tage en tur i byen uden børn.
Mildred gik ind for praktiske løsninger."

Lisa udstødte en kort latter og fortsatte så:

"Det var livsfarligt at sige til hende, at der var et eller andet
galt i samfundet eller den slags. Hun blev straks fyr og flamme.
'Hvad kan vi gøre?' lød det. Inden man havde set sig om, blev
man sat i arbejde. Netværket Magdalena var en fasttømret flok
af aktive ildsjæle. Hvilken præst ville ikke gerne være omgivet
af den slags mennesker?"

"Så de andre præster var misundelige?"

Lisa trak på skuldrene.

"Du sagde, at Magdalena *var* en flok ildsjæle. Eksisterer I
ikke længere?"

Lisa så ned i bordet.

"Jo da."

Anna-Maria ventede på, at hun skulle sige noget mere, men Lisa Stöckel tav hårdnakket.

"Hvem stod hende nær?" spurgte Anna-Maria.

"Vi i Magdalenas bestyrelse, vil jeg tro."

"Og hendes mand?"

Anna-Maria opfangede en svag sammentrækning i pupillerne. Der lå noget begravet her.

Lisa Stöckel, der er noget, du ikke vil ud med, tænkte hun.

"Selvfølgelig," svarede Lisa Stöckel.

"Følte hun sig truet eller bange?"

"Hun havde formodentlig en svulst eller sådan noget, der trykkede på den del af hjernen, hvor frygten sidder ... Nej, hun var ikke bange. Og truet – ikke mere i den sidste tid end ellers. Der var jo altid nogen, der følte behov for at flænse dækkene på hendes bil eller smadre hendes ruder ..."

Lisa Stöckel sendte Anna-Maria et vredt blik.

"Hun holdt op med at melde det til politiet for længe siden. En masse besvær til ingen nytte. Man kan jo aldrig bevise noget, selvom man udmærket ved, hvem det er."

"Men du kunne måske give mig nogle navne," sagde Anna-Maria.

Et kvarter senere satte Anna-Maria sig i sin Ford Escort og kørte derfra.

Hvorfor skaffer man sig af med alle sine bøger? tænkte hun.

Lisa Stöckel stod ved køkkenvinduet og så Anna-Marias bil forsvinde ned ad bakken i en sky af fedtet røg. Så satte hun sig på slagbænken ved siden af den sovende labrador. Hun strøg hunden over halsen og brystet på samme måde, som en hunhund slikker sine hvalpe for at berolige dem. Hunden vågnede og dunkede hengivent med halen et par gange.

er der med dig, Majken?" spurgte Lisa. "Du rejser engang mere og hilser på folk."

nmebåndene snørede sig sammen til en smertende e. Der blev varmt under øjenlågene. Der var tårer inden- .er. De skulle ikke ud.

Hun må have det ad helvede til, tænkte hun.

Hun rejste sig hurtigt.

Åh gud, Mildred! tænkte hun. Tilgiv mig. Tilgiv mig, hører du! Jeg ... prøver at gøre det rigtige, men jeg er bange.

Hun måtte have frisk luft, havde pludselig kvalme. Hun nåede ud i bislaget og kastede en lille klat bræk op.

Hundene var straks på pletten. Hvis hun ikke ville have det selv, ville de skam gerne. Hun jog dem væk med foden.

Den der skide betjent. Hun masede sig direkte ind i hendes hoved og åbnede det som en billedbog. Mildred på hver eneste side. Hun kunne ikke holde ud at se på de billeder mere. Som den første gang for seks år siden. Hun huskede, hvordan hun stod ved kaninburene. Det var fodringstid. Kaniner – hvide, grå, sorte, plettede – rejste sig på bagbenene og pressede deres små snuder ud gennem hønsenettet. Hun fordelte pellets og små, rynkede stykker gulerod og andre rodfrugter i små ler-skåle. Fornemmede en lille sorg i hjertet over, at kaninerne snart skulle ende som ragout nede på kroen.

Så står hun bag hende, præsten, der lige er flyttet ind i præstegården. De har ikke mødt hinanden før. Lisa har ikke hørt hende komme. Mildred Nilsson er en lille kvinde på hendes egen alder. Et sted omkring de halvtreds. Hun har et blegt, lille ansigt. Håret er langt og mørkebrunt. Lisa skal flere gange komme til at høre folk kalde hende uanselig. Sige: "Hun er ikke køn, men ..." Lisa vil aldrig kunne forstå det.

Der sker noget inden i hende, da hun griber fat om denne slanke hånd, der rækkes ud mod hende. Hun må beordre sin egen hånd at slippe taget. Præsten taler. Endog munden er

lille. Smalle læber. Som et lille rødt tyttebær. Og mens tytte-
bærmunden taler og taler, synger øjnene en smuk vise. Om
noget helt andet.

For første gang siden – ja, hun kan ikke huske hvornår – er
Lisa bange for, at sandheden skal kunne ses uden på hende.
Det ville have været rart med et spejl, så hun kunne tjekke.
Hun, der har holdt på hemmeligheder hele sit liv. Som kender
sandheden om at være den smukkeste pige i landsbyen. Hun
har ganske vist fortalt, hvordan det var evig og altid at høre
"dyrk lige de nødder", hvordan det fik hende til at krumme
sig sammen og få dårlig ryg. Men der er andre ting, tusind
hemmeligheder.

Fars fætter Bengt, da hun var tretten. Han har grebet fat i
hendes hår og snoet det rundt om sin hånd. Det føles, som om
hele hovedbunden vil løsne sig. "Du holder din kæft," siger
han ind i hendes øre. Han har tvunget hende ind på toilettet.
Dunker hendes pande ind i flisevæggen, så hun kan forstå,
at det er hans alvor. Med den anden hånd åbner han hendes
bukser. Familien sidder nede i dagligstuen.

Hun holdt sin kæft. Hun sagde aldrig noget. Klippede håret
kort.

Eller den sidste gang i sit liv, hun drak sprut, midsommer-
aften 1965. Hun var næsten bevidstløs af druk. Og de var tre
drenge inde fra byen. To af dem bor stadigvæk i Kiruna, det er
ikke længe siden, hun rendte ind i en af dem i ICA. Men erin-
dringen har hun kastet fra sig som en sten i en brønd, det er,
som om det er noget, hun har drømt for længe siden.

Og årene med Tommy. Dengang han havde siddet og druk-
ket med sine fætre fra Lannavaara. Det var sidst i septem-
ber. Mimmi kan ikke have været mere end tre-fire år. Isen
havde ikke lagt sig. Og de havde givet ham et gammelt ålejern.
Helt ubrugeligt, han blev aldrig klar over, at de bare lavede fis
med ham hele tiden. Hen ad morgenen havde han ringet efter
hende. Hun havde hentet ham med bilen, prøvet at få ham til

at efterlade ålejernet, men det var lykkedes ham at mase det ind i bilen. Sad med sideruden nedrullet og lod det stikke ud. Grinede og stak med det ud i mørket.

Da de kom hjem, besluttede han, at de skulle ud at fiske. Der var to timer, til det blev lyst. Hun skulle med, sagde han. Ro og holde lommelygten. Den lille sover, sagde hun. Lige netop, sagde han. Hun vågner ikke foreløbig. Hun prøvede at få ham til at tage flydevest på, vandet var jo iskoldt, men han nægtede.

"Det var sgu da satans, så hellig du er blevet. Man er fandeme gift med dydsirede Annika."

Det der med dydsirede Annika syntes han var noget så sjovt. Ude på vandet gentog han det indimellem halvhøjt for sig selv. "Dydsirede Annika," "Ro lidt længere hen mod odden, Annika."

Så faldt han i vandet. Plop, sagde det, og et par sekunder efter kradsede han mod rælingen efter noget at holde sig fast i. Iskoldt vand, mørk nat. Han skreg ikke eller sådan noget. Trak vejret tungt og prustede af anstrengelse.

Åh, det dér sekund. Da hun i fuldt alvor overvejede, hvordan hun skulle gøre. Blot et lille åretag væk fra ham. Lade båden glide lige netop uden for rækkevidde. Med al den sprut i kroppen. Hvor lang tid ville det tage? Måske fem minutter.

Så trak hun ham op. Det var ikke let, det var lige før, hun selv faldt i vandet. Ålejernet kunne de ikke finde. Måske sank det til bunds. Måske flød det af sted i mørket. Han var i hvert fald sur over det. Og også rasende på hende, selvom det var takket være hende, at han var i live. Hun kunne mærke, hvor meget lyst han havde til at lange ud efter hende.

Hun fortalte aldrig nogen om denne kolde lyst til at se ham dø. Drukne som en kattekilling i en sæk.

Og nu står hun her med den nye præst. Hun har en besynderlig fornemmelse indvendig. Præstens øjne er trængt ind i hende.

Endnu en hemmelighed at lade falde ned i brønden. Den synker til bunds. Ligger der og glitrer som et smykke mellem affald og skrammel.

DET VAR SNART tre måneder siden, hans kone blev fundet myrdet. Erik Nilsson steg ud af sin Skoda uden for præstegården. Fortsat varmt, selvom de var i september nu. Himlen knaldblå og helt skyfri. Lyset flængede luften som skarptslebne knive.

Han havde været inde og besøge sin arbejdsplads. Det havde føltes godt at møde kollegerne. De var jo som en ekstra familie. Snart skulle han begynde igen. Måtte tænke på noget andet.

Han så på blomsterkrukkerne, der stod på rad og række på trappen på verandaen. Visne blomster hang ud over kanten. Det strejfede ham, at han burde tage krukkerne ind. Før man vidste af det, ville græsset være sprødt af frost, og de ville sprække i kulden.

Han havde købt ind på vejen. Låste op, hankede op i indkøbsposerne og trykkede dørhåndtaget ned med albuen.

"Mildred!" kaldte han, da han var kommet inden for døren.

Så blev han stående. Der var dødstille. Huset bestod af to hundrede firs kvadratmeter stilhed. Hele verden holdt mund. Huset svævede som et tomt fartøj gennem et tavst, blændende lyst univers. Det eneste, der hørtes, var jorden, der knirkende drejede rundt om sin aksel. Hvorfor i alverden kaldte han på hende?

Da hun levede, havde han altid vidst, om hun var hjemme eller ej. Lige så snart han trådte ind ad døren. Det er der ikke noget underligt ved, plejede han at sige. Spædbørn kunne jo mærke lugten af deres mor, selvom hun befandt sig i et andet rum. Den evne mistede man ikke som voksen. Den var blot ikke en del af vores bevidsthed, så man talte om intuition eller en sjette sans.

Nogle gange føltes det stadigvæk sådan, når han kom hjem. Som om hun befandt sig et sted i huset. Hele tiden i værelset ved siden af.

Han satte poserne fra sig på gulvet. Gik ind i stilheden.

Mildred, råbte det i hovedet på ham.

I samme øjeblik ringede det på dørklokken.

Det var en kvinde. Hun var iført en lang, kropsnær frakke og lange støvler med høje hæle. Hun hørte ikke hjemme der, kunne ikke have skilt sig mere ud, om hun så havde stået der kun iført undertøj. Hun trak højre handske af og rakte hånden frem. Sagde, hun hed Rebecka Martinsson.

"Kom indenfor," sagde han og lod ubevidst en hånd glide hen over skæg og hår.

"Tak, men det er ikke nødvendigt. Jeg vil bare ..."

"Kom indenfor," gentog han og gik i forvejen.

Han bad hende beholde skoene på og tage plads i køkkenet. Der var rent og ryddeligt. Han gjorde rent og lavede mad, mens Mildred levede, så hvorfor skulle han holde op med det, fordi hun var død? Det eneste, han ikke rørte, var hendes ting. Hendes røde striktrøje lå stadig i en bunke på slagbænken. Hendes papirer og post lå på køkkenbordet.

"Jaha," sagde han venligt.

Han var god til det. Venlighed mod kvinder. I løbet af årene havde der siddet mange ved dette spisebord. Nogle havde et barn på skødet og et stående på gulvet ved siden af med hånden i et fast greb om mors bluse. Andre havde ikke været på flugt fra en mand, men snarere fra sig selv. De kunne ikke klare ensomheden i en lejlighed i Lombolo. Det var typen, der stod udenfor i kulden og røg den ene cigaret efter den anden.

"Jeg er her på vegne af din kones arbejdsgiver," sagde Rebecka.

Erik Nilsson skulle netop til at sætte sig eller måske spørge, om hun ville have kaffe, men nu blev han stående. Da han ikke sagde noget, fortsatte hun:

"Der er to ting. Dels skal jeg have hendes arbejdsnøgler, dels drejer det sig om din fraflytning."

Han kiggede ud ad vinduet. Hun snakkede videre, og nu var det hende, der var rolig og venlig. Hun oplyste ham om, at præstegården var en tjenestebolig, at kirken kunne hjælpe ham med at finde en lejlighed og et flyttefirma.

Han trak vejret tungt, kneb munden sammen. Hvert åndedræt lød som en fnysen gennem næsen.

Nu så han på hende med afsky. Hun slog blikket ned mod bordet.

"Føj for den lede," sagde han. "Føj for den lede, det er til at brække sig over. Er det Stefan Wikströms kone, der ikke kan vente længere? Hun kunne aldrig klare, at Mildred havde den største præstegård."

"Øh, det ved jeg ikke. Jeg ..."

Han slog håndfladen ned i bordet.

"Jeg har mistet alt!"

Han fægtede med den knyttede næve i luften som et udtryk for, at han tog sig sammen for ikke at miste selvbeherskelsen.

"Vent her," sagde han.

Han forsvandt ud ad køkkendøren. Rebecka hørte hans skridt op ad trappen og hen over gulvet på første sal. Lidt efter vendte han tilbage og smed nøgleknippet fra sig på bordet, som var det en hundelort.

"Var der ellers noget?" spurgte han.

"Flytningen," sagde hun stædigt.

Og nu så hun ham i øjnene.

"Hvordan føles det?" spurgte han. "Hvordan føler man sig inde under det der lækre tøj, når man har dit job?"

Hun rejste sig. Noget i hendes ansigt ændrede sig, det passerede hurtigt hen over det, men han havde set det mange gange her i præstegården. Den tavse smerte. Han så svaret i hendes øjne. Hørte det lige så tydeligt, som havde hun udtalt ordene: Som en luder.

Hun tog sine handsker op fra bordet, langsomt og med stive bevægelser, som måtte hun tælle dem for at få dem med. En, to. Hun tog fat om det store nøgleknippe.

Erik Nilsson sukkede tungt og strøg sig over ansigtet med hånden.

"Tilgiv mig," sagde han. "Mildred ville have sparket mig bagi. Hvad dag har vi i dag?"

Da hun ikke svarede, fortsatte han:

"En uge, jeg er væk om en uge."

Hun nikkede. Han fulgte hende hen til døren. Prøvede at finde på noget at sige. Det virkede ikke just passende at spørge, om hun ville have kaffe.

"En uge," sagde han til hendes ryg, idet hun gik udenfor.

Som om det skulle kunne gøre hende glad.

Rebecka vaklede ud af præstegården, om end det kun føltes sådan. I virkeligheden vaklede hun overhovedet ikke. Benene og fødderne bar hende med taktfaste skridt væk fra huset.

Jeg er ingenting, tænkte hun. Der er intet tilbage herinde. Intet menneske, ingen dømmekraft, ingenting. Jeg gør, hvad de så end beder mig om. Selvfølgelig. Dem på kontoret er de eneste, jeg har. Jeg siger til mig selv, at jeg ikke kan udholde tanken om at vende tilbage, men i virkeligheden kan jeg ikke holde ud at være udenfor. Jeg vil gøre hvad som helst, simpelthen hvad som helst, for at høre til.

Hun gik hen mod postkassen og lagde ikke mærke til den røde Ford Escort, der kom op ad grusvejen, før den sagtnede farten og kørte ind mellem ledstolperne.

Bilen standsede.

Rebecka havde det, som om et elektrisk stød jog gennem hende.

Politiinspektør Anna-Maria Mella steg ud af bilen. De havde

mødt hinanden før, da Rebecka var Sanna Strandgårds forsvarsadvokat. Og det var Anna-Maria Mella og hendes kollega Sven-Erik Stålnacke, der reddede hendes liv den nat.

Dengang var Anna-Maria gravid og stor som en tønde, men nu var hun slank. Men bredskuldret. Hun så stærk ud, selvom hun var så lille af vækst. Håret var ligesom tidligere samlet i en tyk fletning på ryggen. Hvide, regelmæssige tænder i det solbrændte hesteansigt. En ponybetjent.

"Hej!" udbrød Anna-Maria Mella.

Så tav hun. Var ét stort spørgsmålstegn.

"Jeg ..." sagde Rebecka, tabte tråden og tog tilløb igen. "Mit firma har et projekt kørende med menigheder i den svenske kirke, vi har haft et salgsmøde, og ... ja, der var nogle ting, de skulle have hjælp med i forbindelse med præstegården, og da vi nu alligevel var her, har jeg talt med ..."

Hun afsluttede sætningen med et nik i retning af huset.

"Men det har ikke noget at gøre med ...?" spurgte Anna-Maria.

"Nej, da jeg kom herop, vidste jeg ikke engang ... nej. Hvad blev det?" spurgte Rebecka og forsøgte at frembringe en grimasse, der lignede et smil.

"En dreng. Jeg er lige begyndt at arbejde igen efter barselsorloven, så jeg er med til at efterforske mordet på Mildred Nilsson."

Rebecka nikkede. Hun så op på himlen. Den var helt tom. Nøgleknippet vejede et ton i lommen.

Hvad er jeg? tænkte hun. Jeg er ikke syg. Jeg lider ikke af nogen sygdom. Er bare doven. Doven og skør. Jeg har ikke noget at sige. Tavsheden gnaver sig indad.

"Mærkelig verden, vi lever i, ikke?" sagde Anna-Maria. "Først Viktor Strandgård og nu Mildred Nilsson."

Rebecka nikkede igen. Anna-Maria smilede. Hun syntes ikke at tage sig af den andens tavshed og ventede tålmodigt på, at Rebecka skulle sige noget.

"Hvad tror du selv?" fik Rebecka frem. "Er det en, der har haft en scrapbog om mordet på Viktor og derefter besluttede sig for at lave sin egen opfølgning?"

"Muligvis."

Anna-Maria kiggede op i et fyrretræ. Hørte et egern løbe op ad stammen, men kunne ikke se det. Det holdt sig på den anden side, nåede op i trækronen og puslede rundt oppe mellem grenene.

Måske var det en eller anden galning, der var blevet inspireret af Viktor Strandgårds død. Eller også var det en, der kendte hende. Som vidste, hun havde holdt gudstjeneste i kirken, vidste, hvornår den sluttede, og at hun ville komme ned til båden. Hun forsvarede sig ikke. Og hvorfor havde vedkommende hængt hende op? Det var ligesom i middelalderen, hvor man satte folks hoveder på stage til skræk og advarsel for andre.

"Hvordan går det med dig?" spurgte Anna-Maria.

Rebecka svarede, at det gik fint. Helt fint. Det havde selvfølgelig været en barsk tid bagefter, men hun havde fået hjælp og støtte. Anna-Maria svarede, at det var jo godt, rigtig godt.

Anna-Maria så på Rebecka. Hun tænkte på, hvordan det havde været den nat, da politiet kørte op til hytten i Jiekajärvi og fandt hende. Selv havde hun ikke kunnet tage med, fordi veerne var gået i gang. Men bagefter drømte hun tit om det. I drømmen kørte hun med snescooter gennem mørket og snestormen. Rebecka lå blødende på slæden. Sneen sprøjtede hende i ansigtet. Hun var hele tiden skrækslagen for at køre ind i noget. Så kørte hun fast. Stod dér i kulden. Snescooteren brølede afmægtigt. Hun plejede at vågne med et spjæt. Lå der og kiggede på Gustav, der sov tungt mellem hende og Robert. På ryggen. Fuldstændig tryg. Armene bøjet opad i en vinkel på halvfems grader, som spædbørn har for vane. Alt gik godt, plejede hun at tænke. Alt gik godt.

Det gik ikke just skidegodt, tænkte hun nu.

"Tager du så tilbage til Stockholm nu?" spurgte hun.

"Nej, jeg har taget fri nogle dage."

"Du havde jo din farmors hus i Kurravaara, bor du der?"

"Nej, jeg ... nej. Her i landsbyen. Kroen har nogle hytter."

"Så du har ikke været i Kurravaara?"

"Nej."

Anna-Maria så forskende på Rebecka.

"Hvis du vil have følgeskab, kan vi tage derop sammen," sagde hun.

Rebecka afslog tilbuddet. Hun havde bare ikke haft tid endnu, forklarede hun. De sagde farvel. Før de skiltes, sagde Anna-Maria:

"Du reddede børnene."

Rebecka nikkede.

Det kan jeg ikke trøste mig med, tænkte hun.

"Hvordan gik det dem siden?" spurgte hun. "Jeg anmeldte jo de formodede overgreb til socialforvaltningen."

"Det blev ikke rigtig til noget med den efterforskning," sagde Anna-Maria. "Bagefter flyttede hele familien fra byen."

Rebecka tænkte på pigerne. Sara og Lova. Hun rømmede sig og forsøgte at tænke på noget andet.

"Den slags er jo dyrt for kommunen," sagde Anna-Maria. "Efterforskninger koster penge. Tvangsanbringelse af børn koster en fandens masse penge. At føre sag ved domstolene koster penge. Set fra barnets synspunkt ville det være bedre, hvis hele apparatet hørte ind under staten, men nu er den bedste løsning for kommunen, at problemerne flytter væk. For fanden, det er sket, at jeg har hentet unger ud af en krigszone på 52 kvadratmeter. Og bagefter hører man, at kommunen har købt en ejerlejlighed til familien i Örkelljunga."

Hun tav. Mærkede, at hun bare knevrede løs, fordi Rebecka Martinsson så ud til at være helt ude i tovene.

Da Rebecka gik videre ned mod landsbykroen, så Anna-Maria efter hende. Hun blev grebet af en pludselig længsel efter sine børn. Robert var hjemme hos Gustav. Hun havde lyst til at begrave næsen mod Gustavs dunede hoved, mærke hans små, stærke barnearme om sin hals.

Så tog hun en dyb indånding og rankede ryggen. Solen i det hvidgule efterårsgræs. Egernet, der stadig puslede i trækronen på den anden side af vejen. Smilet vendte tilbage til hende. Det var aldrig ret langt væk. Nu ville hun tale med Erik Nilsson, præstens mand. Bagefter ville hun køre hjem til familien.

Rebecka gik ned mod kroen. Nu talte skoven bag hende. Kom herhen, sagde den. Gå langt ind. Jeg er uden ende.

Hun kunne forestille sig den vandring:

Slanke fyrrestammer af hamret kobber. Vinden i trækronerne højt oppe lyder som fossende vand. Granerne, hvis skæglignende lavvækster får dem til at se sortbrændte ud. Lydene under hendes skridt: det tørre rensdyrlavs knitren, spættens halvspiste fyrrekoglers knasen. Sommetider går man på et blødt nåletæppe hen ad en dyreveksel. Så høres kun lyden af tynde kviste, der knækker under fødderne.

Man går og går. Først ligger tankerne inde i hovedet som et indfiltret fed garn. Grenene skraber mod hendes ansigt eller strejfer hendes hår. En efter en trækkes trådene ud af garnfedet. Sætter sig fast i træerne. Flyver af sted med vinden. Til sidst er hovedet tomt. Og man er på rejse. Gennem skov. Over dampende, dufttung myr, hvor fødderne synker ned mellem græstørvene, og kroppen klistrer. Op over en fjeldside. Friske vindstød. Dværgbirken, der kryber glødende hen ad jorden. Så lægger man sig ned. Og så falder sneen.

Hun husker pludselig, hvordan det var, da hun var barn. Denne længsel efter at rejse ind i uendeligheden som en indianer. Fjeldvågen sejlende over hendes hoved. I sine dagdrømme havde hun altid rygsæk på ryggen og sov under åben himmel. Farmors hund Jussi var altid med. Sommetider rejste hun med kano.

Hun husker, hvordan hun stod i skoven og pegede. Spurgte sin far: "Hvis jeg går derhen, hvor ender jeg så?" Og faderen svarede. Ny poesi afhængig af, i hvilken retning fingeren pegede, og hvor de befandt sig: "Tjålme." "Latteluokta." "Over Rautaelven." "Gennem Vistasdalen og over Drageryggen."

Hun måtte standse op. Syntes næsten, hun kunne se dem. Svært at huske fars rigtige ansigt, fordi hun har set for mange fotografier af ham. De har fortrængt hendes egne minder. Men skjorten genkender hun. Bomuld, men blød som silke af den megen vask. Hvid med sorte og røde streger, der danner et ternet mønster. Dolken i bæltet. Læderet mørkt og blankt. Det smukt mønstrede skaft i ben. Hende selv, ikke mere end syv, det er hun sikker på. Blå, maskinstrikket hue i kunststof med mønster af hvide snefnug, og dertil tykke støvler. Også hun har en lille dolk i bæltet. Mest for syns skyld, selvom hun har prøvet at bruge den. Kunne godt tænke sig at snitte med den. Figurer. Som Emil fra Lønneberg. Men den er for lille. Hvis hun skal bruge en kniv, kan hun låne fars. Den er bedre, når hun vil snitte pindebrænde eller spidse grillpinde – og sommetider snitte figurer, selvom de jo ikke bliver særlig flotte.

Rebecka flyttede blikket ned til sine højhælede, langskaftede støvler fra Lagersons.

Sorry, sagde hun til skoven. Jeg er helt forkert klædt på nu om dage.

Micke Kiviniemi førte kluden hen over bardisken. Klokken var lidt over fire onsdag eftermiddag. Deres overnattende gæst, Rebecka Martinsson, sad alene ved et af vinduesbordene og så ud mod elven. Hun var den eneste kvindelige gæst, havde spist elggryde med kartoffelmos og Mimmis blandede svampe, sad med sit rødvinsglas og nippede til det nu og da, uvidende om blikkene fra de unge gæster.

Flokken af unge mennesker plejede at være de første, der dukkede op. Om lørdagen kom de allerede ved tretiden for at spise tidlig middag, drikke nogle øl og slå de kedelige timer ihjel, indtil der kom noget godt i fjernsynet. Nu sad Malte Alajärvi og drillede Mimmi som sædvanlig. Det kunne han godt lide. Senere ville aftenslænget dukke op for at drikke øl og glo på sport. Det var mest ungkarle, der kom og spiste hos Micke. Men der plejede også at dukke nogle par op og ligeledes nogle kvinder fra kvindegruppen. Og det skete tit, at nogle af de ansatte fra turistcentret i Jukkasjärvi tog båden over elven for at spise på kroen.

"Hvad fanden er dagens ret?" jamrede Malte og pegede på tavlen. "Gno ..."

"Gnocchi," sagde Mimmi. "Det er en slags små pastastykker. Gnocchi med tomat og mozzarella. Og du kan få enten grillet kød eller kylling til."

Hun stillede sig ved siden af Malte og trak demonstrativt bestillingsblokken op af forklædet.

Som om hun har brug for den, tænkte Micke. Hun kunne huske bestillingerne fra et selskab på tolv personer i hovedet. Helt utroligt.

Han så på Mimmi. Hvis valget stod mellem Rebecka Martinsson og Mimmi, ville Mimmi vinde konkurrencen med flere hestelængder. Mimmis mor Lisa havde jo også været et godt skår som ung, efter hvad de gamle knarke i landsbyen fortalte. Og Lisa var stadig smuk. Det var svært at skjule, selvom hun aldrig sminkede sig og gik i noget rædsomt tøj og selv klippede håret. Med fåresaksen midt om natten, som Mimmi sagde. Men mens Lisa lukkede sin skønhed inde, så godt hun kunne, udstillede Mimmi sin. Forklædet stramt rundt om hofterne. Det stribede hår, der snoede sig ud under det lille tørklæde, hun havde bundet om hovedet. Stramtsiddende sorte bluser med gavmild udringning. Og når hun bøjede sig frem for at tørre bordet, var der frit udsyn til kavalergangen mellem hendes let gyngende bryster, der blev holdt på plads af en bh med blondekant. Altid rød, sort eller lilla. Bagfra kunne man få et glimt af det tatoverede firben, som hun havde øverst oppe på højre balde, når de lavtsiddende cowboybukser gled ned, idet hun bukkede sig.

Han huskede, da de mødte hinanden første gang. Hun var kommet for at besøge sin mor og tilbød at arbejde en aften. Gæsterne ville have noget at spise, og hans bror var som sædvanlig ikke dukket op, selvom hele det her kro-halløj oprindelig havde været hans idé, og Micke var alene i baren. Hun tilbød at bikse en eller anden let ret sammen og servere den. Rygtet bredte sig allerede samme aften. Fyrene havde stået ude på lokummet og ringet til deres kammerater på mobiltelefonerne. Alle kom for at tjekke hende af.

Så blev hun hængende. For en tid, sagde hun altid lidt svævende, når han prøvede at få ren besked. Når han prøvede at sige, at det ville gavne forretningen at vide det, så man kunne lægge planer for fremtiden, blev hun bare kontrær.

"Så lad være med at regne med mig."

Senere, da de røg i seng med hinanden, tog han mod til sig og spurgte igen, hvor længe hun havde tænkt sig at blive.

"Til der dukker noget bedre op," svarede hun så grinende.

Og de var ikke noget par, så meget havde hun gjort klart for ham. Han havde selv haft en del kærester. Havde oven i købet boet sammen med en af dem i en periode, så han vidste, hvad de ord betød. Du er alle tiders, men ... Jeg er ikke parat ... Hvis jeg skulle forelske mig i nogen lige nu, ville det være i dig ... Vil ikke binde mig. Det betød slet og ret: Jeg elsker dig ikke. Du kan gå an for en tid.

Hun havde vendt op og ned på hele stedet. Var begyndt med at hjælpe ham med at slippe af med broderen, som hverken bestilte noget eller betalte af på gælden. Som bare kom og sad og drak med kammesjukkerne uden at betale. En flok tabere, der lod hans bror være konge for en aften, så længe sprutten var på hans regning.

"Valget er enkelt," havde Mimmi sagt til broderen. "Enten drejer du nøglen om og sidder tilbage med hele gælden, eller også lader du Micke overtage biksen."

Og hans bror skrev under. Rødrandede øjne. Den lidt sure kropslugt, der sivede gennem T-shirten, som han ikke havde haft af i dagevis. Og den dér nye gnavenhed i stemmen. Alkoholikerens snerren.

"Men skiltet er mit," havde broderen forkyndt og skubbet dokumentet fra sig med en hurtig bevægelse.

"Jeg har en masse ideer," fortsatte han og bankede sig i tindingen.

"Du kan tage det, når det passer dig," havde Micke sagt.

Og tænkt: *That'll be the day.*

Han huskede, hvordan broderen havde fundet skiltet på internettet. Et brugt værtshusskilt fra USA. "LAST STOP DINER", hvide neonbogstaver på rød baggrund. Dengang havde de været latterligt glade for det, men nu var Micke ligeglad. Han havde allerede længe haft andre planer. "Mimmis" var et godt navn på en kro, men det havde hun ikke villet høre tale om. Så det måtte blive "Mickes Bar & Køkken".

"Hvorfor skal du lave sådan nogle underlige ting?"

Malte så på menukortet med et bedrøvet ansigtsudtryk.

"Det er ikke underligt," sagde Mimmi. "Faktisk nøjagtig ligesom *kroppkakor*, bare mindre."

"Kroppkakor og tomater, kan det måske blive mere underligt? Nej, giv mig en færdigret fra fryseren. Jeg snupper en lasagne."

Mimmi forsvandt i retning af køkkenet.

"Og drop bare kaninædelsen," råbte Malte efter hende. "Hørte du? Ingen salat!"

Micke henvendte sig til Rebecka Martinsson.

"Bliver du her også i nat?" spurgte han.

"Ja."

Hvor skulle jeg ellers gøre af mig selv? tænkte hun. Hvor

skulle jeg tage hen? Hvad skulle jeg foretage mig? Her er der i det mindste ingen, der kender mig.

"Den der præst," sagde hun lidt efter. "Hende, der døde."

"Mildred Nilsson."

"Hvordan var hun?"

"Skidesej, syntes jeg. Hende og Mimmi er det bedste, der er sket her i landsbyen. Og så det her sted. Da jeg startede, kom her kun en masse ungkarle i alderen fra atten til treogfirs. Men da Mildred flyttede hertil, begyndte damerne også at komme. Hun satte ligesom skub i landsbyen."

"Var det præsten, der opfordrede dem til at gå på værtshus?"

Micke lo.

"For at spise! Sådan var hun. Syntes, kvinderne skulle lidt væk hjemmefra. Slippe væk fra kødgryderne. Og så tog de deres mænd med og spiste her af og til, når de ikke gad lave mad. Og der blev en helt anden stemning her på kroen, da damerne begyndte at komme. Før da havde vi kun alle de der mænd, der sad og brokkede sig."

"Gu gjorde vi da ej," indvendte Malte Alajärvi, der havde smuglyttet.

"Du gjorde det, og det gør du stadigvæk. Sidder her og holder øje med elven og brokker dig over Yngve Bergqvist og Jukkasjärvi ..."

"Ja, men ham der Yngve ..."

"Og brokker dig over maden og regeringen og over, at der aldrig er noget godt i fjernsynet ..."

"De viser sgu ikke andet end en masse skide quizzer!"

"Over alting!"

"Det eneste, jeg har sagt om Yngve Bergqvist, er, at han er en skide fidusmager, der sælger hvad fanden som helst, bare der står 'Arctic' foran. Den står på Arctic sled-dogs og Arctic safari, og de der forpulede japsere betaler garanteret to hundrede ekstra for at gå på ægte Arctic shit-house."

Micke henvendte sig til Rebecka.

"Det er det, jeg mener."

Så blev han alvorlig.

"Hvorfor spørger du? Du er da vel ikke journalist?"

"Nej, nej, det faldt mig bare ind. Hun boede jo her, og så ... Nej, ham advokaten, jeg var sammen med i aftes, jeg arbejder for ham."

"Bærer hans bagage og reserverer flybilletter?"

"Noget i den retning."

Rebecka så på sit ur. Hun havde både frygtet og håbet, at en pissesur Anna-Maria Mella ville dukke op og forlange at få udleveret nøglen til pengeskabet. Men præstens mand havde formentlig ikke fortalt om den. Måske havde han ingen anelse om, hvor nøglerne hørte til. Det hele var noget forbandet lort. Hun kiggede ud ad vinduet. Det var ved at blive mørkt. Hun hørte en bil køre ind på gruspladsen foran kroen.

Hendes mobiltelefon brummede i tasken. Hun fik den gravet frem og så på displayet. Advokatfirmaets omstilling.

Måns, tænkte hun og løb ud på trappen.

Det var Maria Taube.

"Hvordan går det?" spurgte hun.

"Det ved jeg ikke," svarede Rebecka.

"Jeg snakkede med Torsten. Han sagde, at I i hvert fald havde dem på krogen."

"Hmm ..."

"Og at du blev hængende for at ordne et par ting."

Rebecka svarede ikke.

"Har du besøgt den landsby, hvad hedder den, hvor din farmors hus ligger?"

"Kurravaara. Nej."

"Har du det skidt?"

"Nej, jeg har det helt fint."

"Hvorfor tager du så ikke derhen?"

"Det er bare ikke blevet til noget," sagde Rebecka. "Jeg har haft lidt for travlt med at hjælpe vordende klienter med en masse lorteopgaver."

"Du skal ikke vrisse ad mig, skat," sagde Maria blidt. "Fortæl det nu. Hvad er det for lorteopgaver, du har lavet?"

Rebecka fortalte. Pludselig følte hun sig så træt, at hun måtte sætte sig på trappetrinnet.

Maria sukkede i den anden ende.

"Fanden tage Torsten," sagde hun. "Jeg skal ..."

"Vel skal du ej," sagde Rebecka. "Men det værste er penge-skabet. Det er den døde præsts personlige ejendele. Der kan jo ligge breve og ... alt muligt. Hvis nogen skal have det, der ligger derinde, er det hendes mand. Og politiet. Det kan være bevismateriale. Vi ved jo ingenting."

"Hendes chef giver vel materiale, der kan være af interesse, videre til politiet," sagde Maria Taube prøvende.

"Måske," sagde Rebecka dæmpet.

De tav et øjeblik. Rebecka sparkede med skoen i gruset.

"Men jeg troede, du rejste derop for at gå ind i løvens gab," sagde Maria Taube. "Det var jo derfor, du tog med."

"Ja, ja."

"For fanden da, Rebecka, spar mig for dit 'ja. ja'! Jeg er din ven, og jeg er nødt til at sige det her. Du bakker hele tiden ud. Hvis du ikke vover dig ind til byen og ikke tør tage til Kurr-kavaara ..."

"Kurravaara."

"... men sidder og gemmer dig på en eller anden landsby-kro ved elven, hvor skal det så ende med dig?"

"Det ved jeg ikke."

Maria Taube tav stille.

"Det er ikke så enkelt," sagde Rebecka endelig.

"Tror du da, jeg tror det? Jeg kan komme op og holde dig med selskab, hvis du synes."

"Nej," affærdigede Rebecka hende.

"Okay, men nu har jeg sagt det. Du har fået tilbuddet."

"Og det påskønner jeg, men ..."

"Du behøver ikke påskønne det. Og nu må jeg få noget fra hånden, hvis jeg skal nå hjem inden midnat. Jeg ringer. Måns spurgte for resten, hvordan du havde det. Jeg tror faktisk, han er lidt bekymret. Og Rebecka, kan du huske, når man var i svømmehallen, da man gik i skole? Hvis man tog femmeteren med det samme, behøvede man ikke frygte de andre vipper bagefter. Tag op til Krystalkirken og deltag i deres halleluja-gudstjeneste, så er det værste overstået. Fortalte du mig ikke allerede i julen, at Sanna og hendes familie og Thomas Söder-bergs familie var flyttet fra Kiruna?"

"Du fortæller det vel ikke til ham?"

"Hvem?"

"Måns. At jeg ... jeg ved snart ikke."

"Selvfølgelig ikke. Jeg ringer, okay?"

ERIK NILSSON SIDDER musestille ved spisebordet i præste-gårdskøkkenet. Hans døde kone sidder på den anden side. I lang tid tør han ikke sige noget. Han tør knap nok trække vejret. Det mindste ord eller den mindste bevægelse, og vir-keligheden melder sig, og alting opløser sig.

Hvis han blinker, er hun sikkert væk, når han åbner øjnene.

Mildred griner til ham.

Du er en sjov én, siger hun. Du kan tro på universets uen-delighed, at tiden er relativ, at den kan krumme sig og gå bag-læns.

Uret på væggen er gået i stå. Vinduerne er sorte spejle. Hvor mange gange i løbet af de sidste tre måneder har han ikke påkaldt sin døde kone? Ønsket, at hun ville komme svævende hen til hans seng i mørket, når han har lagt sig om aftenen. Eller at han kunne høre hendes stemme i vindens hvisken gennem træerne.

Du kan ikke blive her, Erik, siger hun.

Han nikker. Der er bare så meget. Hvor skal han gøre af alting, bøger, møbler? Han ved ikke, hvor han skal begynde. Det er en uoverstigelig forhindring. Så snart han tænker på det, overmandes han af en sådan træthed, at han må lægge sig, selvom det er midt på dagen.

Jamen så skide være med det, siger hun. Skide være med tingene. Den slags er jeg ligeglad med.

Han ved, det er sandt. Alle møblerne stammer fra hendes forældres hjem. Hun var sognepræstens eneste barn, og begge hendes forældre døde, mens hun gik på universitetet.

Hun nægter at have ondt af ham. Det har hun altid gjort. Det gør ham stadigvæk hemmeligt vred på hende. Det var den onde Mildred. Ikke ond i betydningen ondsindet eller ondskabsfuld. Men den Mildred, der gjorde ondt. Som sårede ham. Vil du blive hos mig, er jeg glad, sagde hun, da hun levede. Men du er et voksent menneske og kan selv vælge dit liv.

Var det rigtigt? tænker han som så mange gange før. Har man lov til at være så kompromisløs? Jeg levede hendes liv fuldt ud. Javist, det var mit eget valg, men skal man ikke komme hinanden i møde i kærligheden?

Nu ser hun ned i bordet. Han kan ikke begynde at tænke på børn igen, for så forsvinder hun sikkert som en skygge gennem væggen. Han må tage sig sammen. Han har altid måttet tage sig sammen. Der er næsten sort i køkkenet.

Det var hende, der ikke ville. De første år gik de i seng med hinanden. Om aftenen. Eller midt om natten, hvis han vækkede hende. Altid med slukket lys. Og han kunne stadig fornemme hendes stive, dårligt skjulte modvilje, hvis han ville mere end blot stikke den ind. Til sidst ophørte det af sig selv. Han holdt op med at nærme sig, og hun var ligeglad. Nogle gange sprang såret op, og de skændtes. Han kunne snøfte noget om, at hun ikke elskede ham, at hendes arbejde fyldte det hele. At han ville have børn. Og hun, hun vendte håndfladerne op og sagde: Hvad vil du have af mig? Hvis du er ulykkelig, må du selv mande dig op og gå. Og han: Hvorhen? Til hvem? Stormene lagde sig altid igen. Hverdagen indfandt sig. Og det var altid, eller næsten altid, godt nok for ham.

Hendes spidse albue på bordpladen. Pegefingerneglen trommer spekulativt på den lakerede overflade. Hun ser fordybet og beslutsom ud, som hun plejer at gøre, når hun har sat sig et eller andet i hovedet.

Han er vant til at lave mad til hende. Tage tallerkenen, der er dækket til med plastfolie, ud af køleskabet og ind i mikroovnen, når hun kommer sent hjem. Sørge for, at hun får spist noget. Eller fylde badekarret. Sige til hende, at hun ikke skal sidde og vikle håret rundt om fingeren, for så ender hun med at blive skaldet. Men nu ved han ikke, hvad han skal foretage sig. Eller sige. Han vil spørge hende, hvordan der er. Dér på den anden side.

Det ved jeg ikke, svarer hun. Men det trækker i mig. Meget.

Ja, det undrer ham fandeme ikke. Hun er her, fordi hun vil noget. Med ét bliver han skrækslagen for, at hun skal forsvinde. Bare sådan *puf*.

Hjælp mig, siger han til hende. Få mig væk herfra.

Hun kan se på ham, at han ikke kan klare det på egen hånd. Og hun ser hans vrede. Den uselvstændiges og afhængiges hemmelige had. Men det gør ikke længere noget. Hun rejser sig. Lægger hånden bag hans nakke. Trækker hans ansigt ind mod sit bryst.

Lad os komme væk, siger hun lidt efter.

Klokken er kvart over syv, da han for sidste gang i sit liv lukker døren til præstegården bag sig. Det, han tager med sig, kan rummes i en plasticpose fra Konsum. En af naboerne letter på gardinet, læner sig ind mod ruden og betragter ham nysgerrigt, da han smider posen ind på bilens bagsæde.

Mildred tager plads på passagersædet. Da bilen triller ud ad lågen, føler han sig næsten oprømt. Som sommeren inden de giftede sig. Da de kørte Irland tyndt. Og Mildred smiler fast besluttet i sit sæde.

De holder ind til siden uden for Mickes. Han skal bare aflevere præstegårdsnøglen til hende Rebecka Martinsson.

Til hans overraskelse står hun uden for kroen. Hun har mobiltelefonen i hånden, men taler ikke i den. Armene hænger ned langs siden. Da hun får øje på ham, ser hun næsten ud, som om hun har lyst til at løbe sin vej. Han nærmer sig forsigtigt, næsten bønfaldende. Som var hun en stakkels, sky hund.

"Jeg ville give dig nøglen til præstegården," siger han. "Så kan du give den til sognepræsten sammen med Mildreds arbejdsnøgler og sige, at jeg er ude af huset."

Hun siger ingenting. Tager imod nøglen. Spørger ikke til hans møbler og ejendele. Står der bare. Med mobiltelefonen i den ene hånd og nøglen i den anden. Han ville godt sige noget. Sige undskyld måske. Tage hende i sine arme og stryge hende over håret.

Men Mildred er stået ud af bilen og står ude på vejen og kalder på ham.

"Kom nu!" råber hun. "Du kan ikke gøre noget for hende. Der er andre, der hjælper hende."

Så han vender sig om og lunter tilbage til bilen.

Straks han har sat sig, forsvinder det vemod, som Rebecka Martinsson har smittet ham med. Vejen ind til byen er mørk og eventyrlig. Mildred sidder ved siden af. Han parkerer uden for Hotel Ferrum.

"Jeg har tilgivet dig," siger han.

Hun kigger ned i sit skød. Ryster lidt på hovedet.

Jeg har ikke bedt om tilgivelse, siger hun.

KLOKKEN ER TO om natten. Rebecka Martinsson sover.

Nysgerrigheden klatrer ind ad vinduet som en slyngplante. Slår rod i hendes hjerte. Sender rødder og skud ud som metastaser i hendes krop. Vikler sig rundt om ribbenene. Spinder en kokon rundt om hendes brystkasse.

Da hun vågner midt om natten, er den vokset til en ukuelig tvang. Nu er lydene fra kroen stilnet af i efterårsnatten. En gren pisker og slår vredt mod hyttens bliktag. Det er næsten fuldmåne. Det ligblege lys falder ind gennem ruden. Glitrer i nøgleknippet, som ligger der på fyrretræsbordet.

Hun står op og tager tøj på. Behøver ikke tænde lampen. Månelyset er nok. Hun ser på uret. Hun tænker på Anna-Maria Mella. Hun kan godt lide den betjent. Det er en kvinde, der har valgt at prøve at gøre det rigtige.

Hun går udenfor. Det blæser kraftigt. Birketræer og rønnetræer pisker vildt med deres grene. Fyrrestammerne knirker og knager.

Hun sætter sig i bilen og kører.

Hun kører hen til kirkegården. Det er ikke så langt væk. Den er heller ikke ret stor. Hun behøver ikke lede længe, før hun finder præstens grav. Mange blomster. Roser. Lyng. Mildred Nilsson. Og en tom plads til hendes mand.

Hun blev født samme år som mor, tænker Rebecka. Mor ville være fyldt femoghalvtreds i november.

Der er stille, men Rebecka kan ikke høre stilheden. Det blæser så voldsomt, at det buldrer i ørerne.

Hun bliver stående et øjeblik og betragter gravstenen. Så går hun tilbage til bilen, der står parkeret uden for kirkegårdsmuren. Da hun sætter sig i bilen, bliver der stille.

Hvad havde du regnet med? siger hun til sig selv. At præsten skulle sidde gennemsigtig på gravstenen med pegefingeren løftet?

Det havde selvfølgelig gjort det hele nemmere. Men det må hun jo selv om.

Så sognepræsten vil have nøglen til Mildred Nilssons pengeskab? Hvad havde hun derinde? Hvorfor er der ikke nogen, der har fortalt politiet om pengeskabet? De vil have nøglen leveret diskret. Det er meningen, at Rebecka skal gøre det.

Og hvad så? tænker hun. Jeg kan gøre præcis, hvad jeg har lyst til.

POLITIINSPEKTØR ANNA-MARIA MELLA vågnede midt om natten. Det var kaffen. Når hun drak kaffe sent om aftenen, vågnede hun altid midt om natten og måtte ligge og vende og dreje sig en time, før hun kunne falde i søvn igen. Sommetider stod hun op. Det var egentlig ret skønt. Hele familien sov, og hun kunne høre radio med en kop kamillete i køkkenet eller lægge vasketøj sammen eller hvad som helst og fordybe sig i sine egne grublerier.

Hun gik ned i kælderen og tændte for strygejernet. Afspillede samtalen med den myrdede præsts mand i hovedet.

Erik Nilsson: Lad os sætte os her i køkkenet, så vi kan holde øje med din bil.

Anna-Maria: Jaså?

Erik Nilsson: Vores bekendte plejer at parkere nede ved kroen eller i hvert fald lige deromkring. Ellers risikerer man at få dækkene flænget og ridser i lakken eller den slags.

Anna-Maria: Jaså.

Erik Nilsson: Nå, men det er ikke så slemt nu. For et år siden skete det tit.

Anna-Maria: Meldte I det til politiet?

Erik Nilsson: De kan ikke gøre noget. Selvom man ved, hvem det er, så er der jo aldrig nogen beviser. Der er aldrig nogen, der har set noget. Folk er formentlig bange. Det kan jo være deres udhus, der brænder næste gang.

Anna-Maria: Var der nogen, der satte ild til jeres udhus?

Erik Nilsson: Ja, det var en mand her fra landsbyen ... Vi tror i hvert fald, det var ham. Hans kone gik fra ham og boede her i præstegården et stykke tid.

Det betyder ikke noget, tænkte Anna-Maria. Erik Nilsson havde chancen for at presse hende, men undlod det. Han kunne have lydt bitter, talt om politiets passivitet og gjort dem ansvarlige for konens død.

Hun strøg en af Roberts skjorter, gudfader, den var helt slidt på manchetterne. Skjorten dampede under strygejernet. Der lugtede godt af nystrøgen bomuld.

Og så var han virkelig vant til at tale med kvinder, det kunne mærkes. Indimellem forglemte hun sig og svarede på hans spørgsmål, ikke for at indgyde ham tillid, men fordi det lykkedes ham at gøre hende tillidsfuld. Som da han spurgte til hendes børn. Han havde tjek på, hvad der var typisk for deres alder. Spurgte, om Gustav havde lært ordet *nej*.

Anna-Maria: Det afhænger af situationen. Hvis det er mig, der siger nej, fatter han ikke betydningen. Men hvis det er ham selv ..."

Erik Nilsson ler, men bliver pludselig alvorlig.

Anna-Maria: Et stort hjem.

Erik Nilsson (sukker): Det har egentlig aldrig været noget hjem. Det er halvt præstegård, halvt hotel.

Anna-Maria: Men nu står det tomt.

Erik Nilsson: Ja, kvindegruppen Magdalena mente, der ville blive for meget snak. Du ved, præstens enkemand trøster sig med diverse ulykkelige kvinder. De har nok ret, vil jeg tro.

Anna-Maria: Jeg er nødt til at spørge, hvordan I havde det, du og din kone.

Erik Nilsson: Er du nødt til det?

Anne-Maria: –

Erik Nilsson: Udmærket. Jeg respekterede Mildred utrolig meget.

Anna-Maria: –

Erik Nilsson: Hun var ikke, som kvinder er flest. Heller ikke som præster er flest. Hun var så utrolig ... lidenskabelig i alt, hvad hun foretog sig. Følte virkelig, at hun havde et kald her i Kiruna og i landsbyen.

Anna-Maria: Hvor kom hun oprindelig fra?

Erik Nilsson: Hun var født i Uppsalabo. Datter af en sognepræst. Vi mødtes, mens jeg læste fysik. Hun plejede at sige, at hun kæmpede mod korrektheden. "Så snart man føler for stærkt for noget, nedsætter kirken en krisegruppe." Hun talte for meget og for hurtigt, var for hurtig på aftrækkeren. Og hun blev næsten manisk, når hun havde sat sig et eller andet i hovedet. Det kunne gøre én vanvittig. Man ønskede altid, hun ville dæmpe sig ned. Men ... (slår ud med hånden) ... når sådan et menneske tages fra én ... det er ikke bare mit tab.

Hun havde set sig om i huset. På Mildreds side af dobbeltsengen var der tomt. Ingen bøger. Intet vækkeur. Ingen bibel.

Pludselig havde Erik Nilsson stået bag hende.

"Hun havde sit eget værelse," sagde han.

Det var et lille gavlværelse. Der var ingen potteplanter i vinduet, men en lampe og nogle keramikfugle. Den smalle seng stod stadig uredt, som hun måtte have forladt den. En rød fleecemorgenkåbe lå slængt hen over den. På gulvet ved siden af en stak bøger. Anna-Maria havde kigget på titlerne: øverst Bibelen, så *Den voksne troende*, *Bibelsk opslagsværk*, nogle børne- og ungdomsbøger. Anna-Maria genkendte *Peter Plys*, *Anna på Grønbakken* og neden under det hele et bjerg af udrevne avisartikler.

"Her er ikke noget at se," sagde Erik Nilsson træt. "Her er ikke mere for jer at se."

Det var mærkeligt, tænkte Anna-Maria og lagde børnenes tøj sammen. Det var, som om han ville beholde sin afdøde kone. Hendes post lå uåbnet i en stor bunke på bordet. Hendes vandglas stod stadig på natbordet, og ved siden af lå brillerne. Ellers var der så rent og ryddeligt, men han magtede bare ikke at gøre rent efter hende. Og det var et smukt hjem. Som taget ud af et eller andet ugeblad. Og alligevel havde han sagt, at det ikke var et hjem, men "halvt præstegård, halvt hotel". Og så sagde han, at han "respekterede hende". Besynderligt.

Rebecka kørte langsomt ind til byen. Månens gråhvide lys blev suget op af asfalten og det rådnende løvtæppe. Træerne svajede frem og tilbage i vinden, syntes næsten at strække sig sultent efter det sparsomme lys, men fik ingenting. De forblev nøgne og sorte. Forvredne og forpinte lige før deres vintersøvn.

Hun kørte forbi menighedshuset. Det var en lav, hvid murstensbygning med mørkbejdset træværk. Hun drejede op ad Gruvvägen og parkerede bag det gamle renseri.

Hun kunne stadig ombestemme sig. Men nej, det kunne hun ikke.

Hvad er det værste, der kan ske? tænkte hun. Jeg kan blive anholdt og blive afkrævet dagbøder. Miste et job, som jeg jo allerede har mistet.

Nu da hun var nået så langt, føltes det, som om det allerværste ville være at køre tilbage og gå i seng igen. At sætte sig i flyet til Stockholm i morgen og fortsætte med at håbe, at hun ville komme så meget til hægterne mentalt, at hun kunne begynde at arbejde igen.

Hun kom til at tænke på sin mor. Mindet steg stærkt og levende op til overfladen. Hun kunne næsten se hende gennem sideruden. Flot frisure. Den ærtegrønne frakke, som hun selv havde syet, med bredt bælte og pelskrave. Hende, der fik nabokonerne til at rulle med øjnene, når hun svansede forbi. Hvem bildte hun sig egentlig ind, hun var? Og de højhælede støvler, som hun ikke har købt i Kiruna, men i Luleå.

Hun mærker et stik af kærlighed i brystet. Hun bliver syv år gammel og rækker hånden ud efter sin mor. Hun er så fin i sin frakke. Og også i ansigtet. Engang, da hun var endnu mindre, sagde hun: "Du er ligesom en Barbie-dukke, mor." Og mor lo og gav hende et knus. Rebecka greb chancen for at indsnuse alle de der gode lugte på nært hold. Mors hår lugtede på en god måde. Pudderet i ansigtet på en anden. Og parfumen på halsen. "Du ligner en Barbie-dukke," gentog Rebecka flere gange siden, bare fordi mor var blevet så glad. Men hun blev aldrig lige så glad igen. Det var, som om det kun virkede første gang. "Hold nu op med det der," sagde moderen til sidst.

Nu besindede Rebecka sig. Der var mere. Hvis man så lidt nærmere efter. Det, som nabokonerne ikke så. At skoene var af billig kvalitet. At neglene var sprukne og nedbidte. At hånden, der førte cigaretten op til læberne, skælvede en lille smule, som den gør hos mennesker, der er lidt nervøst anlagt.

De få gange, Rebecka kom til at tænke på hende, huskede hun hende altid som kuldskær. Iført to uldtrøjer og skisokker hjemme ved formicabordet i køkkenet.

Eller som nu: Skuldrene er trukket en anelse op, der er ikke plads til nogen tyk trøje under den flotte frakke. Den hånd, der ikke holder cigaretten, gemmer sig i frakkelommen. Hendes blik søger ind i bilen og falder på Rebecka. Smalle, forskende øjne. Nedadvendte mundvige. Hvem er det, der er sindssyg nu?

Jeg er ikke blevet sindssyg, tænkte Rebecka. Jeg er ikke ligesom dig.

Hun steg ud af bilen og gik med hurtige skridt hen mod menighedshuset. Nærmest løb fra erindringen om kvinden i den ærtegrønne frakke.

Meget belejligt havde en eller anden smadret lampen over bagdøren til menighedshuset. Rebecka prøvede nøglerne i knippet. Der kunne være opsat en alarm. Enten den billige variant: en alarm, der kun høres inde i huset, for at skræmme tyve væk. Eller en rigtig en, der alarmerer et vagtselskab.

Tag det roligt, formanede hun sig selv. Det er ikke det nationale sikkerhedspoliti, der kommer drønende, men en træt

123

vagt, der vil parkere uden for hoveddøren. Masser af tid til at slippe væk.

Pludselig var der en af nøglerne, der passede. Rebecka drejede nøglen om og gled ind i mørket indenfor. Der var stille. Ingen alarm. Heller ingen hyletone, der indikerede, at hun havde tres sekunder til at indtaste en kode. Menighedshuset var opført i forskudt niveau, så bagdøren lå på første sal, mens hovedindgangen lå i stueetagen. Kirkekontoret lå på første sal, det vidste hun. Hun gad ikke liste.

Her er ikke nogen, sagde hun til sig selv.

Det føltes, som om hendes skridt gav genlyd, da hun hurtigt gik hen over stengulvet mod kirkekontoret.

Lokalet med boksen lå inde bag selve kirkekontoret. Det var lille og uden vinduer, så hun var nødt til at tænde lyset i loftet.

Pulsen steg, og hun fumlede med nøglerne, da hun prøvede dem i låsene på de grå, umærkede bokse. Hvis der kom nogen nu, havde hun ingen flugtmuligheder. Hun prøvede at lytte ned ad trappen og ud mod gaden. Nøglerne larmede som kirkeklokker.

Da hun forsøgte sig med den tredje boks, drejede nøglen uhindret om i låsen. Det måtte være Mildred Nilssons. Rebecka åbnede og kiggede ind.

Det var en lille boks. Der var ikke meget derinde, men alligevel var den næsten fyldt op. Nogle papæsker og små stofposer med smykker. En perlekæde, nogle tunge guldringe med sten, øreringe. To glatte vielsesringe, der så gamle ud, arvegods. Et blåt chartek, hvori der lå en stak papirer. Der lå også flere breve i boksen. Adressen på kuverterne var skrevet med forskellig håndskrift.

Hvad gør jeg nu? tænkte Rebecka.

Hun spekulerede på, hvilket kendskab til boksens indhold sognepræsten kunne tænkes at have. Ville han savne noget?

Hun trak vejret dybt, hvorefter hun gennemgik det hele. Sad på gulvet og sorterede tingene i bunker rundt om sig. Nu fungerede hovedet, som det plejede, arbejdede hurtigt, sugede information til sig, bearbejdede og sorterede. En halv time senere tændte Rebecka for kirkekontorets kopimaskine.

Brevene beholdt hun i originalen. Der var måske fingeraftryk eller andre spor på dem. Hun lagde dem i en plasticpose, som hun fandt i en skuffe.

Hun kopierede de papirer, der lå i det blå chartek. Kopierne lagde hun ned i plasticposen sammen med brevene. Hun lagde chartekket tilbage i boksen og låste, slukkede lyset og gik. Klokken var halv fire om morgenen.

Anna-Maria Mella vågnede ved, at hendes datter Jenny trak hende i armen.

"Mor, der er nogen, der ringer på døren."

Børnene vidste, det var forbudt at lukke op på mærkelige tidspunkter. Som betjent i en lille by kunne man få mærkelige besøg på underlige tidspunkter. Grådkvalte bøller, der opsøgte den eneste skriftemor, de havde, eller kolleger med alvorlige ansigter og bilen kørende i tomgang. Og sommetider – ganske vist yderst sjældent, men det forekom – nogen, der var vred eller beruset, som regel begge dele.

Anna-Maria stod op, bad Jenny krybe ned ved siden af Robert og gik ned i entreen. Hun havde mobilen i lommen på morgenkåben, nummeret til alarmcentralen var allerede indtastet, satte først øjet til dørspionen og åbnede så døren.

Rebecka Martinsson stod udenfor.

Anna-Maria bad hende komme ind. Rebecka blev stående lige inden for døren. Tog ikke overtøjet af. Ville ikke have en kop te eller noget.

"Du efterforsker jo mordet på Mildred Nilsson," sagde hun. "Det her er breve og kopier af personlige papirer, der tilhørte hende."

Hun rakte Anna-Maria en plasticpose med papirer og breve og gjorde kort rede for, hvordan hun havde fået fat i materialet.

"Du forstår sikkert, at det ikke ville være så heldigt for mig, hvis det kom frem, at det er mig, der har givet jer det her. Hvis du kan finde på en alternativ forklaring, vil jeg være taknemmelig. Hvis ikke, så ..."

Hun trak på skuldrene.

"... så må jeg tage følgerne," afsluttede hun med et skævt smil.

Anna-Maria kiggede ned i posen.

"Et pengeskab på kirkekontoret?" spurgte hun.

Rebecka nikkede.

"Hvorfor har ingen fortalt politiet, at ..."

Hun afbrød sig selv og så på Rebecka.

"Tak!" sagde hun. "Jeg vil undlade at fortælle, hvordan vi har fået fat i dem."

Rebecka gjorde mine til at gå.

"Du gjorde det rigtige," sagde Anna-Maria. "Det ved du godt, ikke?"

Det var ikke til at sige, om hun talte om det, der skete i Jiekajärvi for snart to år siden, eller om hun hentydede til kopierne og brevene i plasticposen.

Rebecka gjorde en bevægelse med hovedet. Det kunne være et nik. Men måske var det en hovedrysten.

Da hun var gået, blev Anna-Maria stående i entreen. Hun havde en ubetvingelig lyst til at skrige i vilden sky. Hvad i helvede, ville hun brøle. Hvorfor fanden viste de os ikke det her?

REBECKA MARTINSSON SIDDER på sengen i sin bjælkehytte. Hun kan lige nøjagtig skelne konturen af stoleryggen mod vinduets grå rektangel af månelys.

Nu, tænkte hun. Nu burde panikken indfinde sig. Hvis nogen opdager det her, er jeg færdig. Jeg bliver dømt for ulovlig indtrængen og selvtægt, får aldrig nogen ansættelse igen.

Men panikken ville ikke indfinde sig. Heller ikke nogen anger. I stedet følte hun sig let om hjertet.

Jeg kan vel altid få et job som billetkontrollør, tænkte hun.

Hun lagde sig ned og kiggede op i loftet. Følte sig lettere oprømt på en vanvittig måde.

En mus puslede rundt inde i væggen. Gnavede og løb op og ned. Rebecka bankede på væggen, og den holdt inde et øjeblik. Så gik den i gang igen.

Rebecka smilede. Og faldt i søvn. Med tøjet på og uden at børste tænder først.

Hun drømte.

Hun sidder på sin fars skuldre. Det er blåbærtid. Far har kurven af flettet birkebark på ryggen. Det bliver tungt med både kurven og Rebecka.

"Lad være med at læne dig frem," siger han, da hun rækker ud efter skæglavet, der hænger i træerne.

Bag dem går farmor. Blå trøje i kunststof og grå hue. Hun har den der sparsommelige måde at bevæge sig rundt i skoven på. Løfter ikke fødderne højere end strengt nødvendigt. En slags jordvindende luntetrav med korte skridt. To hunde gør dem selskab. Jussi, elghunden, holder sig i hælene på farmor. Han er ved at være oppe i årene, sparer på kræfterne. Og unghunden Jacki, en ubestemmelig spidshundskrydsning, farer frem og tilbage, snuden får aldrig nok, forsvinder uden for synsvidde, sommetider hører man ham gø nogle kilometer borte.

Sent på eftermiddagen ligger hun ved bålet og sover, mens de voksne er gået længere væk og plukke bær. Hun har fars Helly Hansen som pude. Eftermiddagssolen varmer, men skyggerne er lange. Ilden holder myggene på afstand. Nu og da kommer hundene hen og ser til hende. Puffer forsigtigt til hendes ansigt med snuden for hurtigt at fare af sted igen, før hun når at klappe dem eller lægge armen om deres hals.

Gule Ben

DET ER SIDST PÅ VINTEREN. Solen løfter sig over trætoppene og varmer skoven. Store flager af tung sne glider ned fra træerne. En vanskelig tid at jage i. Om dagen opblødes den dybe, hvide dyne af varmen. Så er det tungt at løbe efter byttet. Jager flokken om natten i måneskinnet eller i daggryet, skærer den frosne skorpe deres poter til blods.

Førerhunnen kommer i løbetid. Hun bliver rastløs og irritabel. Den, der kommer i nærheden af hende, må regne med at blive snappet efter eller skældt ud. Hun stiller sig foran de underordnede hanner og tisser med benet så højt løftet, at hun har svært ved at holde balancen. Hele flokken påvirkes af hendes lunefuldhed. Der knurres og hyles. Hele tiden opstår der slagsmål mellem medlemmerne. Ungulvene tripper uroligt rundt i udkanten af hvilestedet. Der er hele tiden en af de ældre ulve, som sætter dem på plads. Under måltiderne overholdes rangordenen på det strengeste.

Førerhunnen er Gule Bens halvsøster. For to år siden udfordrede hun den gamle førerhun nøjagtig på denne tid af året. Førerhunnen var i løbetid og gjorde sin overhøjhed gældende over for de øvrige hunner. Hun vendte sig om mod Gule Bens halvsøster, strakte sit gråstribede hoved frem, krængede læberne op og blottede tænderne med en truende gurglen. Men i stedet for forskrækket at krybe tilbage med halen presset ind mellem benene tog Gule Bens halvsøster udfordringen op. Hun så den gamle hunulv i øjnene og rejste børster. Slagsmålet brød ud på brøkdelen af et sekund og var overstået på et minut. Den gamle førerhun tabte. Et dybt bid i siden af halsen og et flænget øre var nok til, at hun jamrende trak sig tilbage. Gule Bens halvsøster forviste den gamle hunulv fra flokken, og flokken fik en ny førerhun.

Gule Ben hævdede sig aldrig over for den gamle førerhun. Hun gør heller ikke oprør mod halvsøsteren. Alligevel er det, som om halvsøsteren er særlig irritabel over for hende. På et tidspunkt tager hun fat med gabet om Gule Bens snude og fører hende i et fast greb en halv omgang gennem flokken. Gule Ben kryber ydmygt efter med krummet ryg og bortvendt blik. Ungulvene kommer på poterne og begynder at trampe uroligt rundt. Bagefter slikker Gule Ben føjeligt sin halvsøsters mundvige. Hun vil ikke lave ballade eller hævde sig.

Den sølvgrå førerhan gør sig kostbar. I den gamle førerhuns tid fulgte han efter hende i ugevis, før hun endelig besluttede sig for at parre sig. Han snusede hende bagi og satte de andre hanner på plads for øjnene af hende. Ofte, ofte kom han hen til hende der, hvor hun lå. Han plejede at puffe til hende med forpoten for at spørge: "Skal vi?"

Nu ligger førerhannen dvask hen og er tilsyneladende uinteresseret i Gule Bens halvsøster. Han er syv år gammel, og der er ingen i flokken, der udviser den mindste lyst til at forsøge at overtage hans plads. Om blot et års tid vil han være ældre og svagere og blive nødt til at hævde sig mere. Men nu kan han ligge her og lade solen varme sin pels, mens han slikker sine poter eller snupper lidt sne. Gule Bens halvsøster kurtiserer ham. Bøjer sig forover og urinerer i nærheden af ham for at vække hans interesse. Gnider sig op ad ham. Ivrig og med blod rundt om haleroden. Til sidst falder han til føje og bedækker hende. Hele flokken ånder lettet op. Spændingen i gruppen aftager øjeblikkelig.

De to etårige vækker Gule Ben og vil lege. Hun har ligget og halvslumret under et fyrretræ et stykke borte, men nu kaster ulveungerne sig over hende. Den ene tramper med de store forpoter i sneen. Hele kroppen bøjet legesygt fremover. Den anden kommer løbende i fuldt firspring og flyver hen over hende, mens hun ligger ned. Hun kommer hurtigt på benene og sætter efter dem. De gør og bjæffer, så det giver genlyd mellem træerne. Et forskræmt egern farer som en rød pil op ad en træstamme. Gule Ben indhenter den ene etårige, og han laver en dobbelt saltomortale i sneen. Så brydes de et stykke tid, og derefter er det hendes tur til at blive jaget. Hun piler som en ilder ind mellem træstammerne. Sagtner nu og da farten, så de næsten haler ind på hende, og fortsætter så derudad som et lyn. Hun bliver ikke fanget, før hun selv ønsker det.

Torsdag den 7. september

KLOKKEN HALV SYV om morgenen holdt Mimmi pause for at spise morgenmad. Hun havde været i gang på kroen siden klokken fem. Nu blandedes duften af nybagt brød og kaffe med lugten af nylavet lasagne og biksemad. Halvtreds aluminiumsbakker med middagsretter stod og kølede af på det rustfri køkkenbord. Hun havde arbejdet i køkkenet med svingdørene åbne, for at der ikke skulle blive for varmt. Og fordi de kunne lide det, mændene. Så havde de ligesom selskab. Kunne se hende rende rundt og arbejde, fylde kaffekanden op. Og alligevel kunne de spise i fred, der var ingen granskende, kritiske blikke, hvis man kom til at tygge med åben mund eller spilde lidt kaffe på skjorten.

Inden hun selv satte sig for at spise morgenmad, for hun ind i krostuen og forkælede gæsterne ved at gå rundt med kaffekanden og skænke op i kopperne. Hun nødede dem og rakte brødkurven frem. I dette øjeblik tilhørte hun dem alle, hun var deres kone, deres datter, deres mor. Hendes stribede hår var endnu vådt efter morgenbadet, sat op i fletninger under tørklædet, som hun havde bundet om hovedet. Det var nok med de blikke, hun fik. Hun ville aldrig løbe rundt i krostuen med udslået, vådt hår, der dryppede ned på hendes stramme bluse fra H&M. Miss Wetter and Wetter T-shirt. Hun stillede kanden på varmepladen og kundgjorde:

"Det er bare at tage for sig, for nu er jeg nødt til at sidde lidt ned."

"Mimmi, kom hen og skænk op til mig," nynnede en af

mændene drillende som svar.

Nogle af dem skulle skynde sig på arbejde. Det var dem, der tog små, hurtige slurke af kaffen, selvom den stadig var for varm, slugte morgenbrødet i to mundfulde. De andre fordrev en times tid her, før de gik hjem til ensomheden. De prøvede at få en samtale i gang og bladrede planløst i gårsdagens avis, dagens udgave ville først komme langt senere. I landsbyen sagde man ikke, at man var arbejdsløs eller sygemeldt eller førtidspensioneret. Man sagde, at man gik hjemme.

Deres overnattende gæst Rebecka Martinsson sad alene ved et af bordene mod elven og kiggede ud ad vinduet. Spiste sin ymer med mysli og drak kaffe uden hastværk.

Mimmi boede i en etværelses inde i byen. Hun havde beholdt den, selvom hun i realiteten boede sammen med Micke i huset lige ved siden af kroen. Da hun bestemte sig for at blive et stykke tid, havde hendes mor antydet et eller andet om, at hun jo kunne bo hos hende. Det havde været så indlysende en løsning, at hun havde følt sig tvunget til at tilbyde det, og det ville alligevel aldrig falde Mimmi ind at sige ja. Nu havde hun drevet kroen sammen med Micke i godt tre år, og først for en måned siden havde Lisa givet hende en reservenøgle til huset.

"Man ved jo aldrig," havde hun sagt med flakkende blik. "Hvis der sker noget eller sådan ... Hundene er jo derinde."

"Klart nok," havde Mimmi svaret og taget imod nøglen. Hundene.

Altid de der skide hunde, havde hun tænkt.

Lisa havde set, at Mimmi blev sur og knotten, men det lå ikke til hende at lade sig mærke med noget og forsøge at tale om det. Nej, så var det på tide at gå. Var det ikke et eller andet møde i netværket Magdalena, så var det dyrene derhjemme, måske skulle der renses ud i kaninburene, eller en af hundene skulle til dyrlægen.

Mimmi kravlede op på køkkenbordet af olieret træ ved siden af køleskabet. Hvis hun trak benene op under sig, kunne hun mase sig ind mellem de friske krydderurter, der voksede i nogle tomme konservesdåser. Det var et godt sted. Man kunne se Jukkasjärvi på den anden side af elven. Af og til en båd. Dette vindue eksisterede ikke, dengang bygningen var værksted. Det var en gave til hende fra Micke. "Her kunne jeg godt tænke mig et vindue," havde hun sagt. Og så havde han ordnet det.

Hun var ikke sur på hundene. Heller ikke jaloux. Som regel kaldte hun dem for brødrene. Men ligesom dengang, hun boede i Stockholm, kom Lisa heller aldrig nu og besøgte hende. Ringede ikke engang. "Selvfølgelig elsker hun dig," plejede Micke at sige, "hun er jo din mor." Han forstod ingenting.

Der er nok et eller andet genetisk galt med os, tænkte hun. Jeg kan jo heller ikke elske.

Hvis hun mødte en rigtigt røvhul, så kunne hun selvfølgelig blive, ikke forelsket, det var et alt for tamt ord, Konsums blåhvide variant af følelsen, nej, så kunne hun blive psykotisk, afhængig, misbruger. Det var jo sket. Specielt én gang, da hun boede i Stockholm. Når man rev sig løs af sådan et forhold, fulgte der store kødtrævler af en selv med.

Med Micke var det noget andet. Ham kunne hun finde på at få børn med, hvis hun da ellers havde troet, hun var i stand til at elske et barn. Men han var fin, Micke var fin.

Neden for vinduet gik nogle af hønsene og skrabede i efterårsgræsset. Idet hun satte tænderne i sit nybagte brød, hørte hun lyden af en knallert ude på vejen. Den drejede ind på gruspladsen og standsede.

Nalle, tænkte hun.

Det skete tit og ofte, at han kom hen på kroen om morgenen. Hvis han vågnede før sin far, og det lykkedes ham at snige sig af sted uden at blive hørt. Ellers var reglen, at han skulle spise morgenmad hjemme.

Lidt efter stod han uden for vinduet, hvor hun sad, og bankede på ruden. Han var iført et par knaldgule bukser med seler, som engang havde tilhørt en telefonmontør. Refleksbåndene nede ved fødderne var næsten helt slidt af efter flittig brug og megen vask. På hovedet havde han en blå hue af bævernylon med flagrende øreklapper. Den grønne dynejakke var alt for kort. Nåede kun til taljen.

Han sendte hende et af sine ubetalelige, listige smil. Det delte hans kraftige ansigt, den store kæbe skød ud mod højre, øjnene blev smalle, øjenbrynene røg op. Det var umuligt ikke at smile tilbage, det gjorde ikke noget, at hun ikke fik spist i fred.

Hun åbnede vinduet. Han stak hænderne i jakkelommerne og fiskede tre æg frem. Kiggede på hende, som om han havde udført en avanceret tryllekunst. Han plejede at gå ind i hønsehuset og finde æg til hende. Hun tog imod dem.

"Alle tiders! Tak! Jamen er det Grovæder-Gunnar, der er på farten?"

Der lød en brummende latter fra hans strube. Som en vrangvillig startmotor i slowmotion, hmmm-hmmm.

"Eller måske Opvasker-Oskar?"

Han svarede med et henrykt nej, vidste, hun lavede sjov med ham, men rystede for en sikkerheds skyld energisk på hovedet. Han var ikke kommet for at vaske op.

"Sulten, hva'?" spurgte hun, og Nalle vendte om på hælen og forsvandt rundt om hjørnet.

Hun hoppede ned fra sin plads, lukkede vinduet, hældte en slurk kaffe i sig og tog en stor bid af sin mad. Da hun kom ind i krostuen, havde han sat sig lige over for Rebecka Martinsson. Han havde hængt jakken over stoleryggen ved siden af sig, men beholdt huen på. Det var et ritual, de havde. Mimmi trak huen af ham og rodede op i hans tætte, kortklippede manke.

"Vil du ikke hellere sidde derovre? Så kan du se, om der kommer nogle seje biler forbi."

Rebecka Martinsson smilede til Nalle.

"Han må godt sidde hos mig," sagde hun.

Mimmi rakte hånden ud og rørte ved Nalle igen. Gnubbede ham lidt på ryggen.

"Vil du have klatkager eller ymer og nogle madder?"

Hun kendte svaret, men det var godt for ham at tale. Og bestemme selv. Hun så, hvordan ordet formedes i munden nogle sekunder, før det kom ud. Kæben bevægede sig fra side til side. Så lød det bestemt:

"Klatkager."

Mimmi forsvandt ud i køkkenet. Hun tog femten små klatkager ud af køleskabet og smed dem ind i mikroen.

Nalles far Lars-Gunnar og hendes mor Lisa var fætter og kusine. Nalles far var pensioneret politibetjent og havde i næsten tredive år været leder af jagtklubben. Dette gjorde ham til en mægtig mand. Også rent fysisk var han stor, nøjagtig ligesom Nalle. En respektindgydende betjent i sin tid. Og også rar, efter hvad folk sagde. Det skete stadigvæk, at han gik med til begravelsen, når en eller anden gammel småforbryder var død. Ved sådanne lejligheder var Lars-Gunnar og præsten ofte de eneste tilstedeværende.

Da Lars-Gunnar mødte Nalles mor, var han allerede over halvtreds. Mimmi huskede første gang, han havde Eva med på besøg.

Jeg kan ikke have været mere end seks år, tænkte hun.

Lars-Gunnar og Eva sad i lædersofaen i dagligstuen. Mor Lisa løb ud og ind fra køkkenet med kager og mælk og mere kaffe, og guderne måtte vide hvad. Det var dengang, hun tilpassede sig. Senere blev hun skilt og holdt helt op med at bage og lave mad. Mimmi kan næsten se for sig, hvordan Lisa indtager sin aftensmad oppe i det der sommerhus. Stående, med rumpen lænet op ad køkkenbordet, tager skefulde af et eller andet i en konservesdåse, måske noget kold kødsuppe.

Men dengang. Lars-Gunnar i sofaen med armen om Evas skuldre, et usædvanlig ømt udtryk i ansigtet af en mand her fra landsbyen at være, og måske især en som ham. Han var stolt. Hun var måske ikke køn, men meget yngre end ham, som

Mimmi er nu, et sted mellem tyve og tredive. Hvor denne sommerferierende socialarbejder mødte Lars-Gunnar, kan Mimmi ikke forestille sig. Men Eva sagde sit job op i ... Norrköping, hvis Mimmi husker ret, og blev ansat i kommunen og flyttede ind i hans barndomshjem, hvor han stadig boede. Et år efter blev Nalle født. Om end han dengang hed Björn. Et passende navn til en baby i sværvægtsklassen.

Det kan ikke have været let, tænkte Mimmi. At komme fra en stor by og flytte her til landsbyen. Skubbe barnevognen op og ned ad landsbygaden under barselsorloven og kun have nabokonerne at snakke med. At hun ikke blev vanvittig. Og det blev hun jo faktisk.

Mikroen sagde pling, og Mimmi skar to skiver is og kom en skefuld jordbærsyltetøj på klatkagerne. Hun skænkede et stort glas mælk og smurte tre store stykker grovbrød. Tog tre hårdkogte æg op af en gryde på gaskomfuret og anbragte det hele samt et æble på en bakke, som hun bar ind til Nalle.

"Og du får ikke flere klatkager, før du har spist det andet," sagde hun strengt.

Da Nalle var tre år, fik han hjernebetændelse. Eva ringede til lægehuset og fik besked på at se tiden lidt an. Så gik det, som det gik.

Og da han var fem, flyttede Eva. Hun forlod Nalle og Lars-Gunnar og flyttede tilbage til Norrköping.

Eller flygtede, tænkte Mimmi.

I landsbyen talte man om, hvordan hun stak af fra sit barn. Nogle kan ikke påtage sig et ansvar, sagde man. Og man stillede sig spørgsmålet, hvordan det var muligt. At man bare kunne gøre det. Forlade sit barn.

Mimmi ved det ikke. Men hun ved, hvordan det føles at blive kvalt i landsbyen. Og hun kan forestille sig, hvordan Eva gik i spåner i det der lyserøde eternithus.

Lars-Gunnar blev boende i landsbyen med Nalle. Talte nødig om Eva.

"Hvad skulle jeg gøre?" sagde han bare. "Jeg kan jo ikke tvinge hende."

Da Nalle var syv, vendte hun tilbage. Eller rettere: Lars-Gunnar hentede hende i Norrköping. Den nærmeste nabo kunne fortælle om, hvordan han bar hende i sine arme ind i huset. Inden længe havde kræften ædt hende op. Tre måneder senere var hun væk.

"Hvad skulle jeg gøre?" sagde Lars-Gunnar igen. "Hun var jo min søns mor."

Eva blev begravet på Poikkijärvi kirkegård. Moderen og en søster kom op til jordfæstelsen. De blev ikke længe. Deltog i kaffebordet efter begravelsen præcis så længe, de var nødt til. Bar Evas skam i hendes sted. De øvrige begravelsesgæster så dem ikke i øjnene, stirrede på deres ryg.

"Og der stod Lars-Gunnar og trøstede dem," sagde man til hinanden. "Kunne de ikke have taget sig af kvindemennesket, mens hun lå for døden?" I stedet var det Lars-Gunnar, der havde klaret det hele. Og det kunne ses på ham. Han havde nok tabt sig femten kilo. Så grå og nedslidt ud.

Mimmi spekulerede på, hvordan det ville være gået, hvis Mildred havde været der dengang. Måske havde Eva fundet sig til rette hos kvinderne i Magdalena. Måske havde hun ladet sig skille fra Lars-Gunnar, men var blevet i landsbyen, havde magtet at tage sig af Nalle. Måske havde hun oven i købet kunnet blive i ægteskabet.

Første gang, Mimmi mødte Mildred, sad præsten bag på Nalles knallert. Han ville fylde femten tre måneder senere. Ingen i landsbyen sagde noget til, at en evnesvag dreng, der ikke var gammel nok, kørte rundt på et motorkøretøj. Herregud da, det var jo Lars-Gunnars knægt. De havde så sandelig ikke haft det nemt. Og så længe Nalle holdt sig på landsbygaden ...

"Av min rumpe," ler Mildred inde i Mimmis hoved og hopper af knallerten.

Mimmi sidder uden for Mickes. Hun har taget en af stolene med ud og sidder i læ for forårsvinden, ryger en cigaret og vender næsen mod solen i håb om at få lidt farve. Nalle ser glad ud. Han vinker til Mimmi og Mildred, vender og kører væk, så gruset sprøjter. To år tidligere var han konfirmand hos Mildred.

Mimmi og Mildred præsenterer sig for hinanden. Mimmi bliver en anelse paf, hun ved ikke, hvad hun havde ventet, men hun har hørt så meget om denne præst. At hun er besværlig. At hun er for åbenhjertig. At hun er pragtfuld. At hun er så klog. At hun ikke er rigtig klog.

Og nu står hun der og ser så almindelig ud. Ja, kedelig, hvis hun skal være helt ærlig. Mimmi havde nærmest forventet, at hun ville være omgivet af en slags elektricitet, og så er det ikke andet end en midaldrende kvinde i umoderne jeans og fornuftige Ecco-sko.

"Han er sådan en velsignelse!" siger Mildred med en hovedbevægelse i retning af den larmende knallert, der forsvinder ned ad landsbygaden.

Mimmi mumler og sukker noget om, at Lars-Gunnar ikke har haft det så let.

Det er som en betinget refleks. Når landsbyen synger sin vise om Lars-Gunnar og hans svagelige unge kone og sinke af en søn, lyder omkvædet: "synd for ... tænk, hvad nogle må gå igennem ... ikke haft det så let."

Mildred får en skarp fure mellem øjenbrynene. Ser prøvende på Mimmi.

"Nalle er en gave," siger hun.

Mimmi svarer ikke. Hun køber ikke alle-børn-er-en-gave-og-der-er-en-mening-med-alt-der-sker konceptet.

"Om jeg begriber, at folk bliver ved med at tale om Nalle, som om han var sådan en byrde. Har du tænkt på, i hvor godt humør man kommer af at være sammen med ham?"

Det er sandt. Mimmi tænker på den foregående morgen.

Nalle vejer for meget. Han er altid lækkersulten, og hans far har nok at gøre med at forhindre ham i at spise uafbrudt. En umulig opgave. Kvinderne i landsbyen kan ikke modstå Nalles evige sult, og sommetider kan Micke og Mimmi heller ikke. Som i går. Pludselig stod Nalle i krokøkkenet med en af hønsene under armen. Lille-Anni, en dværghøne, lægger ikke mange æg, men er sød og kælen og har ikke noget imod at blive klappet. Men hun vil ikke slæbes væk fra flokken. Nu sparker hun med sine små hønseben og kagler uroligt under Nalles store arm.

"Anni!" siger Nalle til Micke og Mimmi. "Mad."

Han drejer hovedet til venstre og bøjer nakken, så han skeler til dem skråt fra siden. Ser listig ud. Det er umuligt at afgøre, om han er bevidst om, at de ikke tror ham over en dørtærskel.

"Bær hønen ud," siger Mimmi og prøver at se streng ud.

Micke bryder ud i latter.

"Vil Anni have en mad? Ja, så må hun nok hellere få det."

Nalle får stukket en mad i den ene hånd, og med hønen under den anden marcherer han ud på gårdspladsen. Han slipper Anni fri, og maden forsvinder med et ruf ind i munden.

"Halløj!" råber Micke fra trappen. "Skulle Anni ikke have den?"

Nalle vender sig om mod ham med en teatralsk beklagende mine.

"Spist," siger han opgivende.

Præsten Mildred snakker videre:

"Jeg ved skam godt, det har været opslidende for Lars-Gunnar, men hvis Nalle ikke havde været udviklingshæmmet, ville han så virkelig have været til større glæde for sin far? Det tvivler jeg på."

Mimmi kigger på hende. Præsten har ret.

Hun tænker på Lars-Gunnar og hans brødre. Hun kan ikke huske deres far, Nalles farfar, men hun har hørt om ham.

Isak var en streng mand. Tugtede børnene med livremmen. Og indimellem hårdere redskaber end den. Fem sønner og to døtre fik han.

"For satan da," sagde Lars-Gunnar engang. "Jeg var så bange for min egen far, at jeg nogle gange tissede i bukserne. Langt op i skolealderen."

Mimmi huskede den bemærkning meget tydeligt. Hun var lille på det tidspunkt. Kunne ikke tro, at kæmpestore Lars-Gunnar nogensinde havde været bange. Eller lille. Tisset i bukserne!

Hvor måtte de dog have anstrengt sig for ikke at blive som deres far, de der brødre. Men alligevel bærer de ham inden i sig. Denne foragt for svaghed. En hårdhed, der går i arv fra far til søn. Mimmi tænker på Nalles fætre, nogle af dem bor i landsbyen, er med i jagtklubben, kommer på kroen.

Men Nalle er immun over for alt det der. Lars-Gunnars nu og da opblussende bitterhed mod Nalles mor, sin egen far, verden i almindelighed. Irritationen over Nalles kommen til kort. Selvmedlidenheden og hadet, som kun kommer rigtigt ud, når mandfolkene drikker, men som altid findes under overfladen. Nalle kan hænge med hovedet, men højst i nogle sekunder. Han er et lykkeligt barn i en voksen mands krop. Helt igennem rar og redelig. Bitterhed og dumhed bider ikke på ham.

Hvis han ikke havde været hjerneskadet. Hvis han havde været normal. Hun ved godt, hvordan landskabet mellem far og søn i så fald havde set ud. Karrigt og ufrugtbart. Stækket af denne foragt for sin egen indkapslede svaghed.

Mildred. Hun aner ikke, i hvor høj grad hun har ret.

Men Mimmi kaster sig ikke ud i nogen argumentation. Hun trækker på skuldrene som svar, siger, det var hyggeligt at træffe hende, men nu må hun videre med arbejdet.

Nu hørte Mimmi Lars-Gunnars stemme inde i krostuen.

"Men for helvede da, Nalle."

Ikke vred. Snarere træt og opgivende.

"Jeg har jo sagt, vi spiser morgenmad derhjemme."

Mimmi kom ind i krostuen. Nalle sad bag sin tallerken og hang skamfuldt med hovedet. Slikkede mælkeskægget af overlæben. Klatkagerne var spist, æggene og brødet ligeledes, kun æblet var urørt.

"Fyrre kroner," sagde Mimmi en anelse for muntert til Lars-Gunnar.

Lad ham bare punge ud, den gnier, tænkte hun.

Han havde fryseren fuld af gratis kød fra jagten. Kvinderne i landsbyen hjalp ham med rengøring og tøjvask uden betaling, de kom med hjemmebagt brød og inviterede ham og Nalle til middag.

Da Mimmi begyndte på kroen, spiste Nalle morgenmad der gratis.

"I skal ikke give ham noget, når han kommer," forklarede Lars-Gunnar. "Han bliver bare for tyk."

Og Micke gav Nalle morgenmad, men da han egentlig ikke havde Lars-Gunnars tilladelse, havde han ikke nosser til at kræve betaling.

Mimmi havde nosser.

"Nalle har spist morgenmad," sagde hun til Lars-Gunnar den første gang, hun havde morgenvagten. "Fyrre kroner."

Lars-Gunnar havde sendt hende et overrasket blik. Kigget rundt i lokalet efter Micke, der lå hjemme og sov.

"I skal ikke give ham noget, når han kommer og tigger," begyndte han.

"Hvis han ikke må spise her, må du holde ham væk," sagde Mimmi. "Hvis han kommer, får han noget at spise. Spiser han, må du betale."

Fra og med dengang betalte han. Også til Micke, når det var ham, der havde morgentjansen.

Nu smilede han oven i købet til hende og bestilte kaffe og

klatkager til sig selv. Han stod ved siden af bordet, hvor Nalle og Rebecka sad. Kunne ikke beslutte sig til, hvor han skulle slå sig ned. Til sidst satte han sig ved nabobordet.

"Kom og sæt dig her," sagde han. "Damen vil måske godt være i fred."

Damen svarede ikke, og Nalle blev siddende, hvor han var. Da Mimmi kom med klatkagerne og kaffen, spurgte han:

"Kan Nalle være her i dag?"

"Mere," sagde Nalle, da han så sin fars stak med klatkager.

"Æblet først," sagde Mimmi urokkeligt.

"Nej," sagde hun derefter, henvendt til Lars-Gunnar. "Jeg får meget travlt i dag. Magdalena skal have efterårsmiddag og planlægningsmøde hos os i aften."

Et strejf af misbilligelse for gennem ham som en trækvind. Gennem de fleste af mændene, når kvindenetværket kom på tale.

"Bare et lille stykke tid?" sagde han prøvende.

"Hvad med min mor?" sagde hun.

"Jeg vil ikke spørge Lisa. Hun har nok at se til med mødet i aften."

"Hvad så med en af de andre koner? Alle kan jo lide Nalle."

Hun så, hvordan Lars-Gunnar overvejede alternativerne. Intet her i verden var gratis. Vist var der kvinder, han kunne spørge, men det var lige det, der nagede ham. At bede folk om en tjeneste. At være til besvær. Blive nogen tak skyldig.

Rebecka Martinsson så på Nalle. Han stirrede på sit æble. Det var svært at afgøre, om han følte, han var til besvær, eller om han bare fandt det irriterende at være tvunget til at spise æblet, før han fik flere klatkager.

"Nalle kan være sammen med mig, hvis han har lyst," sagde hun.

Lars-Gunnar og Mimmi så forbløffet på hende. Hun så næsten forbløffet på sig selv.

"Ja, jeg har ikke noget særligt for i dag," sagde hun. "Tager måske på en eller anden udflugt ... Hvis han vil med, så ... I kan få mit mobilnummer."

"Hun bor i en af hytterne," sagde Mimmi til Lars-Gunnar. "Rebecka ..."

"... Martinsson."

Lars-Gunnar nikkede hilsende til Rebecka.

"Lars-Gunnar, Nalles far," sagde han. "Hvis det ikke er til besvær ..."

Selvfølgelig er det til besvær, og hun tilbyder det kun af venlighed, tænkte Mimmi rasende.

"Det er ikke til besvær," forsikrede Rebecka.

Jeg har taget springet fra femmeteren, tænkte hun. Nu kan jeg gøre, hvad jeg har lyst til.

I MØDELOKALET PÅ POLITIGÅRDEN sad politiinspektør Anna-Maria Mella tilbagelænet i sin stol. Hun havde indkaldt til morgenmøde i anledning af de breve og andre papirer, der var blevet fundet i Mildred Nilssons pengeskab.

Foruden hende selv var der to mænd til stede i lokalet. Det var hendes kolleger Sven-Erik Stålnacke og Fred Olsson. På bordet foran dem lå omkring tyve breve, de fleste i deres opsprættede kuverter.

"Jamen så går vi i gang," sagde hun.

Hun og Fred Olsson iførte sig kirurghandsker og begyndte at læse.

Sven-Erik sad med de knyttede hænder på bordpladen, den store egernhale under næsen strittede som en skurebørste. Han så nærmest ud, som om han havde lyst til at slå nogen ihjel. Til sidst trak han langsomt gummihandskerne på, som var det boksehandsker.

De skimmede brevene. De fleste var fra menighedsmedlemmer med problemer. Der var skilsmisser og dødsfald, utroskab og bekymring for børn.

Anna-Maria holdt et brev i vejret.

"Det her er jo håbløst," sagde hun. "Se lige. Det er komplet umuligt at læse, det ligner en krøllet telefonledning, der løber hen over siderne."

"Lad mig se," sagde Fred Olsson og rakte hånden frem.

Først holdt han brevet tæt op til næsen, derefter førte han det langsomt længere væk og endte med at læse det i strakt arm.

"Det er et spørgsmål om teknik," sagde han, mens han skiftevis kneb øjnene sammen og spærrede dem op. "Først ser man

småordene 'og', 'jeg' og 'så', og dem kan man så tage udgangs-
punkt i. Jeg kigger på det senere."

Han lagde brevet fra sig og vendte tilbage til det, han havde
læst i før. Han kunne godt lide den slags arbejde. At søge i data-
baser, slå op i bøger, samkøre registre, efterforske personer
uden fast adresse. "*The truth is out there*," plejede han at sige,
hvorefter han gik i gang. Han havde mange gode meddelere i
sin adressebog og et stort socialt kontaktnet, folk, der havde
kendskab til både det ene og det andet.

"Her har vi en, der er godt sur," sagde han lidt efter og holdt
et brev frem.

Det var skrevet på et ark blegrosa brevpapir med galoppe-
rende heste med flyvende manker øverst i højre hjørne.

"'Din tid er snart UDE, Mildred,'" læste han. "'Snart åben-
bares sandheden om dig for ALLE. Du prædiker LØGN
og lever på en LØGN. Vi er MANGE, der er trætte af dine
LØGNE' ... blablabla ...''

"Læg det i en plasticlomme," sagde Anna-Maria. "Vi sender
de interessante til laboratoriet. Shit!"

Fred Olsson og Sven-Erik Stålnacke så op.

"Se lige!" sagde hun. "Dyrk lige det her!"

Hun foldede et stykke papir ud og holdt det op foran kol-
legerne.

Det var en tegning. Billedet forestillede en langhåret kvinde,
der hang i en løkke. Den, der havde lavet tegningen, var ganske
talentfuld. Ikke professionel, men en dygtig amatør, så meget
kunne Anna-Maria se. Rundt om den dinglende krop slikkede
nogle flammer, og på en gravhøj i baggrunden stod et sort
kors.

"Hvad står der allernederst?" spurgte Sven-Erik.

Anna-Maria læste højt:

"'SNART, MILDRED'."

"Det der ..." begyndte Fred Olsson.

"... sender jeg til Linköping med det samme!" fortsatte

147

Anna-Maria sætningen. "Hvis der er fingeraftryk ... Vi må ringe og bede dem sætte det øverst på prioriteringslisten."

"Smut du bare," sagde Sven-Erik. "Fred og jeg gennemgår resten."

Anna-Maria lagde brevet og kuverten i hver sin plasticlomme, hvorefter hun skyndte sig ud af lokalet.

Fred Olsson bøjede sig atter disciplineret over stakken af breve.

"Det her er fint," sagde han. "Her står, at hun er en grim, hysterisk mandehader, der skal passe satans meget på, for 'nu er vi godt trætte af dig, din lede mær, tænk dig om, når du går ud om aftenen, se dig for, dine børnebørn vil ikke kunne kende dig igen'. Hun havde da ingen børn, vel? Hvordan skulle hun så have haft børnebørn?"

Sven-Erik sad stadig og kiggede på døren, som Anna-Maria var forsvundet ud ad. Hele sommeren. Hele sommeren havde disse breve ligget i den aflåste boks, mens han og kollegerne famlede rundt i blinde.

"Det eneste, jeg vil vide," sagde han uden at se på Fred Olsson, "er, hvordan i helvede de der præster kunne undlade at fortælle mig, at Mildred Nilsson havde en privat boks på kirkekontoret!"

Fred Olsson svarede ikke.

"Jeg kunne godt tænke mig at ryste de herrer godt og grundigt og spørge, hvad de har gang i," fortsatte han. "Spørge, hvad de tror, vi har gang i!"

"Men Anna-Maria har jo lovet Rebecka Martinsson ..." begyndte Fred Olsson.

"Men jeg har ikke lovet noget," brølede Sven-Erik og knaldede håndfladen ned i bordpladen, så den hoppede.

Han rejste sig og gestikulerede magtesløst med hånden.

"Bare rolig," sagde han. "Jeg farer ikke af sted og gør et eller andet tåbeligt. Jeg er bare nødt til at, ja, jeg ved snart ikke, være alene et øjeblik."

Med disse ord forlod han lokalet. Døren smækkede i bag ham.

Fred Olsson vendte tilbage til brevene. Egentlig var det allerbedst på denne måde. Han trivedes godt med at arbejde alene.

Sognepræst Bertil Stensson og præsten Stefan Wikström stod i det lille rum inde bag kirkekontoret og kiggede ind i Mildred Nilssons boks. Rebecka Martinsson havde afleveret både nøglen til præstegården i Poikkijärvi og nøglen til pengeskabet.

"Tag det nu roligt," sagde Bertil Stensson. "Tænk på ..."

Han afsluttede sætningen med et nik i retning af forkontoret, hvor kontordamerne sad.

Stefan Wikström skævede til sin chef. Sognepræstens mund strammedes i et grublende udtryk. Glattedes ud og strammedes. Som en mimrende gnaver. Den undersætsige krop var iklædt en nystrøget lyserød skjorte fra Shirt Factory. En dristig farve, valgt af sognepræstens døtre, der ekviperede ham. Passede fint til det solbrændte ansigt og den sølvfarvede drengefrisure.

"Hvor er brevene?" sagde Stefan Wikström.

"Måske brændte hun dem," sagde sognepræsten.

Stefan Wikströms stemme steg en halv oktav.

"Til mig sagde hun, at hun havde gemt dem. Sæt, nogen i Magdalena har dem nu? Hvad skal jeg sige til min kone?"

"Ingenting, måske," sagde Bertil Stensson roligt. "Jeg må kontakte hendes mand. Han skal have smykkerne."

De blev stående uden at sige noget.

Stefan Wikström betragtede tavs boksen. Han havde troet, dette ville blive et befriende øjeblik. At han ville holde brevene i sin hånd og slippe af med Mildred for altid. Men nu. Hendes greb om hans nakke var lige så fast som før.

Hvad begærer du af mig, Herre? tænkte han. Der står skrevet, at du ikke prøver os ud over vores formåen, men nu har du drevet mig til grænsen af, hvad jeg magter.

Han følte sig fanget. Fanget af Mildred, af sin kone, sit arbejde, sit kald, hvor han bare gav og gav uden nogensinde at få noget igen. Og efter Mildreds død følte han sig fanget af sin chef, sognepræst Bertil Stensson.

Tidligere havde Stefan glædet sig over det far og søn-forhold, der var opstået mellem dem, men nu mærkede han, hvilken pris der skulle betales. Bertil havde foden på ham. Blikkene fra kvinderne på kontoret fortalte tydeligt, hvad Bertil sagde om ham bag hans ryg. De lagde hovedet lidt på skrå og fik noget medlidende i blikket. Han kunne næsten høre Bertil: "Stefan har det ikke let. Han er mere følsom, end man tror." Det vil sige svagere. At sognepræsten i et par tilfælde var trådt til og havde overtaget hans gudstjenester, var ikke gået stille for sig. Alle var blevet informeret, tilsyneladende helt tilfældigt. Han følte sig nedgjort og udnyttet.

Jeg kunne jo forsvinde, tænkte han pludselig. Gud holder sin hånd over den mindste spurv.

Mildred. Dengang i juni var hun væk. Lige pludselig. Men nu var hun tilbage. Kvindenetværket Magdalena var kommet på fode igen. De råbte aggressivt på flere kvindelige præster i sognet. Og det var, som om Bertil allerede havde glemt, hvordan hun i virkeligheden var. Når han talte om hende nu, var det med varme i stemmen. Hun havde et stort hjerte, sukkede han. Hun var en bedre sjælehyrde end jeg selv, indrømmede han generøst. Dermed fik han også sagt, at hun var en bedre sjælehyrde end Stefan, eftersom Bertil var en bedre hyrde end Stefan.

Jeg er i hvert fald ikke nogen løgner, tænkte Stefan hidsigt. Hun var en aggressiv urostifter, tog nedbrudte kvinder til sig og gav dem ild i stedet for balsam. Døden kunne ikke ændre denne kendsgerning.

Det var en ubehagelig tanke, dette, at Mildred havde sat nedbrudte mennesker i brand. Mange ville nok påstå. at hun satte endog ham i brand.

Men jeg er ikke nedbrudt, tænkte han. Det var ikke derfor. Han stirrede ind i boksen. Tænkte på efteråret 1997.

Sognepræst Bertil Stensson har indkaldt Stefan Wikström og Mildred Nilsson til møde. Med sig har han stiftsprovst Mikael Berg i dennes egenskab af ansvarlig for personalespørgsmål. Mikael Berg sidder stift i stolen. Han er i halvtredserne. Hans bukser er ti-femten år gamle, og da de var nye, vejede Mikael ti-femten kilo mere. Det tynde hår klæber til issen. Nu og da tager han en besværet, dyb indånding. Hånden ryger op, ved ikke, hvor den skal gøre af sig selv, stryger over håret, falder atter ned i skødet.

Stefan sidder over for dem. Tænker, at han vil bevare roen. Under hele den samtale, de nu har foran sig, vil han bevare roen. De andre kan gerne hæve stemmen, men sådan er han ikke.

De venter på Mildred. Hun kommer direkte fra en skoleandagt og har meddelt, at hun nok bliver nogle minutter forsinket.

Bertil Stensson ser ud ad vinduet. Rynkede bryn.

Så kommer Mildred. Træder ind ad døren samtidig med, at hun banker på. Røde kinder. Håret kruser let på grund af den fugtige efterårsluft udenfor.

Hun smider jakken på en stol, skænker sig noget kaffe fra termokanden.

Bertil Stensson forklarer, hvorfor de er der. Menigheden er ved at dele sig i to lejre, siger han. En Mildred-lejr og, han siger ikke Stefan-lejr, resten.

"Jeg glæder mig over det engagement, du skaber omkring dig," siger han til Mildred. "Men som jeg ser det, er det en uholdbar situation. Det begynder at ligne en krig mellem feministpræsten og kvindehaderpræsten."

Stefan hopper næsten i sædet.

"Jeg er så sandelig ikke nogen kvindehader," siger han bestyrtet.

"Nej, men det er jo sådan, det bliver fremstillet," siger Bertil Stensson og skubber mandagens lokalavis ind midt på bordet.

Ingen behøver kigge i den. Alle har læst artiklen. "Kvindelig præst giver svar på tiltale" lyder overskriften. I artiklen citerer man fra Mildreds prædiken den foregående uge. Der havde hun sagt, at stolaen oprindelig er en romersk kvindedragt. At den er blevet benyttet siden 300-tallet, hvor man begyndte at iføre sig liturgiske klædedragter. "Vore dages præstekjole er altså oprindelig kvindetøj, hævder Mildred Nilsson," står der i artiklen. "Alligevel kan jeg godt acceptere mandlige præster, for som skrevet står: 'Her er ikke kvinde eller mand, ikke jøde eller græker.'"

Stefan Wikström er også kommet til orde i artiklen. "Stefan Wikström oplyser, at han ikke føler sig personligt truffet af prædikenen. Han elsker kvinder, vil blot ikke se dem på prædikestolen."

Stefan bliver tung om hjertet. Han føler sig narret. Han har ganske vist sagt det, de skriver, men i sammenhængen bliver det helt forkert. Journalisten havde spurgt:

"Du elsker dine brødre, men hvad med kvinder? Er du kvindehader?"

Så afgjort ikke, havde han naivt svaret. Han elskede kvinder.

"Men du vil ikke se dem på prædikestolen."

Nej, havde han svaret. Sådan forholdt det sig, groft fortalt. Men der lå ikke noget nedvurderende i det, havde han tilføjet. I hans øjne var kvindernes arbejde i menigheden lige så vigtigt som præstens.

Nu siger sognepræsten, at han ikke vil se flere af den slags meningstilkendegivelser fra Mildreds side.

"Men hvad med Stefans meningstilkendegivelser?" siger hun roligt. "Han og hans familie møder ikke op i kirken, hvis jeg prædiker. Vi kan ikke afholde fælles konfirmation, fordi han nægter at samarbejde med mig."

"Jeg kan ikke omgå Bibelens ord," siger Stefan.

Mildred virrer utålmodigt med hovedet. Bertil væbner sig med tålmodighed. De har hørt det her før, det ved Stefan godt, men hvad kan han gøre? Det er stadigvæk sandt.

"Jesus valgte tolv mænd til disciple," fremturer Stefan. "Ypperstepræsten var altid en mand. Hvor langt kan vi fjerne os fra Bibelens ord i vores tilpasning til de herskende samfundsnormer, uden at det til sidst ophører med at være kristendom?"

"Alle disciple og ypperstepræster var desuden jøder," svarer Mildred. "Hvordan har du det med det? Og læs lige Hebræerbrevet. I vore dage er Jesus vores ypperstepræst."

Bertil løfter hænderne i en gestus, der betyder, at han ikke vil gå ind i denne diskussion, som de allerede har haft adskillige gange før.

"Jeg respekterer jer begge," siger han. "Og jeg er gået med til ikke at ansætte nogen kvinde i dit distrikt, Stefan. Jeg vil endnu en gang pointere, at I sætter mig og menigheden i en vanskelig situation. I flytter fokus til en konflikt, og jeg vil opfordre jer begge til ikke at gå ind i en polemik, i særdeleshed ikke fra prædikestolen."

Han skifter ansigtsudtryk. Fra streng til forsonlig. Han blinker næsten indforstået til Mildred.

"Lad os nu forsøge at koncentrere os om vores fælles opgave. Det ville glæde mig, hvis jeg kunne slippe for at høre ord som mandssamfund og sexisme flyve rundt i kirken. Du må tro på Stefan, Mildred. At der ikke er tale om noget personligt, når han ikke kommer til dine prædikener."

Mildred ikke så meget som blinker. Hun ser Stefan stift ind i øjnene.

"Det er Bibelens ord," siger han, og vist kan han stirre tilbage. "Det kan jeg ikke sidde overhørig."

"Mænd slår kvinder," siger hun, tager en dyb indånding og fortsætter: "Mænd nedværdiger kvinder, dominerer dem, chikanerer dem, slår dem ihjel. Eller amputerer deres kønsorganer, tager livet af dem som nyfødte, tvinger dem til at skjule sig bag slør, låser dem inde, voldtager dem, afskærer dem fra at uddanne sig, giver dem mindre i løn og mindre mulighed for at få magt. Nægter dem at blive præster. Det kan jeg ikke sidde overhørig."

Der bliver fuldkommen stille i omkring tre sekunder.

"Hør nu, Mildred," kommer det fra Bertil.

"Hun er jo syg i hovedet!" råber Stefan. "Kalder du mig ... Sidestiller du mig med kvindemishandlere? Det her er ikke nogen diskussion, det er bagvaskelse, og jeg ved ikke ..."

"Hvad?" siger hun.

Og nu står de begge op, et sted i baggrunden hører de Bertil og Mikael Berg: "Hids jer ned, sæt jer nu."

"Hvilket af alt dette er bagvaskelse?"

"Det her fører ingen vegne," siger Stefan henvendt til Bertil. "Vi kan ikke mødes. Jeg er ikke nødt til at finde mig i ... Vi kan umuligt samarbejde, det kan du jo selv se."

"Det har du jo aldrig kunnet," hører han Mildred sige bag sin ryg, idet han stormer ud af lokalet.

Sognepræst Bertil Stensson stod tavs foran pengeskabet. Han vidste, at hans unge kollega ventede, at han ville sige noget beroligende. Men hvad kunne han sige?

Selvfølgelig havde hun ikke brændt brevene eller smidt dem ud. Hvis bare han havde haft kendskab til dem. Han følte sig meget irriteret på Stefan, fordi han ikke havde fortalt ham om dem.

"Er der andet, jeg burde vide?" spurgte han.

Stefan Wikström så på sine hænder. Tavshedspligten kunne være et tungt kors at bære.

"Nej," sagde han.

Bertil Stensson opdagede til sin forbløffelse, at han savnede hende. Han var blevet bestyrtet og chokeret, da hun blev myrdet, men han havde ikke troet, han ville komme til at savne hende. Han var formentlig uretfærdig, men det ved Stefan, der tidligere havde tiltalt ham – hans tjenstivrighed og hans ... åh, hvilket latterligt ord, hans beundring for sin chef – alt det føltes nu, da Mildred var væk, som generende behagesyge. De havde haft brug for at skabe en indbyrdes ligevægt, hans små børn. Sådan havde han opfattet dem mange gange, skønt Stefan var over fyrre, og Mildred havde passeret de halvtreds. Måske fordi de begge var børn af sognepræster.

Åh, hun kunne kunsten at irritere én. Sommetider med enkle midler.

Som for eksempel under middagen helligtrekongersaften. Nu følte han sig smålig, fordi han var blevet så irriteret, men han havde jo ikke vidst, at det ville blive Mildreds sidste.

Stefan og Bertil stirrer som forheksede på Mildreds fremmarch på bordet mellem dem. Det er kirkens helligtrekongersmiddag, som de har haft tradition for i nogle år. Stefan og Bertil sidder ved siden af hinanden over for Mildred. Personalet er ved at tage af bordet efter hovedretten, og Mildred mobiliserer.

Hun begyndte med at hverve soldater til sin lille hær. Greb saltkværnen med den ene hånd og peberkværnen med den anden. Førte dem ind mod hinanden, og så tog de en svingom, mens hun ligesom opslugt fulgte med i samtalen, der vistnok handlede om julens hektiske arbejdsperiode, der nu var til ende, og måske om den seneste forkølelsesepidemi, der huserede, og al den slags. Hun trykkede også kanterne på stearinlyset ned. Allerede på det tidspunkt kunne Bertil se, hvordan Stefan næsten måtte klamre sig til bordkanten for ikke at fjerne lysestagen og råbe: Så hold dog op med at pille ved alting!

Hendes vinglas stod stadig på sin plads som en dronning på et skakbræt og ventede på sin tur.

Da Mildred senere begynder at tale om den ulv, der har været skrevet om i aviserne i juleugen, skubber hun distræt salt- og peberbøssen over på Bertil og Stefans side af bordet.

Vinglasset kommer også i bevægelse. Mildred fortæller, at ulven er vandret over den russiske og finske grænse, og glasset farer i store sving hen over bordet i hele hendes arms længde, overskrider alle grænser.

Hun knevrer løs, med kinderne blussende af vinen, og flytter rundt på tingene på bordet. Stefan og Bertil føler sig trængt og ejendommeligt generet af hendes huseren på borddugen.

Hold dig på din egen side, har de lyst til at råbe.

Hun fortæller, at der er noget, hun har tænkt på. Hun har tænkt på, at kirken burde oprette en fond, der kan beskytte ulven. Kirken er jo jordbesidder, det hører ind under kirkens ansvarsområde, synes hun.

Bertil er blevet en anelse påvirket af enmandsskakspillet på dugen og bider fra sig.

"Efter min mening skal kirken hellige sig sin kernevirksomhed, menighedsplejen, og ikke skovdrift. Altså rent principielt. Vi burde ikke engang eje skov. Kapitalforvaltning skal vi overlade til andre."

Det er Mildred ikke enig i.

"Vi er sat her for at forvalte jorden," siger hun. "Det er lige netop jord, vi skal besidde, og ikke aktier. Og hvis kirken ejer jord, kan den forvaltes på den rigtige måde. Nu er denne ulv vandret ind på svensk territorium og ind på kirkens ejendom. Hvis den ikke får en særlig beskyttelse, kommer den ikke til at leve længe, det ved du også godt. En eller anden jæger eller rensdyrejer vil skyde den."

"Så denne fond ..."

"Ville kunne forhindre det, ja. Med penge og samarbejde med Naturstyrelsen kan vi mærke ulven og overvåge dens færden."

"Og på den måde ville du støde folk fra dig," indvender Bertil. "Der skal være plads til alle i kirken, jægere, samer, ulvevenner – alle. Og så kan kirken ikke tage parti på den måde."

"Hvad så med vores rolle som forvalter?" siger Mildred.

"Vi skal drage omsorg for jorden, og indbefatter det ikke også udryddelsestruede dyrearter? Og ikke tage politisk stilling? Hvis kirken altid havde haft den indstilling, ville vi så ikke stadig have slaveri?"

Nu må de le ad hende. Hun skal altid overdrive og sætte tingene på spidsen.

Bertil Stensson lukkede døren til pengeskabet, låste efter sig og stak nøglen i lommen. I februar havde Mildred oprettet sin fond. Hverken han eller Stefan Wikström havde gjort modstand.

Hele ideen med fonden havde irriteret ham, og når han nu kigger tilbage og prøver at være ærlig over for sig selv, irriterer det ham at måtte erkende, at han på grund af fejhed ikke satte sig imod det. Han var bange for at blive opfattet som ulvehader, og guderne måtte vide hvad. Men han fik Mildred til at gå med til et mindre provokerende navn end Fonden til Beskyttelse af Lapplands Ulve. I stedet kom den til at hedde Jukkasjärvi Menigheds Vildtplejefond. Og han og Stefan tegnede firmaet sammen med Mildred.

Og senere på foråret, da Stefans kone rejste med de yngste børn ned til sin mor i nærheden af Katrineholm og blev der i længere tid, havde Bertil ikke tænkt ret meget på det.

Nu her bagefter gnavede det selvfølgelig i ham.

Men Stefan burde have sagt noget, tænkte han til sit forsvar.

REBECKA PARKEREDE BILEN på gårdspladsen foran sin farmors hus i Kurravaara. Nalle sprang ud af bilen og løb nysgerrigt en tur rundt om huset.

Som en sorgløs hund, tænkte Rebecka, da hun så ham forsvinde rundt om hushjørnet.

I næste sekund fik hun dårlig samvittighed. Han skulle ikke sammenlignes med en hund.

Septembersol på den grå eternit. Vinden, der fejede dovent gennem det høje efterårsgræs, der var blegnet og fattigt på næring. Lavvande, en motorbåd i det fjerne. Fra en anden retning lyden af en rundsav. Ellers stilhed, lydløshed. En svag brise mod ansigtet, som en nænsom hånd.

Hun så på huset igen. Vinduerne var et bedrøveligt syn. De burde tages ned, skrabes, kittes og males. I samme mørkegrønne farve som tidligere, ingen anden. Hun tænkte på rockwoolen, der lå presset sammen i nedgangen til kælderen som beskyttelse mod den kolde luft, der ellers ville strømme op, danne rimfrost på væggene og blive til grå fugtpletter. Den burde rives ud. Man burde tætne, isolere, installere ventilering. Opføre en god jordkælder. Man burde redde det huløjede drivhus, før det var for sent.

"Kom, så går vi indenfor," råbte hun til Nalle, der var løbet ned til Larssons rødmalede tømmerfadebur og trak i døren.

Nalle kom luntende hen over kartoffelmarken. Skoene blev tykke af ler under sålen.

"Du der," sagde han og pegede på Rebecka, da han kom op på trappen.

"Rebecka," svarede hun. "Jeg hedder Rebecka."

Han nikkede som svar. Ville snart spørge hende igen. Han

havde allerede spurgt nogle gange, men endnu ikke sagt hendes navn.

De gik op ad trappen og ind i farmors køkken. Lidt råt og fugtigt. Føltes koldere end udenfor. Nalle gik først ind. I køkkenet åbnede han ugenert alle døre, alle skabe og skuffer.

Glimrende, tænkte Rebecka. Lad ham åbne, og alle spøgelser kan flyve ud.

Hun smilede ad hans store, kluntede skikkelse, de skæve, fiffige smil, som han nu og da sendte hende. Det føltes rart at have ham med.

Sådan kan en ridder også se ud, tænkte hun.

Trygheden ved, at alting var sig selv lig, lagde sig over hende. Lagde armene om hende. Trak hende ned i sofaen ved siden af Nalle, der havde fundet en papkasse med tegneserier. Han tog dem fra, han kunne lide. De skulle være i farver, så det blev mest *Anders And*. Han lagde *Agent X9*, *Fantomet* og *Buster* tilbage i kassen. Hun så sig om. De blåmalede stole rundt om det gamle, blankslidte slagbord. Det brummende køleskab. De påklistrede dekorationer, der forestillede forskellige krydderurter, på fliserne over det sorte Näfveqvarn-komfur. Ved siden af brændekomfuret stod det elektriske med drejeknapper i brun og orange plastic. Farmors hånd overalt. På tallerkenrækken oven over komfuret sloges tørrede planter om pladsen med gryder og øser i rustfrit stål. Onkel Affes kone Inga-Lill hængte stadig bundter op. Kattefod, rejnfan, kæruld, smørblomster og røllike. Nogle købte også lyserøde evighedsblomster, men det brugte man ikke på farmors tid. Farmors vævede kludetæpper på gulvet og på slagbænken som beskyttende overtræk. Broderede duge oven på alt, sågar på trædesymaskinen i hjørnet. Broderede bakkeborter på den bakke, farfar lavede af tændstikker i sin sidste tid, mens han var syg. Pudebetrækkene havde hun vævet eller hæklet.

Ville jeg kunne bo her? tænkte Rebecka.

Hun så ned på engen. Der var ikke længere nogen, der slog

græsset eller brændte det af, det var tydeligt. Der var store tuer, græsset kom op gennem et lag af rådnede vækster fra året før. Jorden var garanteret gennemskåret af musehuller. Når hun så det sådan fra oven, kunne hun bedre se taget på stalden. Spørgsmålet var, om det overhovedet var til at redde. Med ét følte hun sig nedtrykt. Et hus dør, når det bliver forladt. Langsomt, men sikkert. Det brydes ned, det holder op med at trække vejret. Det revner, sætter sig, mugner.

Hvor skal man begynde? tænkte Rebecka. Alene vinduerne er mere end et fuldtidsjob. Jeg kan ikke lægge tag. Det er ikke længere sikkert at gå ud på altanen.

Så rystede hele huset. Døren nedenunder smækkede. Det lille klokkespil inden for døren kom i svingninger og afgav nogle sprøde toner.

Sivvings stemme lød gennem huset. Rungede op ad trappen og trængte ind gennem døren til entreen.

"Hallo!"

Nogle sekunder senere viste han sig i døråbningen. Farmors nabo. Stor og kraftig på alle leder. Håret hvidt og blødt som pilens gæslinger. Hvidgul militærundertrøje under en blå jakke af bævernylon. Et stort smil, da han fik øje på Rebecka. Hun rejste sig.

"Rebecka," sagde han blot.

To skridt, og han var henne ved hende. Slog sine arme om hende.

De plejede ikke at omfavne hinanden, knap nok da hun var en lille pige. Men hun gav pokker i at stivne. Tværtimod. Lukkede øjnene de to sekunder, omfavnelsen varede. Drev ud i et hav af fredfyldthed. Hvis man undlod at medregne håndtryk, havde intet menneske rørt ved hende siden ... ja, det var Erik Rydén, da han bød hende velkommen til firmafesten på Lidö. Og inden da et halvt år tidligere, da hun fik taget en blodprøve hos lægen.

Så var knuset forbi, men Sivving Fjällborg holdt hende fast

med højre hånd om hendes venstre overarm.

"Hvordan har du det?" spurgte han.

"Fint," sagde hun smilende.

Hans ansigt blev alvorligere. Han holdt fast i hende endnu et sekund, før han slap hende. Så vendte smilet tilbage.

"Og du har en kammerat med dig."

"Ja da, det er Nalle."

Nalle sad fordybet i et Anders And-blad. Det var ikke til at vide, om han kunne læse eller bare kiggede på billederne.

"Jaså, men nu skal I med hjem til mig og drikke kaffe, for jeg har noget, I skal se. Hvad siger du, Nalle? Saft og bolle? Eller drikker du kaffe?"

Nalle og Rebecka fulgte i hælene på Sivving som to kalve.

Sivving, tænkte Rebecka og smilede. Det ordner sig. Man må tage ét vindue ad gangen.

Sivvings hus lå på den anden side af vejen. Rebecka fortalte, at hun var kommet op til Kiruna i embeds medfør og efterfølgende havde taget sig en kort ferie. Sivving stillede ingen besværlige spørgsmål. Hvorfor hun ikke boede i Kurravaara, for eksempel. Rebecka noterede sig, at hans venstre arm hang kraftesløst ned langs siden, og at venstre fod slæbte lidt, når han gik – ikke meget, men alligevel. Hun spurgte heller ikke.

Sivving boede nede i fyrkælderen. Der blev mindre rengøring, og det føltes mindre ensomt. Kun når hans børn og børnebørn kom på besøg, blev resten af huset taget i brug. Men det var et hyggeligt fyrrum. Det porcelæn og husgeråd, han havde brug for til hverdag, var anbragt på en brunbejdset reol. Derudover var der en seng og et lille spisebord med formicaplade, en stol, en kommode og en elektrisk kogeplade.

I hundekurven ved siden af sengen lå Sivvings hønsehund Bella. Og ved siden af hende lå fire hvalpe. Bella kom på benene et kort øjeblik og hilste på Rebecka og Nalle. Havde ikke tid til at blive klappet, snusede bare hurtigt til dem og gav så sin herre to små puf og et slik.

"Helt i orden, min pige," sagde Sivving. "Nå, Nalle, hvad siger du så? Er de ikke søde?"

Nalle syntes knap nok at høre ham. Han kiggede ufravendt på hvalpene med et forklaret udtryk i ansigtet.

"Åh," sagde han, "åh," og satte sig på hug ved kurven og rakte ud efter en af de sovende hvalpe.

"Jeg ved snart ikke ..." begyndte Rebecka.

"Nej, lad ham bare," sagde Sivving. "Bella er en mere selvsikker mor, end jeg ville have troet om hende."

Bella lagde sig ved siden af de tre hvalpe, der var tilbage i kurven. Hun holdt vagtsomt øje med Nalle, der havde løftet den fjerde op og sad lænet op ad væggen med den i favnen. Hvalpen vågnede og gik til angreb på Nalles hånd og bluseærme efter bedste formåen.

"Er de ikke utrolige?" lo Sivving. "Man skulle tro, de havde en indbygget tænd og sluk-knap. Det ene øjeblik farer de rundt som en tornado, og så vupti, sover de som en sten."

De drak kaffe i tavshed. Det gjorde ikke noget. Det var nok at se Nalle ligge på ryggen på gulvet med hvalpene, der kravlede hen over hans ben, trak i hans tøj og kæmpede sig op på hans mave. Bella udnyttede chancen for at tigge sig til en bolle ved bordet. Mundvandet løb i to strenge ud af hendes gab, da hun satte sig ved siden af Rebecka.

"Du har sandelig fået fine manerer," lo Rebecka.

"Op i kurven," sagde Sivving til Bella og viftede med hånden.

"Ved du hvad, jeg tror, hun har nedsat hørelse i det øre, der vender hen mod dig," sagde Rebecka og lo endnu mere.

"Det er min egen skyld," sagde Sivving beklagende. "Men du ved, man sidder jo her alene, og så kommer man til at give efter og dele, hvad man har. Og så ..."

Rebecka nikkede.

"Men for resten," sagde Sivving og skiftede emne. "Nu da du har en stor kleppert med dig, kan I måske hjælpe mig med at få bådebroen op på land. Jeg overvejede at prøve at trække den op med traktoren, men jeg er bange for, den ikke kan holde til det."

Bådebroen var gennemsivet af vand og meget tung. Vandstanden i elven var lav og strømmen træg. Nalle og Sivving stod ude i vandet og knoklede. Sommerens sidste insekter greb chancen for at stikke dem i nakken. På grund af solen og anstrengelsen endte deres tøj i en bunke oppe på bakken. Nalle var iført Sivvings reservegummistøvler. Rebecka havde hentet skiftetøj oppe i farmoderens hus. Den ene støvle var revnet, så hun var hurtigt blevet våd på højre fod. Nu stod hun inde på land og trak, og strømpen svuppede i gummistøvlen. Hun kunne mærke, hvordan sveden sivede ned ad ryggen. Og hovedbunden. Våd og salt.

"Nu mærker man, at man lever," stønnede hun til Sivving.

"Kroppen gør i hvert fald," svarede Sivving.

Han så tilfreds på hende. Vidste, at der lå en slags befrielse i hårdt kropsarbejde, når sjælen var plaget. Hvis hun kom tilbage, skulle han nok vide at sætte hende i arbejde.

Bagefter spiste de kødsuppe og knækbrød i Sivving fyrkælder. Sivving havde fremtryllet tre skamler, så de kunne sidde rundt om bordet. Rebecka havde fået tørre sokker på.

"Jamen det var jo godt, det smagte," sagde Sivving til Nalle, som skovlede kødsuppe indenbords sammen med store stykker knækbrød med et tykt lag smør og ost. "Du må komme og hjælpe mig en anden gang."

Nalle nikkede med munden fuld af mad. Bella lå i kurven med de sovende hvalpe under maven. Af og til bevægede hendes ører sig. Hun havde tjek på menneskene, selvom øjnene var lukket.

"Og du, Rebecka," sagde Sivving, "er jo altid velkommen."

Hun nikkede og kiggede ud ad kældervinduet.

Tiden går langsommere her, tænkte hun. Man mærker knap

nok, at den går. En ny bådebro. Ny for mig, selvom den allerede har mange år på bagen. Katten, der forsvinder i græsset, er ikke Larssons Mirri. Hun er død og borte for længe siden. Jeg ved ikke, hvad de hunde hedder, som jeg kan høre gø i det fjerne. Før i tiden vidste jeg det. Genkendte Pilkkis hæse, arrige, stridslystne gøen. Hun kunne blive ved i en uendelighed. Sivving. Inden længe får han brug for hjælp til at skovle sne og købe ind. Måske kunne jeg holde ud at bo her?

ANNA-MARIA MELLA kørte sin røde Ford Escort ind på Magnus Lindmarks gårdsplads. Ifølge Lisa Stöckel og Erik Nilsson var dette altså den mand, der ikke havde gjort nogen hemmelighed ud af, at han havde hadet Mildred Nilsson. Som havde flænget hendes bildæk og sat ild til præstegårdens udhus.

Han var i gang med at vaske sin Volvo og slukkede for vandet og lagde slangen fra sig, da hun svingede ind på gårdspladsen. Omkring de fyrre. Lidt lavstammet, men han så stærk ud. Smøgede skjorteærmerne op, da hun steg ud af bilen. Ville formentlig vise lidt muskler.

"Kører du damplokomotiv?" sagde han drillende.

I næste øjeblik blev han klar over, at hun var fra politiet. Hun kunne se, hvordan hans ansigt skiftede udtryk. En blanding af foragt og snuhed. Anna-Maria følte, at hun burde have haft Sven-Erik med.

"Jeg tror ikke, jeg har lyst til at svare på nogen spørgsmål," sagde Magnus Lindmark, før hun overhovedet havde nået at åbne munden.

Anna-Maria præsenterede sig. Viste også sit politiskilt, selvom hun ikke plejede at vifte med det.

Hvad gør jeg nu? tænkte hun. Der er ingen mulighed for at tvinge ham.

"Du ved jo ikke engang, hvad det drejer sig om," sagde hun prøvende.

"Lad mig gætte engang," sagde han og lagde ansigtet i forstilt tænksomme folder, mens han gned pegefingeren over hagen. "En fisse til præst, der fik, hvad hun fortjente, måske? Lad mig lige tænke mig om. Niks, jeg gider ikke snakke om det."

Wow, tænkte Anna-Maria, han nyder virkelig det her.

"Okay," sagde hun og smilede muntert. "Så må jeg vel stige om bord på mit damplokomotiv og tøffe væk igen."

Hun vendte sig om og gik hen mod bilen.

Nu råber han et eller andet, nåede hun at tænke.

"Hvis I får fat i den fyr, der gjorde det," råbte han, "så slå på tråden, så jeg kan komme ind og trykke hans hånd."

Hun fortsatte det sidste stykke hen til sin bil. Vendte sig om mod ham med hånden på dørhåndtaget. Sagde ingenting.

"Hun var en skide møgso, der fik, hvad hun fortjente. Har du ikke nogen blok? Skriv det ned."

Anna-Maria trak en notesblok og en pen op af lommen. Skrev "skide møgso".

"Hun har åbenbart sat sindet i kog hos en del," sagde hun ligesom til sig selv.

Han kom hen til hende og stillede sig truende tæt på.

"Det kan jeg fandeme godt love dig," sagde han.

"Hvorfor var du sur på hende?"

"Sur?" spruttede han. "Sur er noget, jeg bliver på den skide køter, når han står og gør efter et egern. Jeg er ikke den hyklende type og har ingen problemer med at indrømme, at jeg hadede hende. Og det var jeg ikke den eneste, der gjorde."

Snak løs, tænkte Anna-Maria og nikkede forstående.

"Hvorfor hadede du hende?"

"Fordi hun ødelagde mit ægteskab, derfor! Fordi min søn begyndte at tisse i sengen, da han var elleve år gammel! Vi havde problemer, Anki og jeg, men efter at hun havde snakket med Mildred, var det slut med at prøve at reparere på tingene. Jeg sagde 'hvis du vil i familieterapi, så er jeg med på den', men nej, hun havde fået den der skide præst på hjernen, og til sidst gik hun fra mig. Og tog ungerne med. Det troede du nok ikke om kirken, hva'?"

"Nej. Men du ..."

"Anki og jeg skændtes, rigtigt, men gør du måske ikke også

det med din mand indimellem?"

"Tit. Men du blev altså så rasende, at du ..."

Anna-Maria afbrød sig selv og bladrede i sin notesblok.

"... satte ild til hendes udhus, punkterede hendes dæk, smadrede ruderne i hendes drivhus."

Magnus Lindmark sendte hende et stort smil og sagde med blid stemme:

"Det dér var ikke mig."

"Klart nok. Hvad lavede du natten til midsommeraften?"

"Det har jeg allerede fortalt. Sov hos en kammerat."

Anna-Maria læste i notesblokken.

"Fredrik Korpi. Overnatter du tit hos dine mandlige venner?"

"Når man er så pissestiv, at man ikke kan køre hjem, så ..."

"Du sagde, du ikke var den eneste, der hadede hende. Hvem var der mere?"

Han slog ud med armen.

"Alle mulige."

"Hun var vellidt, har jeg hørt."

"Af en masse hysteriske kællinger."

"Og en del mænd."

"Som ikke er andet end nogle hysteriske kællinger. Spørg en hvilken som helst, ja, undskyld udtrykket, rigtig mand, og han vil give mig ret. Hun var jo også på nakken af jagtklubben. Ville inddrage jagtretten, og hvad fanden ved jeg. Men hvis du tror, Torbjörn slog hende ihjel, så tager du sgu fejl."

"Torbjörn?"

"Torbjörn Ylitalo, kirkens skovfoged og formand for jagtforeningen. De røg virkelig i totterne på hinanden i foråret. Han havde garanteret den største lyst til at skyde hende en kugle for panden. Helvedes til liv, da hun begyndte med den dér ulvefond. Og ved du, hvad det er? Det er et klassespørgsmål. Det er skidelet for en masse stockholmere at elske ulve. Men den dag, ulven kommer ned til deres golfbaner og verandaer med kølige drinks og æder deres pudler til morgenmad, så skal jagten sgu nok gå ind!"

"Mildred Nilsson var da ikke stockholmer, vel?"

"Nå nej, men et eller andet sted dernedefra. Torbjörn Ylitalos fætter havde en elghund, der blev dræbt af en ulv, da han var nede i Värmland og besøge sine svigerforældre i julen 99. Den var jagtchampion med diplom. Jeg siger dig, han sad på Mickes og vrælede, da han fortalte om dengang, han fandt hunden. Eller rettere sagt resten af hunden. Der var kun skelettet og nogle blodige hudtrævler tilbage af den."

Han så på hende. Hendes ansigt var udtryksløst. Troede han virkelig, hun ville falde i svime, fordi han fortalte om skeletter og hudtrævler?

Da hun ikke sagde noget, drejede han hovedet til siden, blikket fejede ud over fyrretræerne og op mod de flossede, drivende skyer på den køligtblå efterårshimmel.

"Jeg var nødt til at skaffe mig en advokat, før jeg fik lov til at se mine egne unger. Føj for satan, siger jeg bare. Jeg håber, hun nåede at lide. Det gjorde hun, ikke?"

DA REBECKA OG NALLE kom tilbage til Mickes Bar & Køkken, var klokken allerede fem om eftermiddagen. Lisa Stöckel kom gående ned mod kroen fra landevejen, og Nalle løb hende i møde.

"Hund!" råbte han og pegede på Lisas hund Majken. "Lille!"

"Vi har hilst på nogle hvalpe," forklarede Rebecka.

"Becka!" råbte han og pegede på Rebecka.

"Ser man det. Nu er du nok blevet populær," sagde Lisa smilende til Rebecka.

"Hvalpene var lige sagen for ham," svarede Rebecka beskedent.

"Det gælder hunde i almindelighed," sagde Lisa. "Du kan godt lide hunde, ikke, Nalle? Jeg hørte, du passede Nalle i dag, det skal du have tak for. Jeg kan betale, hvis du har haft udgifter til mad eller den slags."

Hun trak en tegnebog op af lommen.

"Nej, nej," sagde Rebecka og viftede afværgende med hånden, så Lisa tabte tegnebogen på jorden.

Alle plastickortene faldt ud på gruset: lånerkort til biblioteket, medlemskort til Konsum og ICA, VISA-kort og kørekort.

Og fotografiet af Mildred.

Lisa bukkede sig hurtigt ned for at skrabe det hele sammen, men Nalle havde allerede samlet fotografiet af Mildred op. Det var taget under en busrejse, Magdalena foretog til et kvindehjem i Uppsala. Mildred grinede overrasket og bebrejdende til kameraet. Det var Lisa, der tog billedet, da de standsede for at strække benene.

"Illred," sagde Nalle til fotografiet og trykkede det mod sin kind.

Han smilede til Lisa, der stod med utålmodigt fremstrakt hånd. Hun måtte beherske sig for ikke at flå det fra ham. Forbandet heldigt, at der ikke var andre.

"Ja, de to var gode venner," sagde hun med et nik i retning af Nalle, der stadig holdt fotoet ind mod kinden.

"Hun ser ud til at have været en speciel præst," sagde Rebecka alvorligt.

"Meget," sagde Lisa. "Meget."

Rebecka bøjede sig ned og klappede hunden.

"Han er sådan en velsignelse," sagde Lisa. "Man glemmer alle sine bekymringer, når man er sammen med ham."

"Er det ikke en hunhund?" spurgte Rebecka og kiggede under maven på hunden.

"Nej, jeg talte om Nalle," sagde Lisa. "Det der er Majken." Hun klappede åndsfraværende hunden.

"Jeg har mange hunde."

"Jeg er glad for hunde," sagde Rebecka og kløede Majken bag ørerne.

Det er værre med mennesker, ikke? tænkte Lisa. Jeg kender det. Jeg var selv sådan i lang tid. Er nok stadig sådan.

Men Mildred havde fået hende til alt. Allerede fra første færd. Som da hun fik Lisa til at holde foredrag om privatøkonomi. Lisa havde prøvet at undslå sig, men Mildred havde været ... stædig var et latterligt ord. Man kunne ikke stoppe Mildred ned i det ord.

"Interesserer de dig ikke?" spørger Mildred. "Interesserer du dig ikke for mennesker?"

Lisa sidder på gulvet med Bruno liggende ved siden af. Hun klipper hans kløer.

Majken står ved siden af og holder øje med dem som en anden sygeplejerske. De andre hunde ligger ude i entreen og håber, det aldrig bliver deres tur. Hvis de er rigtig stille og rolige, glemmer Lisa dem måske.

Og Mildred sidder på slagbænken og forklarer. Som om hele problemet er, at Lisa ikke har forstået tingene. Kvindegruppen Magdalena vil hjælpe kvinder, der er helt ude i hampen rent økonomisk. Langtidsarbejdsløse, langtidssygemeldte bistandsmodtagere, der har kongens foged på nakken og køkkenskufferne fulde af papirer fra inkassofirmaer og myndigheder, og guderne må vide hvem. Og nu ved Mildred tilfældigvis, at Lisa arbejder i kommunen som rådgiver i gælds- og budgetspørgsmål. Mildred vil have Lisa til at afholde et kursus for disse kvinder, så de kan få styr på deres privatøkonomi.

Lisa vil sige nej. Sige, at hun faktisk ikke interesserer sig for mennesker. At hun interesserer sig for sine hunde, katte, geder, får og lam. For den radmagre elgko, der dukkede op for to vintre siden, og som hun lagde foder ud til.

"De kommer ikke," svarer Lisa.

Hun klipper den sidste klo på Bruno. Han får et klap og forsvinder ud i entreen til resten af banden. Lisa rejser sig op.

"De siger 'ja, ja, alle tiders', når du inviterer dem," fortsætter hun. "Og så dukker de ikke op."

"Det vil jo vise sig," siger Mildred, og hendes øjne bliver smalle.

Så breder den lille tyttebærmund sig ud i et bredt smil. En række små tænder, som på et barn.

Lisa bliver svag i knæene, kigger væk, siger: "Jamen så gør jeg det," bare for at få præsten ud af huset, før hun overgiver sig helt.

Tre uger senere står Lisa og taler foran en gruppe kvinder. Tegner på et whiteboard. Cirkler opdelt i lagkagestykker i rødt, grønt og blåt. Skæver til Mildred, tør dårlig nok se på hende. Ser på de andre tilhørere i stedet. De har klædt sig pænt på, gud bevares. Billige bluser. Noprede trøjer. Similismykker. De fleste lytter høfligt. Andre stirrer næsten hadefuldt på Lisa, som om det er hendes skyld, at de har det sådan.

Lift efter lidt inddrages hun i andre projekter i kvindegruppen. Det kører bare derudad. Hun kommer oven i købet i bibel-kredsen i en periode. Men til sidst går det ikke længere. Hun kan ikke kigge på Mildred, for det føles, som om de andre kan læse hendes ansigt som en åben bog. Hun kan ikke undgå at se på hende hele tiden, det bliver for åbenlyst. Hun ved ikke, hvor hun skal gøre af sig selv. Hører ikke, hvad de taler om. Taber sin kuglepen og gør sig til grin. Til sidst holder hun op med at komme.

Hun holder sig væk fra kvindegruppen. Rastløsheden er som en uhelbredelig sygdom. Hun vågner midt om natten. Tænker på præsten uafbrudt. Hun begynder at løbe. Kilometer efter kilometer. Først ud ad landevejene. Så bliver jorden tørrere, og hun kan løbe i skoven. Hun tager til Norge og køber endnu en hund, en springerspaniel. Den holder hende beskæftiget. Hun kitter vinduerne og låner ikke jordfræseren af naboen, som hun plejer, men vender jorden på kartoffelstykket med håndkraft i de lyse majaftener. Nu og da synes hun, hun hører telefonen ringe inde i huset, men hun tager den ikke.

"Må jeg få billedet, Nalle?" sagde Lisa og prøvede at få stemmen til at lyde neutral.

Nalle holdt om billedet med begge hænder. Han smilede over hele femøren.

"Illred," sagde han. "Gynge."

Lisa stirrede på ham, tog billedet fra ham.

"Ja, det kan jeg tænke," sagde hun til sidst.

Til Rebecka sagde hun – lidt for hurtigt, men det syntes Rebecka ikke at bemærke:

"Nalle gik til præst hos Mildred, og konfirmationsunder-visningen var temmelig ... ukonventionel. Hun forstod, at han var et barn, så det handlede vist meget om at gynge på lege-pladsen og tage ud at sejle og spise pizza. Er det ikke rigtigt, Nalle? Du og Mildred spiste pizza. *Quattro Stagione*, ikke?"

"Han spiste tre portioner kødsuppe i dag," sagde Rebecka.

Nalle forlod dem og begyndte at gå hen mod hønsehuset. Rebecka råbte farvel til ham, men han så ikke ud til at høre det.

Lisa så heller ikke ud til at høre det, da Rebecka sagde farvel til hende og gik hen til sin hytte. Svarede åndsfraværende, kiggede efter Nalle.

Lisa listede efter Nalle som en ræv efter sit bytte. Hønsehuset lå på kroens bagside.

Hun tænkte på det, han havde sagt, da han så billedet af Mildred. "Illred. Gynge." Men Nalle gyngede ikke. Hun gad godt se den gynge, han kunne mase sig ned på. Så de kan ikke have været på en legeplads sammen og gynget.

Nalle åbnede døren til hønsehuset. Han plejede at hente æg til Mimmi.

"Nalle," sagde Lisa og prøvede at fange hans opmærksomhed. "Nalle, så du Mildred gynge?"

Hun pegede med hånden over sit hoved.

"Gynge," svarede han.

Hun fulgte efter ham indenfor. Han stak hånden ind under hønsene og tog de æg, de rugede på. Grinede, når de rasende hakkede ud efter hans hånd.

"Var det højt oppe? Var det Mildred?"

"Illred," sagde Nalle.

Han stoppede æggene i lommerne og gik ud.

Gud fri mig, tænkte Lisa. Hvad er det, jeg laver? Han gentager jo bare alt, hvad jeg siger.

"Så du rumraketten?" spurgte hun og gjorde en flyvende bevægelse med hånden. "Woschh!"

"Woschh!" sagde Nalle smilende og trak et æg op af lommen med en fejende bevægelse.

Ude på landevejen standsede Lars-Gunnars bil op og dyttede.

"Din far," sagde Lisa.

Hun løftede hånden til hilsen. Hun kunne mærke, hvor stiv

174

og akavet hun virkede. Kroppen var en forræder. Det var hende helt umuligt at møde hans blik eller veksle et ord med ham.

Hun blev stående bag kroen, mens Nalle skyndte sig hen til bilen.

Tænk ikke mere på det, sagde hun til sig selv. Mildred er død. Intet kan lave det om.

ANKI LINDMARK BOEDE i en lejlighed på første sal på Kyrkogatan 21 D. Hun åbnede døren, da Anna-Maria Mella ringede på, og kiggede ud over sikkerhedskæden. Hun var i trediverne, måske lidt yngre. Håret var afbleget og begyndt at blive mørkere ved rødderne. Hun var iført lang trøje og cowboynederdel. Gennem dørsprækken kunne Anna-Maria se, at kvinden var temmelig høj, sikkert et halvt hoved højere end sin eksmand. Anna-Maria præsenterede sig.

"Er du Magnus Lindmarks ekskone?" spurgte hun.

"Hvad har han gjort?" spurgte Anki Lindmark.

Så blev øjnene bag sikkerhedskæden store.

"Er det noget med drengene?"

"Nej," sagde Anna-Maria. "Jeg vil bare stille nogle spørgsmål. Det går hurtigt."

Anki Lindmark lukkede hende ind, hægtede sikkerhedskæden på og låste døren.

De gik ud i køkkenet. Der var rent og ryddeligt. Havregryn, O'boy-pulver og sukker i tupperwarebøtter på køkkenbordet. En lille pyntedug oven på mikroovnen. I vindueskarmen stod en vase med trætulipaner, en glasfugl og en miniaturetrillebør i træ. Børnetegninger var sat fast med magneter på køleskabet og fryseren. Rigtige gardiner med kappe, bånd og rynket kant.

Ved spisebordet sad en kvinde i tresserne. Hun havde gulerodsfarvet hår og sendte Anna-Maria Mella et vredt blik. Rystede en mentolcigaret ud af en pakke og tændte den.

"Min mor," forklarede Anki Lindmark, idet de satte sig.

"Hvor har du børnene?" spurgte Anna-Maria.

"Hos min søster. Deres fætter har fødselsdag i dag."

"Din tidligere mand, Magnus Lindmark ..." begyndte Anna-Maria.

Da Anki Lindmarks mor hørte sin tidligere svigersøns navn, blæste hun en røgsky ud med en fnysen.

"... han har selv sagt, at han hadede Mildred Nilsson," fortsatte Anna-Maria.

Anki Lindmark nikkede.

"Han forøvede hærværk mod hendes ejendom," sagde Anna-Maria.

I samme øjeblik kunne hun have bidt tungen af sig selv. "Forøve hærværk mod ejendom", hvad var dog det for et kancellisprog? Det var hende den rygende gulerodskvindes smalle øjne, der gjorde hende så formel.

Sven-Erik, kom og hjælp mig, tænkte hun.

Han kunne snakke med kvinder.

Anki Lindmark trak på skuldrene.

"Altså, alt det, vi taler om, bliver mellem dig og mig," sagde Anna-Maria i et forsøg på at bringe kontinentalsoklerne nærmere hinanden. "Er du bange for ham?"

"Fortæl, hvorfor du bor her," sagde moderen.

"Jo, altså," sagde Anki Lindmark, "i begyndelsen, efter at jeg var gået fra ham, boede jeg i mors hytte i Poikkijärvi ..."

"Den er solgt nu," sagde moderen. "Vi kan ikke være derude længere. Fortsæt."

"... men Magnus blev ved med at give mig avisartikler om ildebrande og den slags, så til sidst turde jeg ikke bo der mere."

"Og politiet kan ikke gøre en pind," sagde moderen med et glædesløst smil.

"Han er ikke ond mod drengene, det er han ikke, men nogle gange når han drikker ... ja, så kan han finde på at komme op ad trappen og råbe og skrige ad mig ... luder og alt muligt ... og sparke på døren. Og så er det godt at bo et sted som det her, hvor man har naboer og ingen vinduer i stueplan. Men inden jeg fik den her lejlighed og turde bo alene med dren-

gene, boede jeg hos Mildred. Men hun fik jo smadret vindu-
erne, og han ... og flænset bildækkene ... og så gik der jo ild i
hendes udhus."

"Og det var Magnus?"

Anki Lindmark så ned i bordet. Hendes mor lænede sig ind
mod Anna-Maria.

"De eneste, der ikke tror, det var ham, det er jo for fanden
politiet," sagde hun.

Anna-Maria undlod at kaste sig ud i en præken om forskel-
len på at tro noget og at kunne bevise det. I stedet nikkede
hun eftertænksomt.

"Jeg vil sådan håbe, han finder sig en anden," sagde Anki
Lindmark. "Og helst får et barn med hende. Men det er jo
blevet bedre nu, efter at Lars-Gunnar talte med ham."

"Lars-Gunnar Vinsa," sagde moderen. "Han er politimand,
eller var, han er jo gået på pension nu. Og så er han leder af
jagtklubben. Han snakkede med Magnus, og er der noget,
Magnus ikke har lyst til, så er det at få frataget sin plads på
holdet."

Jo, Anna-Maria vidste udmærket, hvem Lars-Gunnar Vinsa
var, men han havde kun arbejdet et år, efter at hun begyndte
i Kiruna, og de havde aldrig arbejdet sammen, så hun kunne
ikke påstå, at hun kendte ham. Han havde en udviklingshæm-
met søn, mindedes hun. Hun kunne også huske, hvordan hun
fandt ud af det. Lars-Gunnar og en kollega havde snuppet
en heroinmisbruger, der havde generet folk i indkøbscentret.
Inden han kropsvisiterede hende, havde Lars-Gunnar spurgt,
om hun havde sprøjter i lommerne. Nej, for fanden, dem havde
hun hjemme i lejligheden. Så Lars-Gunnar havde stukket hæn-
derne i hendes lommer for at tjekke dem og stukket sig på en
sprøjte. Pigebarnet var kommet ind på stationen med en over-
læbe som en revnet fodbold og blodet fossende ud af næsen.
Efter hvad Anna-Maria havde hørt, havde kollegerne afvær-
get, at Lars-Gunnar meldte sig selv. Det var i 1990. Det tog et

halvt år at få et sikkert svar på en hiv-test. I den efterfølgende tid blev der snakket meget om Lars-Gunnar og hans seksårige søn. Drengens mor havde forladt sit barn, og Lars-Gunnar var den eneste, han havde.

"Så Lars-Gunnar talte med Magnus efter branden?" spurgte Anna-Maria.

"Nej, det var efter det med katten."

Anna-Maria ventede i tavshed.

"Jeg havde en kat," sagde Anki og rømmede sig, som om noget havde sat sig fast i halsen. "Tudemarie. Da jeg stak af fra Magnus, prøvede jeg at kalde på hende, men hun havde været væk et stykke tid. Jeg tænkte, jeg ville komme tilbage senere og hente hende. Jeg var så nervøs. Jeg ville ikke møde Magnus. Han blev ved med at ringe. Også til min mor. Nogle gange midt om natten. I hvert fald ringede han til mit arbejde og sagde, at han havde hængt en pose med nogle af mine ting på døren til lejligheden."

Hun tav.

Moderen pustede en røgsky hen mod Anna-Maria. Den opløste sig i tynde slør.

"Det var Tudemarie, der lå i posen," sagde hun, da hendes datter ikke fortsatte. "Og hendes killinger. Fem stykker. Hovedet manglede på alle sammen. Der var ikke andet end blod og pels."

"Hvad gjorde du?"

"Jamen hvad skulle hun gøre?" fortsatte moderen. "I kan jo ikke gøre noget. Det sagde selv Lars-Gunnar. Hvis man skal melde noget til politiet, skal det jo være en eller anden forbrydelse. Det havde selvfølgelig været dyrplageri, hvis de havde lidt, men i og med at han havde hugget hovedet af dem, nåede de sikkert ikke at mærke noget. Det havde været kriminelt, hvis de havde haft en økonomisk værdi, været racekatte eller en kostbar jagthund eller den slags. Men det var jo ikke andet end almindelige huskatte."

"Ja," sagde Anki Lindmark, "men jeg tror ikke, han ville myrde ..."

"Jamen hvad så bagefter?" sagde moderen. "Da du var flyttet hertil? Kan du huske den dér episode med Peter?"

Moderen skoddede sin cigaret og fiskede en anden frem, som hun tændte.

"Peter bor i Poikkijärvi. Han er også fraskilt, men alle tiders rare og reelle fyr. Nå, men han og Anki begyndte at se lidt til hinanden ..."

"Bare som venner," indskød Anki.

"En morgen, da Peter var på vej til arbejde, kørte Magnus sin bil ind foran ham. Magnus standsede sin bil og steg ud. Det var umuligt at komme forbi, for Magnus havde parkeret bilen på skrå over den smalle grusvej. Og Magnus stiger ud og går om til bagagerummet og tager et boldtræ op. Så går han hen mod Peters bil. Og der sidder Peter og tror, han skal dø, og tænker på sine egne unger, tænker, at han måske ender i en sort sæk. Derefter sætter Magnus bare et kæmpegrin op og stiger ind i sin egen bil igen og kører væk, så gruset sprøjter. Og det var så enden på det forhold, har jeg ret, Anki?"

"Jeg vil ikke rage uklar med ham. Han er god mod drengene."

"Nej, du tør dårlig nok gå i Konsum. Det er praktisk taget ikke spor anderledes end dengang, du var gift med ham. Jeg er så forbandet træt af det. Og politiet! De kan ikke gøre en skid."

"Hvorfor var han så rasende på Mildred?" spurgte Anna-Maria.

"Han sagde, det var hende, der ligesom påvirkede mig til at gå fra ham."

"Gjorde hun det?"

"Overhovedet ikke," sagde Anki. "Jeg er faktisk et voksent menneske. Jeg træffer mine egne beslutninger, og det har jeg også sagt til Magnus."

"Hvad sagde han så?"

"'Er det Mildred, der har sagt, du skal sige det?'"

"Ved du, hvad han foretog sig natten før midsommeraften?"

Anki Lindmark rystede på hovedet.

"Har han nogensinde slået dig?"

"Men aldrig drengene."

Det var blevet tid til at gå.

"Lige en sidste ting," sagde Anna-Maria. "Da du boede hos Mildred, hvilket indtryk fik du da af hendes mand? Hvordan havde de det?"

Anki Lindmark og hendes mor vekslede blikke.

Landsbyens samtaleemne, tænkte Anna-Maria.

"Hun kom og gik, som det passede hende," sagde Anki. "Men han så ud til at have det fint med det, så ... Ja, de var da aldrig uvenner eller sådan."

AFTENEN KOM SNIGENDE. Hønsene gik ind i hønsehuset og trykkede sig tæt ind til hinanden på siddepinden. Vinden stilnede af og lagde sig ned i græsset. Detaljer blev udvisket. Græs, træer og huse flød ud i den dunkelblå himmel. Lydene krøb nærmere, blev skarpere.

Lisa Stöckel lyttede til gruset under sine egne skridt, da hun kom gående ned ad vejen til kroen. Hun havde hunden Majken på slæbetov. Om en time skulle kvindenetværket Magdalena holde efterårsmøde med efterfølgende middag på Mickes.

Hun ville holde hovedet koldt og tage det roligt. Udholde alt det der bavl med, at tingene måtte gå videre uden Mildred. At Mildred føltes lige så nær nu, som da hun levede. Det var bare at bide tænderne sammen, klamre sig til stolen og ikke rejse sig op og råbe: Vi er færdige! Intet kan fortsætte uden Mildred! Hun er ikke nær! Hun er noget rådnende pløre nede i jorden! Til jord skal hun blive! Og I, I vil vende tilbage til jeres tilværelse som husmødre, opvartere, fibromyalgipatienter, sladrekællinger. Og I vil læse Familiejournalen og ICA-reklamer og servicere jeres mænd.

Hun trådte ind ad døren, og synet af datteren afbrød hendes tanker.

Mimmis klud fór hen over bordene og vindueskarmene. Det trefarvede hår var sat op i to tykke frikadeller over ørerne. Lyserød blondekant på bh'en, der tittede frem over udringningen på den sorte, stramtsiddende bluse. Kinderne fugtige og blussende, hun havde formentlig stået i køkkenet og lavet mad.

"Hvad skal vi have?" spurgte Lisa.

"Jeg valgte en slags middelhavstema. Små olivenbrød med urtecremefraiche som hors d'oeuvrer," svarede Mimmi uden at sænke tempoet med kluden. Nu for den hen over den skinnende bardisk. Hun tørrede efter med viskestykket, som hun altid havde stukket ind under forklædelinningen.

"Der er tzatziki, tapenade og hummus," fortsatte hun. "Derefter er der linsesuppe med pistou. Jeg kunne lige så godt vælge noget vegetarisk til alle, halvdelen af jer er jo alligevel planteædere."

Hun kiggede op og grinede smørret til Lisa, der netop havde taget kasketten af.

"Men mor dog!" udbrød hun. "Hvordan fanden er det, du ser ud? Lader du hundene gnave håret af dig, når det bliver for langt?"

Lisa lod hånden glide hen over høstakken på hovedet i et forsøg på at glatte håret. Mimmi kiggede på sit ur.

"Jeg fikser det," sagde hun. "Træk en stol ud og sæt dig."

Hun forsvandt ud ad svingdørene til køkkenet.

"Mascarpone-is med multebær til dessert," råbte hun ude fra køkkenet. "Den er simpelthen ..."

Hun lod en påskønnende gadedrengepiften afslutte sætningen.

Lisa trak en stol ud, tog dynefrakken af og satte sig. Majken lagde sig øjeblikkelig ved hendes fødder. Selv denne korte spadseretur havde gjort hende træt, eller også havde hun ondt, hvilket nok var mere sandsynligt.

Lisa sad musestille, mens Mimmis fingre arbejdede sig gennem håret, og saksen rettede det til, så det blev jævnt og godt en centimeter langt.

"Hvordan skal det gå nu, uden Mildred?" spurgte Mimmi. "Her har du tre hvirvler på rad og række."

"Vi fortsætter vel som altid, vil jeg tro."

"Med hvad?"

"Middagene for mødre med børn, den rene trusse og ulven."

Den rene trusse var begyndt som et indsamlingsprojekt. Hvad angik den praktiske hjælp, som socialforvaltningen tilbød misbrugte kvinder, havde det vist sig, at hjælpen stort set var indrettet efter mænds behov. Der var engangsbarberknive og underbukser med gylp i tøjpakken, men ingen trusser og ingen tamponer. Kvinderne måtte lade sig nøje med blelignende bind og herreunderbukser. Magdalena havde tilbudt socialforvaltningen et samarbejde, der bestod i, at de indkøbte trusser og tamponer og produkter til personlig hygiejne såsom deodoranter og hårbalsam. Man var endvidere blevet kontaktperson. Kontaktpersonens navn blev givet til den udlejer, der kunne overtales til at stille en bolig til rådighed for den misbrugte kvinde. Opstod der problemer, kunne værten ringe til kontaktpersonen.

"Hvad vil I stille op med ulven?"

"Vi håber jo på en overvågning i samarbejde med Naturstyrelsen. Nu når vinteren er på vej, og man kan komme omkring på snescooter, har hun jo ikke mange chancer, medmindre vi får en overvågning bragt i stand. Men vi har en pæn slat penge i fonden, så nu må vi se."

"Nu slipper du ikke, det er du vel klar over?" sagde Mimmi.

"Hvad mener du?"

"Det bliver dig, der skal være primus motor i Magdalena."

Lisa pustede nogle stikkende hår væk, der havde sat sig under øjet.

"Aldrig i livet," sagde hun.

Mimmi lo.

"Tror du, du har noget valg? Det er egentlig ret sjovt. Du har jo aldrig været noget foreningsmenneske, eller det troede du i hvert fald ikke, du var. Jeg siger dig, Micke måtte give mig førstehjælp, da jeg hørte, du var blevet formand."

"Det tror jeg gerne," sagde Lisa tørt.

Du har ret, tænkte hun. Det troede jeg ikke, jeg var. Der var meget, jeg ikke troede om mig selv.

Mimmis fingre løb gennem hendes hår. Den metalliske lyd af saksen.

Den forsommeraften ... tænkte Lisa.

Hun huskede, hvordan hun sad i køkkenet og syede nyt betræk til hundekurvene. Saksens blade mødtes. Switsch, switsch, klip, klip. Fjernsynet var tændt inde i dagligstuen. To af hundene lå i sofaen, man skulle næsten tro, de smugkiggede på nyhederne. Lisa lyttede med et halvt øre, mens hun klippede. Så lod hun symaskinen hamre hen over stoffet med fodpedalen i bund.

Karelin lå i hundekurven i entreen og snorkede. Der er intet mere komisk syn end en sovende, snorkende hund. Han lå på ryggen med bagbenene ud til siden. Det ene øre var faldet ind over øjet som en sørøverklap. Majken lå på sengen i soveværelset med poten over snuden. Nu og da kom der små lyde ud af hendes strube, og det spjættede i benene. Den nye springerspaniel lå trygt ved siden af hende.

Så med ét bliver Karelin rykket ud af sin søvn. Han farer op og begynder at gø som en vanvittig. Hundene inde i dagligstuen stormer ned fra sofaen og slutter sig til ham. Majken og springerspanielhvalpen kommer farende og er lige ved at vælte Lisa, der også har rejst sig.

Som om hun ikke allerede har opfattet det, kommer Karelin ud i køkkenet og fortæller højlydt Lisa, at der står nogen ude i bislaget, at de har fået gæster, at der kommer nogen.

Det er Mildred Nilsson. Hun står derude i bislaget. Aftensolen rammer hende bagfra og forvandler hendes hår til en krone af guld.

Hundene kaster sig over hende. De bliver ellevilde af glæde over besøget. Gør, bjæffer og piber, Bruno synger sågar en lille melodi. Halerne hamrer mod dørkarmen og bislagets rækværk.

Mildred bukker sig ned og hilser på dem. Det er godt. Hun og Lisa kan ikke se på hinanden ret længe. Straks Lisa så hende derude, føltes det, som om de begge var på vej ud i en rivende strøm. Nu får de lidt tid til at sunde sig. De kigger hurtigt på hinanden, ser så væk. Hundene slikker Mildred i ansigtet.

Mascaraen bliver tværet ud, hendes tøj bliver fuldt af hundehår.

Strømmen er stærk. Nu gælder det om at holde sig fast. Lisa holder fast i dørhåndtaget. Hun kommanderer hundene op i kurvene. Normalt råber og skriger hun, det er hendes normale omgangstone, men det tager de ikke så tungt. Nu kommer kommandoen næsten som en hvisken.

"Ind i kurven," siger hun med en svag håndbevægelse i retning af entreen.

Hundene ser forvirret på hende. Har hun ikke tænkt sig at skråle til dem? Men de lunter i hvert fald væk.

Mildred tager tilløb. Lisa kan se, at hun er vred. Lisa er et hoved højere, og Mildred ranker sig lidt.

"Hvor har du været?" siger Mildred indædt.

Lisa hæver øjenbrynene.

"Her," svarer hun.

Blikket drages mod Mildreds sommerteint. Præsten har fået fregner. Og de små dun i ansigtet, på overlæben og kæben, er bleget af solen.

"Du ved godt, hvad jeg mener," siger Mildred. "Hvorfor kommer du ikke i bibelkredsen?"

"Jeg ..." begynder Lisa og ransager febrilsk sin hjerne efter en fornuftig grund.

Så bliver hun vred. Hvorfor skal hun være nødt til at forklare sig? Er hun ikke et voksent menneske? Tooghalvtreds år, har man så måske ikke lov til at gøre, hvad man vil?

"Jeg har andet at tage mig til," siger hun. Stemmen lyder mere brysk, end det er meningen.

"Hvilket andet?"

"Det ved du jo godt!"

Og der står de som to kamphaner. Brystkasserne hæver og sænker sig.

"Du ved udmærket, hvorfor jeg ikke kommer," siger Lisa til sidst.

Nu er de vadet ud til armhulerne. Præsten mister fodfæstet i strømmen. Tager et skridt hen mod Lisa, overrumplet og rasende på samme tid. Og også med noget andet i blikket. Munden åbner sig. Gisper efter luft, som man gør, lige før man forsvinder under vandet.

Strømmen fører Lisa med sig. Hun mister grebet om dørhåndtaget. Bevæger sig hen mod Mildred. Hånden lander rundt om hendes nakke. Håret er som et barns under hendes fingre. Hun trækker Mildred ind til sig.

Mildred i hendes arme. Hendes hud er så blød. De vakler omslynget ind i entreen, lukker ikke døren, der står og slår ind mod rækværket i bislaget. To af hundene smutter ud.

Den eneste fornuftige tanke, Lisa tænker: De holder sig inde på grunden.

De snubler over sko og hundekurve i entreen. Lisa bevæger sig baglæns indad, stadig med armene om Mildred, den ene om hendes liv, den anden om nakken. Mildred tæt på, skubber hende længere ind, hænderne under Lisas bluse, fingrene på Lisas brystvorter.

De snubler gennem køkkenet, falder ned på sengen i soveværelset. Der ligger Majken og lugter af våd hund, kunne ikke modstå en dukkert i elven tidligere på aftenen.

Mildred på ryggen. Af med tøjet. Lisas læber mod Mildreds ansigt. To fingre dybt i hendes skød.

Majken løfter hovedet og kaster et blik på dem. Lægger sig så til ro med et suk og snuden mellem poterne. Hun har skam set flokmedlemmer parre sig før. Det er der ikke noget underligt i.

Bagefter laver de kaffe og varmer nogle boller. Spiser som to udhungrede, den ene bolle efter den anden. Mildred fodrer også hundene og ler, indtil Lisa beordrer hende at holde op, de bliver bare syge, men hun ler samtidig med, at hun prøver at lyde streng.

De sidder der i køkkenet i den lyse sommernat. Med en dyne omkring sig på hver sin stol på hver sin side af bordet. Hundene er kommet i feststemning og trasker rundt.

Nu og da flyver hænderne frem og mødes på bordet.

Mildreds pegefinger spørger Lisas håndryg: "Er du her endnu?" Lisas håndryg svarer: "Ja!" Lisas langemand og pegefinger spørger indersiden af Mildreds håndled: "Skyldfølelse? Anger?" Mildreds håndled svarer: "Nej!"

Og Lisa ler.

"Jamen så må jeg nok hellere begynde i bibelkredsen," siger hun.

Som svar bryder Mildred ud i latter. En bid halvtygget kanelbolle falder ud af hendes mund og ned på bordet.

"Ja, der er ikke grænser for, hvad man er parat til at gøre for at holde folk til Bibelen."

Mimmi stillede sig foran Lisa og studerede sit værk. Saksen i hånden som et løftet sværd.

"Sådan," sagde hun. "Nu behøver man ikke skamme sig."

Hun uglede hurtigt op i Lisas hår med hånden. Så trak hun viskestykket fri af forklædelinningen og børstede hårdhændet hår væk fra Lisas nakke og skuldre.

Lisa lod hånden glide hen over sit kortklippede hoved.

"Skal du ikke se dig i spejlet?" spurgte Mimmi.

"Nej, det er sikkert udmærket."

KVINDENETVÆRKET MAGDALENAS efterårsmøde. Micke Kiviniemi havde anbragt et lille bord med drikkevarer udendørs, lige uden for døren ved siden af trappen ind til kroen. Der var mørkt udenfor nu, næsten sort. Og usædvanlig varmt for årstiden. Han havde lavet en lille sti fra landevejen, over gruspladsen og hen til trappen og kantet den med fyrfadslys i syltetøjsglas. På trappen og på drinksbordet stod adskillige hjemmelavede lygter med levende lys.

Han fik sin belønning. Hørte deres "åh" og "ih" allerede oppe ved landevejen. Nu kom de. Trippende, gående, skridtende hen over gruset. Omkring tredive kvinder. Den yngste snart tredive, den ældste netop fyldt femoghalvfjerds.

"Hvor flot," sagde de til ham. "Det er fuldstændig som at være i udlandet."

Han smilede tilbage, men svarede ikke. Søgte tilflugt bag bordet med drikkevarer. Følte sig som en feltbiolog. De ville ikke tage notits af ham. De ville opføre sig naturligt, som om han ikke var der. Han følte sig oprømt som en dreng, der ligger i de nedfaldne blade mellem træerne og spionerer.

Gruspladsen uden for kroen, som et stort rum i et mørke fuldt af lyd. Deres fødder i gruset, fnisen, plapren, kaglen, pludren. Lydene gik på langfart. Strakte sig overmodigt opad mod det sorte stjerneloft. Løb ublufærdigt ud over elven, nåede husene på den anden side. Blev suget op af skoven, de sorte graner, det tørstige mos. Spurtede hen ad landevejen som en påmindelse til landsbyen: Vi er til.

De duftede og havde klædt sig fint på. Det sås ganske vist, at de ikke havde for mange penge at rutte med. Kjolerne var umoderne. Knappede bomuldsjakker over klokkeformede, blomstrede nederdele. Hjemmepermanentet hår. Fornuftige sko.

De fik afviklet dagsordenen på godt halvanden time. Arbejds-
listerne fyldtes hurtigt med navne på frivillige, der blev rakt
flere hænder i vejret, end der var brug for.

Derefter spiste de middag. De fleste af dem var ikke vant
til at drikke og blev, til deres frydefulde bestyrtelse, hurtigt
berusede. Mimmi smålo ad dem, mens hun for rundt mellem
bordene. Micke var forvist til køkkenet.

"Åh gud," råbte en af kvinderne, da Mimmi bar desserten
ind, "jeg har ikke haft det så sjovt siden ..."

Hun afbrød sig selv og fægtede søgende med sin tynde arm.
Den stak ud af kjoleærmet som en tændstik.

"... siden Mildreds begravelse," var der en, der råbte.

Der blev blikstille et sekund. Så brød de alle ud i en hyste-
risk latter, råbte i munden på hinanden, at det var sandt, at
Mildreds begravelse havde været ... ja, dødskæg, og så brød
de sammen og grinede så meget, som den dårlige vittighed
kunne trække.

Begravelsen. De havde stået dér i deres sorte tøj, da kisten
blev sænket i jorden. Forsommeren havde stukket dem i øjnene
med sin skarpe sol. Humlebierne, der dumpede ned i bårebu-
ketterne. Birkebladene spæde og blanke, som var de dyppet i
voks. Trækronerne som grønne kirker, sprængfyldte af brun-
stige fuglehanner og villige hunner. Naturens måde at sige: Jeg
er ligeglad, jeg ophører aldrig, til jord skal du blive.

Hele denne overjordisk smukke forsommer som baggrund
for dette grufulde hul i jorden, den blankpolerede kiste.

Billederne i deres hoved af, hvordan hun så ud. Kraniet som
en knust krukke under huden.

Majvor Kangas, en af kvinderne fra netværket, havde invi-
teret dem hjem til kaffe efter begravelsen.

"Kom bare med!" havde hun sagt. "Min mand er taget i
sommerhuset, og jeg vil ikke være alene."

Så de var taget hjem til hende. Havde siddet afdæmpet i stadsstuens sorte, tunge lædersofaer. Havde ikke haft meget at sige, ikke engang om vejret.

Men Majvor havde haft noget oprørsk i sig.

"Hør her!" havde hun sagt. "Giv lige en hånd med!"

Hun havde hentet en trappestige med to trin i køkkenet, var klatret op og havde åbnet de små låger øverst i klædeskabet i entreen. Derfra havde hun langet omkring ti flasker ned: whisky, cognac, likører, calvados. Nogle af de andre tog imod.

"Det her er jo fornemme sager," havde en af dem sagt, mens hun læste etiketterne på flaskerne. "Tolvårig single malt."

"Vi får jo noget af svigerdatteren, hver gang hun rejser til udlandet," havde Majvor forklaret. "Men Tord åbner dem aldrig, han byder jo altid bare på sjusser af hjemmebrændt og sodavand. Og jeg er jo ikke meget for den slags, men nu ..."

Hun havde afsluttet sætningen med en sigende pause. Blev hjulpet ned ad trappestigen som en dronning fra sin trone. En kvinde på hver side holdt i hver sin hånd.

"Hvad vil Tord sige?"

"Hvad skulle han sige?" havde Majvor sagt. "Han tog ikke engang hul på dem, da han fyldte tres sidste år."

"Lad ham drikke sit eget rævepis!"

Og så var de blevet temmelig overrislede. Havde sunget salmer. Erklæret hinanden deres kærlighed. Holdt taler.

"Skål for Mildred," havde Majvor råbt. "Hun var den mest ukuelige kvinde, jeg nogensinde har mødt."

"Hun var rablende gal!"

"Og nu må vi være rablende gale på egen hånd!"

De havde leet. Fældet en tåre nu og da. Men mest leet.

Det var begravelsen.

Nu så Lisa Stöckel på dem. De spiste mascarpone-isen og roste Mimmi, da hun fejede forbi.

De skal nok klare sig, tænkte hun. De fikser det.

Det gjorde hende glad. Eller måske ikke glad, men lettet.

Og samtidig: Ensomheden havde hende på krogen, et hul gennem hjertet, spandt hende ind.

Efter Magdalenas efterårsmøde gik Lisa hjem i mørket. Det var blevet lidt over midnat. Hun passerede kirkegården og gik op på åsen, der løb opad langs elven. Hun gik forbi Lars-Gunnars hus, kunne lige akkurat skimte det i måneskinnet. Der var mørkt i vinduerne.

Hun tænkte på Lars-Gunnar.

Landsbyhøvdingen, tænkte hun. Landsbyens stærke mand. Ham, der fik den entreprenør, der forestod snerydningen, til at rydde vejen ned til Poikkijärvi, før han ryddede ned til Jukkasjärvi. Ham, der hjalp Micke, da han havde problemer med spiritusbevillingen.

Ikke at Lars-Gunnar selv drak ret meget nede på kroen. For tiden drak han temmelig sjældent. Det var noget andet før. For år tilbage drak mændene jævnligt. Fredag, lørdag og også mindst én gang midt i ugen. Og dengang drak man virkelig igennem. Senere blev det til en øl om dagen. Sådan måtte det jo gå. På et eller andet tidspunkt måtte man holde igen, ellers røg man helt ud i tovene.

Nej, Lars-Gunnar kunne styre det med sprutten. Sidste gang, Lisa havde set ham rigtigt beruset, var for seks år siden. Året inden Mildred flyttede til landsbyen.

Han kom faktisk hjem til hende dengang. Hun kunne stadig se ham for sig sidde der i hendes køkken. Stolen forsvinder under ham. Han hviler albuen på knæet og panden i håndfladen. Trækker vejret tungt og prustende. Klokken er lidt over elleve om aftenen.

Det er ikke bare det, at han har drukket. Flasken står på bordet foran ham. Han havde den i hånden, da han kom. Som et flag: Jeg har drukket, og jeg vil fanden tage mig fortsætte med at drikke et godt stykke tid endnu.

Hun var gået i seng, da han bankede på døren. Ikke at hun

havde hørt ham banke, men hundene varskoede hende, straks han satte foden på trappen til bislaget.

Det er selvfølgelig en slags tillidserklæring, at han kommer til hende, når han har det på den måde. Svækket af alkohol og følelser. Hun ved bare ikke, hvad hun skal stille op med det. Hun er ikke vant til det. At folk betror sig til hende. Hun er ikke en person, der indbyder til den slags.

Men hun og Lars-Gunnar er jo i familie med hinanden. Og hun holder tand for tunge, det ved han jo.

Hun står iført sin morgenkåbe og lytter til hans klagesang. Klagesangen om hans ulykkelige liv. Den ulykkelige og svigefulde kærlighed. Og Nalle.

"Undskyld," mumler Lars-Gunnar ned i hånden. "Jeg burde ikke være kommet."

"Det er helt i orden," siger hun usikkert. "Snak du bare, mens jeg ..."

Hun kan ikke finde på, hvad hun skal gøre, men noget må hun tage sig til for at hindre sig selv i bare at løbe ud af huset.

"... mens jeg gør maden klar til i morgen."

Så det ender med, at han sidder og snakker, mens hun skærer kød og grøntsager til suppe. Midt om natten. Selleri og gulerødder og porrer og kålrabi og kartofler og fanden og hans pumpestok. Men Lars-Gunnar ser ikke ud til at finde det underligt. Han er opfyldt af sit eget.

"Jeg var nødt til at komme hjemmefra," bekender han. "Før jeg kørte ... Jeg er ikke ædru, det indrømmer jeg. Før jeg kørte, sad jeg på Nalles sengekant med bøssen mod hans hoved."

Lisa siger ikke noget. Skraber guleroden, som om hun intet har hørt.

"Jeg tænkte på, hvordan det skal gå," sukker han. "Hvem skal tage sig af ham, når jeg er væk? Han har jo ingen."

Og det passer jo, tænkte Lisa.

Hun var nået frem til sit peberkagehus oppe på bakkekammen. Månen lagde en tynd sølvbelægning på overdådigheden af træudskæringer på husets veranda og vinduesrammer.

Hun gik op ad trappen til bislaget. Hundene gøede og for rundt som vanvittige derinde, genkendte hendes skridt. Da hun åbnede, fløj de ud ad døren for at afpisse deres territorium.

Hun gik ind i dagligstuen. Det eneste, der var tilbage derinde, var den gabende tomme bogreol og sofaen.

Nalle har ingen, tænkte hun.

Gule Ben

FORÅRET ER PÅ VEJ. Enkelte snepletter under de blågrå graner og de knejsende fyrretræer. En lun brise sydfra. Solen siver gennem grenværket. Overalt pusler smådyr rundt i græsset fra i fjor. I luften svæver hundredvis af dufte omkring som i en gryde. Harpiks og nyudsprungen birk. Varm jord. Åbent vand. Sød hare. Ram ræv.

Førerhunnen har gravet sig en ny hule i år. Det er en gammel rævegrav, der ligger på en sydvendt skråning to hundrede meter oven for en skovsø. Jorden er sandet og let at grave i, men førerhunnen har alligevel arbejdet hårdt for at udvide gangene i rævegraven, så den passer hende, rydde ud i alt muligt gammelt affald fra rævenes tid og udgrave en hule tre meter inde under skråningen. Gule Ben og en af de andre hunulve har måttet hjælpe fra tid til anden, men det meste har hun gjort selv. Nu tilbringer hun dagene i nærheden af hulen. Ligger foran indgangen i forårssolen og daser. De andre ulve kommer med mad. Når førerhannen kommer hen til hende med noget at spise, rejser hun sig og går ham i møde. Slikker ham og piber hengivent, før hun hugger gaverne i sig.

Så en morgen går førerhunnen ind i hulen og kommer ikke ud mere den dag. Sent på aftenen presser hun hvalpene ud. Slikker dem rene. Æder alle hinder, navlestrenge samt moderkagen. Puffer dem til rette under maven. Ingen dødfødt skal bæres ud. Ræven og ravnen går glip af den middag.

Resten af flokmedlemmerne lever deres liv uden for hulen. Tager fortrinsvis mindre byttedyr, holder sig i nærheden. Nogle gange kan de høre den svage piben, når en hvalp er kravlet på afveje. Eller er blevet puffet til side af en af sine søskende. Kun førerhannen har tilladelse til at krybe ind og gylpe mad op til førerhunnen.

Efter tre uger og en dag bærer førerhunnen dem ud af hulen for første gang. Fem stykker. De andre ulve er ude af sig selv af glæde. De hilser forsigtigt. Snuser og puffer. Slikker ungernes kuglerunde maver og under deres haler. Efter blot en kort stund bærer førerhunnen dem ind i hulen igen. Hvalpene er helt udmattede af alle de nye indtryk. De to etårige spæner lykkeligt en tur gennem skoven og jagter hinanden.

Flokken går en herlig tid i møde. Alle vil hjælpe til med rollingerne. De leger utrætteligt. Og deres legesyge smitter af på alle. Selv førerhunnen kan finde på at kaste sig ud i en tovtrækning om en gammel gren. Hvalpene vokser og er altid sultne. Deres snuder bliver længere og deres ører mere spidse. Det går hurtigt. De etårige skiftes til at ligge på vagt uden for hulen, når de andre går på jagt. Når de voksne kommer tilbage, myldrer ungerne frem. Tigger og piber og slikker de store ulves mundvige. Som svar gylper de voksne ulve bunker op af rødt, halvfordøjet kød. Bliver der noget tilovers, kan barnepigen få det.

Gule Ben går ikke længere sine egne veje. I denne tid holder hun sig til flokken og de nye hvalpe. Hun ligger på ryggen under to af dem og agerer hjælpeløst bytte. De kaster sig over hende, den ene sætter sine sylespidse hvalpetænder i hendes læber, og den anden angriber uregerligt hendes hale. Hun puffer den omkuld, der lige hang i hendes læbe, og lægger sin enorme pote hen over den. Hvalpen har sit hyr med at slippe fri. Kravler og kæmper. Til sidst kommer den løs. Pisker en tur rundt om hende på sine lodne poter, vender tilbage og kaster sig med en overmodig knurren over hendes hoved. Bider stridslystent i hendes øre. Så falder de pludselig i en dyb, tryg søvn. Den ene mellem hendes forben, den anden med hovedet på sin søsters mave. Gule Ben griber chancen for også selv at få slumret lidt.

Hun snapper halvhjertet efter en hveps, der kommer for tæt på, misser med øjnene, mens insekterne summer søvndyssende over blomsterne. Morgensolen stiger op over fyrrekronerne. Fuglene farer gennem luften i deres jagt på føde, som de kan gylpe op i deres ungers vidtopspilede gab.

Man bliver træt af hvalpeleg. Lykken strømmer gennem hende som et tøbrud.

Fredag den 8. september

POLITIINSPEKTØR SVEN-ERIK STÅLNACKE vågnede klokken halv fem om morgenen.

Forbandede kat, var det første, han tænkte.

Det var sædvanligvis katten Manne, der vækkede ham på det tidspunkt. Katten plejede at tage tilløb fra gulvet og lande forbavsende tungt på Sven-Eriks mave. Hvis Sven-Erik bare gryntede lidt og vendte sig om på siden, plejede Manne at vandre op og ned ad hans krop som en bjergbestiger på toppen af en bjergkam. Sommetider udstødte katten en ynkelig jamren, der enten betød, at han ville have mad, eller at han ville lukkes ud. Som regel begge dele, og det lige nu.

Nogle gange forsøgte Sven-Erik at nægte at stå op, mumlede "det er midt om natten, møgkat" og viklede sig ind i dynen. Så foregik vandringen hen over hans krop med stadigt mere udtrukne kløer. Til sidst plejede Manne at kradse Sven-Erik i hovedbunden.

At kyle katten ned på gulvet eller ud af soveværelset og lukke døren duede ikke. I så fald kastede Manne sig med stor energi over polstrede møbler og gardiner.

"Den kat er sgu klog," plejede Sven-Erik at sige. "Han ved, det får mig til at smide ham udenfor, og det er jo netop det, han er ude på."

Sven-Erik var en temmelig respektindgydende herre. Havde kraftige overarme og store hænder. Noget ved ansigtet og holdningen, der afslørede en mangeårig erfaring med at håndtere det meste – menneskelig elendighed, berusede ballademagere.

Og han fandt en vis fornøjelse i at blive besejret af en kat.

Men denne morgen var det ikke Manne, der vækkede ham. Han vågnede alligevel. Af gammel vane. Måske af længsel efter denne stribede fløs, der konstant terroriserede ham med sine ønsker og indfald.

Han satte sig tungt på sengekanten. Han ville ikke kunne falde i søvn igen. Det var nu fjerde nat, den forbandede kat var væk. Han kunne ganske vist holde sig væk en enkelt nat, sommetider to, og det var ikke noget at bekymre sig over. Men fire.

Han gik ned ad trappen og åbnede hoveddøren. Natten grå som uld, på vej mod dag. Han udstødte en lang fløjtetone, gik ind i køkkenet, hentede en dåse kattemad og stillede sig i bislaget og slog på dåsen med en spiseske. Ingen kat. Til sidst måtte han give op, det blev for koldt at stå der kun iført underbukser.

Det er vilkårene, tænkte han. Det er frihedens pris. Risikoen for at blive kørt over eller snuppet af ræven. Før eller senere.

Han målte kaffe op i kaffemaskinen.

Det er trods alt bedre, tænkte han. Bedre, end hvis Manne var blevet syg og svag, og han ville have været nødt til at køre ham til dyrlægen. Det ville have været noget forbandet lort.

Kaffemaskinen gik i gang med en gurglen, og Sven-Erik gik op i soveværelset og tog tøj på.

Måske havde Manne slået sig ned hos en anden, det var jo sket før. At han var kommet hjem efter to-tre dage og ikke havde været det mindste sulten. Tydeligvis velfodret og udhvilet. Det var nok et eller andet kvindemenneske, der havde fået ondt af ham og lukket ham ind. En eller anden folkepensionist, der ikke havde andet at lave end at koge laks og give ham fløde.

Sven-Erik opfyldtes pludselig af et helt urimeligt raseri mod denne ukendte person, der lukkede en kat ind, som ikke tilhørte vedkommende. Fattede mennesket da ikke, at der var nogen, der gik rundt og var urolig og spekulerede over, hvor katten var blevet af? Det kunne jo ses på Manne, at han ikke var hjemløs, blank i pelsen og tillidsfuld som han var. Han ville anskaffe et halsbånd til Manne. Burde have gjort det for længe siden. Men han var bange for, at han skulle sidde fast i et eller andet. Det var det, der havde holdt ham tilbage. Forestillingen om Manne, der sad fast i et krat og sultede ihjel, eller hang i et træ.

Han indtog et solidt morgenmåltid. De første år, efter at Hjördis havde forladt ham, havde han som regel bare snuppet sig en kop kaffe stående, men senere havde han forbedret sig. Han skovlede sløvt letmælksyoghurt og mysli i sig. Kaffemaskinen var blevet tavs, og køkkenet duftede af nylavet kaffe.

Han havde overtaget Manne fra sin datter, da hun flyttede til Luleå. Det burde han aldrig have gjort, det var han klar over nu. Det var bare et fandens besvær, et fandens besvær.

Anna-Maria Mella sad ved bordet i køkkenet med sin morgenkaffe. Klokken var syv. Jenny, Petter og Marcus lå stadig og sov. Gustav var vågen. Han tumlede rundt i soveværelset ovenpå og kravlede frem og tilbage over Robert.

Foran hende på bordet lå en kopi af den uhyggelige tegning af den hængte Mildred. Rebecka Martinsson havde også taget kopier af diverse dokumenter, men Anna-Maria begreb ikke en skid af det. Hun hadede tal og matematik og den slags.

"G'morgen!"

Hendes søn Marcus daskede ind i køkkenet. Påklædt! Han åbnede køleskabsdøren. Marcus var seksten år.

"Nu har jeg aldrig," sagde Anna-Maria med et blik på uret. "Brænder det på første sal?"

Han grinede fjoget, snuppede sig noget mælk og nogle cornflakes og satte sig ved siden af Anna-Maria.

"Vi skal have prøve," sagde han og skovlede mælk og cornflakes i sig. "Så kan man ikke bare hoppe ud af sengen og spurte af sted. Man er nødt til at tanke kroppen op."

"Hvem er du?" sagde Anna-Maria. "Hvor har du gjort af min søn?"

Det er Hanna, tænkte hun. Gud velsigne hende.

Hanna var Marcus' kæreste. Hendes ambitiøse holdning til skolearbejdet smittede af.

"Sejt," sagde Marcus og trak tegningen af Mildred hen til sig. "Hvad er det her?"

"Ikke noget," svarede Anna-Maria, tog tegningen fra ham og lagde den med bagsiden opad.

"Jamen helt ærlig. Lad mig se!"

Han tog billedet tilbage.

"Hvad betyder det der?" sagde han og pegede på gravhøjen bag den dinglende krop.

"Tja, at hun skal dø og begraves, måske."

"Jamen hvad betyder dét der? Kan du ikke se det?"

Anna-Maria kiggede på billedet.

"Nej."

"Det er jo et symbol," sagde Marcus.

"Det er en gravhøj med et kors på."

"Så kig dog! Stregerne er dobbelt så tykke som i resten af billedet. Og korset fortsætter jo ned i jorden og ender i en krog."

Anna-Maria kiggede. Han havde ret.

Hun rejste sig og samlede papirerne. Modstod en impuls til at kysse sin søn, uglede i stedet op i hans hår.

"Held og lykke med prøven!" sagde hun.

Hun ringede til Sven-Erik fra bilen.

"Ja," sagde han, efter at han havde hentet sin egen kopi af billedet. "Det er et kors, der går igennem en halvcirkel og ender i en krog."

"Vi må finde ud af, hvad det betyder. Hvem kan svare på den slags?"

"Hvad sagde de på kriminalteknisk laboratorium?"

"De modtager formentlig billedet i dag. Hvis der er tydelige fingeraftryk, har de dem klar i eftermiddag, ellers tager det længere tid."

"Der burde jo findes en eller anden professor i religion, der kan tolke den slags symboler," sagde Sven-Erik grublende.

"Du er bare så kvik!" sagde Anna-Maria. "Fred Olsson må støve en eller anden op, og så faxer vi tegningen til vedkommende. Se nu at komme i tøjet, så henter jeg dig."

"Jaså?"

"Du skal med mig til Poikkijärvi. Jeg vil snakke med Rebecka Martinsson, hvis hun da er der endnu."

Anna-Maria styrede sin blegrøde Ford Escort ned mod Poikkijärvi. Sven-Erik sad ved siden af og stemte pr. refleks fødderne i gulvet. Behøvede hun virkelig altid køre som en ungdomsforbryder?

"Rebecka Martinsson gav jo også kopier til mig," sagde hun. "Jeg fatter ikke en pind af det. Det er givetvis et eller andet økonomisk, men du ved …"

"Skal vi så ikke spørge økonomigruppen?"

"De er jo altid ved at drukne i arbejde. Man stiller et spørgsmål og får svar efter en måned. Vi kan lige så godt spørge hende, hun har jo allerede set papirerne. Og hun må jo vide, hvorfor hun gav os dem."

"Er det nu også klogt?"

"Har du da en bedre idé?"

"Men ønsker hun virkelig at blive inddraget i det her?"

Anna-Maria trak utålmodigt i sin fletning.

"Det var jo hende, der gav mig kopierne og brevene! Og hun bliver ikke inddraget i noget. Hvad kan det tage? Ti minutter af hendes ferie."

Anna-Maria bremsede voldsomt og drejede til venstre ned på Jukkasjärvivejen, speedede så op til halvfems, bremsede igen og drejede til højre ned mod Poikkijärvi. Sven-Erik klamrede sig til dørhåndtaget, mens han i tankerne ærgrede sig over, at han ikke havde taget køresygetabletter, hvilket skabte associationer til katten, der hadede at køre i bil.

"Manne er forsvundet," sagde han og kiggede ud på de sol-gyldne fyrrestammer, der strøg forbi.

"For søren da," sagde Anna-Maria. "Hvor længe?"

"Fire dage. Han har aldrig holdt sig væk så længe."

"Han kommer tilbage," sagde hun. "Det er jo stadig varmt i vejret, så selvfølgelig vil han være udenfor."

"Nej," sagde Sven-Erik med fast stemme. "Han er blevet kørt over. Jeg ser aldrig den kat igen."

Han håbede, hun ville sige ham imod. Hun skulle protestere og tilbagevise hans påstand. Han ville insistere på, at katten var borte for altid, så han kunne slippe af med lidt af sin uro og sorg, og hun kunne indgive ham lidt håb og trøst. Men hun droppede emnet.

"Vi kører ikke helt frem," sagde hun. "Jeg tror ikke, hun vil have for megen opmærksomhed."

"Hvad laver hun egentlig her?" spurgte Sven-Erik.

"Aner det ikke."

Anna-Maria var på nippet til at sige, at hun troede, Rebecka måske ikke havde det så godt, men hun lod være. I så fald ville Sven-Erik sikkert tvinge hende til at afstå fra besøget. Han var altid blødere end hende, når det gjaldt den slags. Måske skyldtes det, at hun havde hjemmeboende børn. Det meste af hendes beskytterinstinkt og omsorg fik afløb derhjemme.

REBECKA MARTINSSON ÅBNEDE døren til sin hytte. Da hun fik øje på Anna-Maria og Sven-Erik, fik hun to dybe furer mellem øjenbrynene.

Anna-Maria stod forrest med en slags iver i blikket som en jagthund, der har fået færten af noget. Sven-Erik stod bagved. Rebecka havde ikke set ham, siden hun lå på hospitalet for snart to år siden. Det kraftige hår omkring ørerne var gået fra mørkegråt til sølvfarvet. Overskægget lå stadig som en død gnaver under næsen. Han så mere forlegen ud, syntes at forstå, at de ikke var velkomne.

Selvom I reddede mit liv, tænkte Rebecka.

Flygtige tanker for gennem hendes hoved. Som silketørklæder gennem en tryllekunstners hånd. Sven-Erik på kanten af hendes hospitalsseng: "Vi trængte ind på hans bopæl og blev klar over, at vi måtte finde dig. Pigerne har det godt."

Jeg husker bedst det før og efter, tænkte Rebecka. Før og efter. Egentlig burde jeg spørge Sven-Erik. Hvordan der så ud, da de nåede frem til hytten. Han kan fortælle om blodet og de døde kroppe.

Du ønsker, han skal sige, at du havde ret, sagde en stemme inden i hende. At det var nødværge. At du ikke havde noget valg. Spørg bare, han vil garanteret sige det, du gerne vil høre.

De satte sig i den lille stue. Sven-Erik og Anna-Maria på Rebeckas seng, Rebecka på den eneste stol. På det lille varmeapparat hang en T-shirt, et par strømper og et par trusser.

Rebecka kastede et hurtigt og genert blik i retning af det våde tøj. Hvad skulle hun gøre? Krølle de våde underbukser sammen og kyle dem ind under sengen? Eller måske ud ad vinduet?

"Nå?" sagde hun kort, gad ikke være høflig.

"Det drejer sig om de kopier, du gav mig," forklarede Anna-Maria. "Der er en del, jeg ikke forstår."

Rebecka greb fat om sine knæ.

Men hvorfor? tænkte hun. Hvorfor skal man være nødt til at huske tilbage? Vade og vælte sig i det? Hvad opnår man ved det? Hvem kan garantere, at det hjælper? At man ikke bare drukner i mørket.

"Hør ..." sagde hun.

Hendes stemme var meget lav. Sven-Erik så på hendes slanke fingre omkring knæskallerne.

"... jeg må bede jer gå," fortsatte hun. "Jeg gav jer kopierne og brevene. Jeg fik fat i dem ved at begå noget kriminelt. Hvis det rygtes, koster det mig mit job. Desuden ved folk her ikke, hvem jeg er. De ved selvfølgelig, hvad jeg hedder, men ikke, at det var mig, der var indblandet i begivenhederne ude i Jiekajärvi."

"Hold nu op," bønfaldt Anna-Maria og blev siddende, som var hun limet fast, selvom Sven-Erik gjorde ansatser til at rejse sig. "Jeg har en myrdet kvinde at bekymre mig om. Hvis nogen skulle spørge, hvad vi ville, så sig, vi ledte efter en bortløben hund."

Rebecka så på hende.

"Den var god," sagde hun langsomt. "To civilklædte strissere efterforsker sagen om en bortløben hund. På tide, politiet revurderer sin ressourceprioritering."

"Det er måske min egen hund," forsøgte Anna-Maria slukøret.

De tav et stykke tid. Sven-Erik var frygtelig pinligt berørt, som han sad der på sengekanten.

"Jamen så lad mig se," sagde Rebecka omsider og rakte hånden ud efter sagsmappen.

"Det er det her," sagde Anna-Maria og pegede på et stykke papir i mappen.

"Det er et uddrag af en bogføring," sagde Rebecka. "Posten her er markeret med en overstregningstusch."

Rebecka pegede på et tal i en kolonne med overskriften 1930.

"1930 er et konteringsnummer, en checkindbetaling. Beløbet er krediteret med 179.000 kroner på konto 7610, der er konteringsnummeret for øvrige personaleudgifter. Men ude i marginen er der skrevet 'Efteruddannelse??' med blyant."

Rebecka strøg en hårlok om bag øret.

"Og det her?" spurgte Anna-Maria. "'Ver', hvad betyder det?"

"Verifikation, bilag. Kan være en faktura eller andet, der viser, hvad udgiften dækker. Jeg synes, det virker, som om hun undrer sig over denne omkostning, så derfor tog jeg den med."

"Men hvad er det for et firma?" spurgte Anna-Maria.

Rebecka trak på skuldrene. Så pegede hun på sidens øverste højre hjørne.

"Organisationsnummeret begynder på 81, så det er en fond."

Sven-Erik rystede på hovedet.

"Jukkasjärvi Menigheds Vildtplejefond," sagde Anna-Maria et sekund efter. "Det var en fond, hun oprettede."

"Hun undrede sig over den der efteruddannelsesudgift," sagde Rebecka.

Der blev stille igen. Sven-Erik viftede efter en flue, som blev ved at sætte sig på ham.

"Det virker, som om hun irriterede en hel del mennesker," sagde Rebecka.

Anna-Maria lo glædesløst.

"Talte med en af de irriterede i går," sagde hun. "Han hadede Mildred Nilsson, fordi hans ekskone boede hos hende med børnene, efter at hun havde forladt ham."

Hun fortalte Rebecka om de halshuggede kattekillinger.

"Og vi kan jo ikke gøre noget," afsluttede hun. "Den slags huskatte repræsenterer ikke nogen økonomisk værdi, der er ikke tale om hærværk. De nåede formodentlig ikke at lide, så det er ikke dyrplageri. Man føler sig magtesløs. Som om man ville gøre mere nytte i ICA's grøntsagsafdeling. Jeg ved snart ikke … har du det også sådan?"

Rebecka smilede skævt.

"Jeg beskæftiger mig jo næsten aldrig med straffesager," sagde hun undvigende. "Og i så fald drejer det sig jo om økonomisk kriminalitet. Men ja, at skulle tage den sigtedes parti … Sommetider kan jeg føle en slags modvilje mod mig selv. Når man repræsenterer en virkelig samvittighedsløs person. Man gentager 'alle har ret til et forsvar' som en besværgelse mod denne …"

Hun udtalte ikke ordet *selvforagt*, men lod et skuldertræk afslutte sætningen.

Anna-Maria noterede sig, at Rebecka Martinsson ofte trak på skuldrene. Rystede uvelkomne tanker af sig, måske, en måde at afbryde ubehagelige tankebaner på. Eller også var hun ligesom Marcus. Hans evindelige skuldertræk var en måde at markere distance til resten af verden.

"Du har aldrig overvejet at skifte side?" spurgte Sven-Erik. "Anklageren søger uafbrudt politifuldmægtige, folk bliver jo ikke hængende heroppe."

Rebecka smilede en smule genert.

"Men selvfølgelig," sagde Sven-Erik, og det var tydeligt, at han følte sig som en idiot, "du tjener garanteret tre gange så meget som en anklager."

"Det er ikke det," sagde Rebecka. "Jeg arbejder overhovedet ikke for øjeblikket, så fremtiden er …"

Hun trak atter på skuldrene.

"Men du sagde til mig, at du var her i embeds medfør," sagde Anna-Maria.

"Ja, jeg arbejder lidt af og til, og da en af partnerne i firmaet skulle herop, havde jeg lyst til at tage med."

Hun er sygemeldt, gik det op for Anna-Maria.

Sven-Erik sendte hende et lynhurtigt blik; han havde også regnet det ud.

Rebecka rejste sig for at markere, at samtalen var slut. De sagde farvel.

Da Sven-Erik og Anna-Maria blot var nået et par skridt væk, hørte de Rebecka Martinssons stemme bag sig.

"Voldstrussel," sagde hun.

De vendte sig om. Rebecka stod på hyttens lille forveranda. Hun hvilede hånden mod en af stolperne, der holdt taget, lænede sig en anelse op ad den.

Hun så så ung ud, tænkte Anna-Maria. For to år siden havde hun været en af de der karrierekvinder. Hun havde virket super-slank og superdyr, og det lange, mørke hår havde været klippet i en rigtig frisure, ikke bare studset som Anna-Marias. Nu var Rebeckas hår længere. Og klippet lige over. Hun var iført cowboybukser og T-shirt. Ingen makeup. Og hoftebenene, der stak ud ved bukselinningen, og den der trætte, men stædigt ranke holdning op ad stolpen, henledte Anna-Marias tanker på den type for tidligt voksne børn, hun nu og da stødte på i sit arbejde. Mælkebøttebørn, der tog sig af deres alkoholiserede eller psykisk syge forældre, lavede mad til deres søskende, holdt på facaden, så godt det kunne lade sig gøre, og løj over for socialforvaltningen og politiet.

"Ham med kattekillingerne," fortsatte Rebecka. "Det er voldstrussel. Det virker jo, som om hans opførsel havde til hensigt at fremkalde frygt hos ekskonen. Ifølge loven behøver truslen ikke være formuleret konkret. Og hun blev jo bange, ikke sandt? Måske chikane i al almindelighed. Afhængigt af, hvad han ellers har bedrevet, skulle det være grund nok til et polititilhold."

Da Sven-Erik Stålnacke og Anna-Maria Mella gik hen ad landsbygaden på vej til bilen, mødte de en kanariegul Merce-des. Bag ruden sås Lars-Gunnar og Nalle Vinsa. Lars-Gunnar sendte dem et langt blik. Sven-Erik løftede hånden til hilsen, det var jo ikke så mange år siden, Lars-Gunnar gik på pension.

"Ja, det er jo også rigtigt," sagde Sven-Erik og kiggede efter bilen, der forsvandt ned mod Mickes Bar & Køkken. "Han bor jo hernede i landsbyen. Gad vide, hvordan det går med knægten."

SOGNEPRÆST BERTIL STENSSON holdt frokostmesse i Kiruna kirke. En gang hver anden uge kunne byens indbyggere gå til nadver i frokostpausen. Omkring tyve personer var forsamlet i den lille sal.

Residerende kapellan Stefan Wikström sad på femte bænkerække ud til midtergangen og fortrød, at han var kommet.

Et minde dukkede op i hans hoved. Faderen, også han sognepræst, på slagbænken hjemme i køkkenet. Stefan ved siden af, måske ti år gammel. Drengen, der pludrer løs, han har noget i hånden, noget, han vil vise, hvilket husker han ikke længere. Faderen forskanset bag avisen. Og pludselig begynder drengen at græde. Derefter moderens bedende stemme bag ham: Du kan da høre på ham et øjeblik. Han har ventet på dig hele dagen. Ud af øjenkrogen ser Stefan, at hun er iført forklæde. Det må være tid til aftensmad. Og nu sænker faderen avisen, irriteret over afbrydelsen af læsningen, dagens eneste hvilestund før middagen; og også forurettet over den skjulte anklage.

Stefans far havde været død i årevis, hans stakkels mor ligeså. Men det var nøjagtig sådan, sognepræsten fik ham til at føle sig nu. Som det irriterende barn, der angler efter opmærksomhed.

Stefan havde forsøgt at holde sig fra frokostmessen. En indvendig stemme havde med bestemthed sagt: Gå ikke derhen! Alligevel gjorde han det. Han havde indbildt sig selv, at det ikke var for sognepræst Bertil Stenssons skyld, men fordi han havde behov for nadveren.

Han havde troet, det ville blive lettere, når Mildred var væk, men det var tværtimod blevet sværere. Meget sværere.

Det er som historien om den fortabte søn, tænkte han.

Han havde været den pligtopfyldende, samvittighedsfulde hjemmeboende søn. Havde han ikke uafladeligt stået Bertil bi gennem årene? Taget kedelige begravelser, kedelige gudstjenester på hospitaler og alderdomshjem, aflastet sognepræsten med papirarbejde – Bertil var håbløs, hvad angik administration – og budt de unge velkommen i kirken fredag aften.

Bertil Stensson var forfængelig. Han havde lagt beslag på samarbejdet med ishotellet i Jukkasjärvi.Vielser og dåbshandlinger i iskirken var hans. Alle begivenheder, der havde den mindste chance for at blive omtalt i lokalaviserne, lagde han også beslag på, som for eksempel krisegruppen efter busulykken, hvor ti unge skiturister mistede livet, eller særlige gudstjenester for sametinget. Ind imellem disse arrangementer satte sognepræsten stor pris på at holde fri. Og det var Stefan, der gjorde alt dette muligt, som stillede op og tog over.

Mildred Nilsson havde været som den fortabte søn, eller rettere: Som den fortabte søn måtte have været, mens han endnu boede hjemme. Før rastløsheden trak af med ham til fremmede himmelstrøg. Besværlig og urolig, som han var, måtte han være gået sin far på nerverne, nøjagtig ligesom Mildred.

Alle troede, at han – Stefan – havde været den, der havde haft vanskeligst ved at tåle Mildred, men de tog fejl. Bertil havde bare været dygtigere til at skjule sin modvilje.

Det havde været anderledes, dengang hun levede. Uanset hvad den kvinde rørte ved, endte det med ballade og stridigheder. Og Bertil havde været glad og taknemmelig for Stefan, den hjemmeboende søn. Stefan kunne se for sig, hvordan Bertil plejede at komme ind på hans kontor i menighedshuset. Han havde en særlig måde, et kodesystem, der signalerede: Du er min udvalgte. Han åbenbarede sig i døråbningen, ugleagtig med sit sølvfarvede, tykke hår og sin undersætsige krop og med læsebrillerne enten på sned oven på hovedet eller langt nede på næsen. Stefan plejede at kigge op fra sine papirer. Bertil så sig næsten umærkeligt over skulderen, smuttede indenfor og lukkede døren efter sig. Han sank ned i Stefans gæstelænestol med et befriet suk. Og smilede.

Hver gang var der noget, der faldt i hak inden i Stefan. Som regel havde sognepræsten ikke noget specielt ærinde, ville måske bare have et råd om en bagatel, men man fik det indtryk, at han godt ville være i fred et øjeblik. Alle kom til Bertil, og Bertil smuttede hen til Stefan.

Men efter Mildreds død havde det ændret sig. Hun eksisterede ikke længere som en irriterende sten i sognepræstens sko. Og nu virkede Stefans pligtopfyldenhed pludselig irriterende. For tiden kunne Bertil tit finde på at sige "vi behøver da ikke være så formelle" og "Gud vil nok tillade os at være praktiske" – ord, han havde overtaget fra Mildred.

Og når Bertil omtalte Mildred, var det i så overdrevent positive vendinger, at Stefan fik det fysisk dårligt af alle løgnene.

Og Bertil var holdt op med at besøge Stefan på hans kontor. Stefan sad der ude af stand til at få noget fra hånden, mens han led og ventede.

Af og til passerede sognepræsten den åbne dør, men nu var der andre koder, andre signaler: raske skridt, et blik ind ad døren, der stod på klem, et nik, et kort smil. Har-travlt-hvordan-går-det, betød det. Og før Stefan overhovedet nåede at gengælde smilet, var sognepræsten forsvundet.

Tidligere havde han altid vidst, hvor sognepræsten befandt sig, men nu havde han ingen anelse om det. Kontorpersonalet spurgte efter Bertil og sendte Stefan underlige blikke, når han tvang et smil frem og rystede på hovedet.

Den døde Mildred var umulig at besejre. I sin udlændighed var hun blevet faderens hjertebarn.

Nu var gudstjenesten snart forbi. De sang en sidste salme og gik med fred.

Stefan skulle være gået nu. Ud ad døren og lige hjem.

Men han kunne ikke forhindre, at fødderne begav sig hen til Bertil.

Bertil stod og småsnakkede med en af kirkegængerne, sendte Stefan et hurtigt sideblik, inddrog ham ikke i samtalen, Stefan måtte vente.

Og nu blev det helt forkert. Hvis blot Bertil havde hilst, havde Stefan i korte vendinger kunnet takke for messen og være gået sin vej. Nu virkede det, som om han havde noget særligt på hjerte. Han blev nødt til at finde på et ærinde.

Endelig gik den tilbageblevne kirkegænger. Stefan følte sig tvunget til at forklare sin tilstedeværelse.

"Jeg følte, jeg havde behov for at modtage nadveren," sagde han til Bertil.

Bertil nikkede. Kirkeværgen bar vinen og oblaterne ud, sendte sognepræsten et lille øjekast. Stefan fulgte i hælene på Bertil og kirkeværgen ind i sakristiet, deltog uden at blive spurgt i bønnen over brødet og vinen.

"Har du hørt noget fra det dér advokatfirma?" spurgte han, da de havde afsluttet bønnen. "Om ulvefonden og alt det der?"

Bertil krængede messehaglen, stolaen og albaen af.

"Jeg ved ikke rigtigt," sagde han. "Måske afvikler vi den ikke alligevel. Jeg har ikke besluttet mig endnu."

Kirkeværgen gav sig ualmindelig god tid til at hælde vinen op i piscinaen og lægge oblaterne i hostiekarret. Stefan skar tænder.

"Jeg troede, vi var enige om, at kirken ikke kunne have en sådan fond," sagde han lavmælt.

Og for resten er det vel menighedsrådets beslutning og ikke din alene, tænkte han.

"Ja, ja, men indtil videre er den altså en kendsgerning," sagde sognepræsten, og nu hørte Stefan en tydelig utålmodighed under den milde røst. "Om jeg mener, vi skal bekoste beskyttelse af ulven eller bruge penge på efteruddannelse, er et spørgsmål, vi må tage op senere på efteråret."

"Og bortforpagtningen af jagtretten?"

Nu smilede Bertil stort.

"Det dér er ikke noget, du og jeg skal stå her og diskutere. Det er en beslutning, menighedsrådet må tage, når den tid kommer."

Sognepræsten klappede Stefan på skulderen og gik.

"Hils Kristin!" sagde han uden at vende sig om.

Stefan fik en klump i halsen. Han så ned på sine hænder, de lange, slanke fingre. Rigtige pianistfingre, plejede moderen at sige. Hen mod slutningen, da hun sad i sin beskyttede bolig og stadigt oftere forvekslede ham med faderen, pinte denne snak om fingrene ham. Hun holdt om hans hænder og beordrede plejepersonalet til at betragte dem: Se på hans hænder, fuldstændig umærkede af kropsarbejde. Pianistfingre, skrivebordshænder.

Hils Kristin.

Hvis man nu skulle vove at anskue tingene, som de virkelig var, så var det hans livs største fejltagelse at gifte sig med hende.

Stefan mærkede, hvordan han blev hård indvendig. Hård over for Bertil, over for sin kone.

Jeg har båret byrden af dem længe nok, tænkte han. Det må få en ende.

Hans mor måtte have gennemskuet Kristin. Det, han var faldet for hos Kristin, var netop hendes lighed med moderen. Det lidt dukkeagtige udseende, det indtagende væsen, den gode smag.

Men ja, hans mor havde set det. "Hvor personligt," havde hun sagt om Kristins hjem første gang, hun besøgte sønnens kæreste, "hvor hyggeligt." Det var, mens han læste i Uppsala. Hyggeligt og personligt, to glimrende ord at ty til, når man ikke uden at lyve kunne sige smukt eller smagfuldt. Og han mindedes moderens næsten muntre smil, da Kristin havde vist hende sin dekoration med evighedsblomster og tørrede roser.

Nej, Kristin var et barn, der var ganske god til at imitere og efterligne. Hun blev aldrig den samme slags præstekone, som hans mor havde været. Og hvilket chok han havde fået første gang, han var hjemme hos sjuskede Mildred. Alle kollegerne med familie var blevet inviteret hjem til Mildred til julegløgg. Det havde været en broget forsamling bestående af de indbudte præstefamilier, Mildred selv, Mildreds mand med skæg og forklæde – et parodisk billede på undertrykkelse – samt de tre kvinder, der for øjeblikket havde søgt tilflugt i Poikkijärvi præstegård. En af kvinderne havde haft to børn, i hvis navne der syntes at indgå samtlige tænkelige bogstavkombinationer.

Men Mildreds hjem havde været som et maleri af Carl Larsson. Samme lyse lethed, hyggeligt uden at være overlæsset, samme smagfulde enkelhed, der havde kendetegnet Stefans barndomshjem. Stefan havde ikke kunnet få det til at stemme overens med Mildreds person. Er det her hendes hjem? havde han tænkt. Han havde forventet et bohemeagtigt rod med stakke af udklippede avisartikler på interimistiske bogreoler og orientalske puder og gulvtæpper.

Han huskede Kristins ord efter gløggselskabet. "Hvorfor bor vi ikke i Poikkijärvi præstegård?" havde hun spurgt. "Den er større og ville passe bedre til os, der har børn."

Hans mor havde tydeligvis set, at denne skrøbelighed hos Kristin, som Stefan blev tiltrukket af, ikke bare var noget skrøbeligt, men noget meget skåret. Noget revnet og skarpt, som Stefan før eller siden ville komme til at skære sig på.

Han blev grebet af en pludselig og opflammende bitterhed mod moderen.

Hvorfor sagde hun ikke noget? tænkte han. Hun burde have advaret mig.

Og Mildred. Mildred, der udnyttede stakkels Kristin.

Han kom i tanker om den dag i begyndelsen af maj, hvor hun viftede med de der breve.

Han prøvede at skubbe Mildred tilbage i glemslen, men hun var lige så påtrængende nu som dengang. Masede sig på. Nøjagtig ligesom dengang.

"Udmærket," siger Mildred og stormer ind på Stefans kontor.

Det er den 5. maj. Om knap to måneder vil hun være død, men nu er hun mere end levende. Hendes kinder og næse er røde som polerede æbler. Hun sparker døren i bag sig.

"Nej, bliv siddende!" siger hun til Bertil, der prøver at flygte op af lænestolen. "Jeg vil tale til jer begge."

Tale til, sikken indledning. Alene den siger jo alt om, hvordan hun kunne være.

"Jeg har tænkt over det med ulven," begynder hun.

Bertils ene knæ farer op over det andet. Armene foldes over kors på brystet. Stefan læner sig bagover i stolen. Væk fra hende. De føler sig sat på plads og skældt ud, før hun overhovedet har nået at fortælle, hvad hun har på hjerte.

"Kirken bortforpagter sin jord til Poikkijärvi jagtforening for tusind kroner om året," fortsætter hun. "Kontrakten løber over syv år og forlænges automatisk, hvis den ikke opsiges. Sådan har det været siden 1957. Dengang boede den daværende sognepræst i Poikkijärvi præstegård, og han var glad for jagt."

"Men hvad har det med ..." begynder Bertil.

"Lad mig tale ud! Hvem som helst kan ganske vist melde sig ind i foreningen, men det er kun bestyrelsen og jagtklubben, der har glæde af forpagtningen. Og eftersom antallet af medlemmer i jagtklubben ifølge vedtægterne maksimalt må være tyve, lukkes der ikke nye ind. I praksis er det først, når nogen dør, at bestyrelsen indvælger et nyt medlem. Og alle i bestyrelsen er medlemmer af jagtklubben, så det er den samme bande, der sidder begge steder. De sidste tretten år er der ikke blevet optaget ét eneste nyt medlem."

Hun afbryder sig selv og kigger stift på Stefan.

"Undtagen dig, selvfølgelig. Da Elis Wiss forlod jagtklubben frivilligt, blev du valgt ind. For seks år siden, ikke?"

Stefan svarer ikke. Alene hendes udtale af ordet *frivilligt*. Han er hvidglødende af raseri. Mildred fortsætter:

"Ifølge vedtægterne er det kun jagtklubben, der har tilladelse til at jage med skarp ammunition, så man har derfor lagt beslag på al elgjagt. Hvad angår øvrig jagt, kan egnede medlemmer af jagtforeningen erhverve endags jagttegn, men alt, der nedlægges, fordeles mellem foreningens aktive medlemmer, og det er – surprise! – bestyrelsen, der afgør, hvordan denne fordeling mellem de aktive i foreningen skal ske. Men jeg har et forslag: Både Luossavaara-Kiirunavaara A/S og Yngve Bergqvist er interesseret i at forpagte jorden. LK til sine ansatte og Yngve til turister. Vi kunne sætte prisen betragteligt i vejret, og jeg mener rigtig meget. For de penge kan vi få en fornuftig skovdrift op at stå. For helt ærlig, hvad laver Torbjörn Ylitalo egentlig? Er stikirenddreng for jagtklubben! Vi forsyner sågar den der mandeklub med en gratis ansat."

Torbjörn Ylitalo er ansat af kirken som skovfoged. Han er et af de tyve medlemmer af jagtklubben og formand for jagtforeningen. Stefan er klar over, at en stor del af Torbjörns arbejdstid går med at planlægge jagten med Lars-Gunnar, der er jagtleder, vedligeholde kirkens jagthytter og jagttårne samt udstede jagttegn.

"Så," afslutter Mildred, "der bliver penge til skovbrug, men frem for alt penge til ulvebeskyttelse. Kirken kan donere forpagtningen til fonden. Nu vil Naturstyrelsen jo mærke hende, men der er brug for flere penge til overvågningen."

"Jeg forstår overhovedet ikke, hvorfor du tager det her op med mig og Stefan," afbryder Bertil, hvis stemme er yderst rolig. "Er ændringer i bortforpagtningen ikke et spørgsmål, der skal drøftes i menighedsrådet?"

"Ved du hvad," siger Mildred, "jeg synes, det er et spørgsmål, der skal drøftes i menigheden."

Der bliver stille i lokalet. Bertil nikker. Stefan mærker, hvordan det værker i venstre skulder, en smerte, der trækker op i nakken.

De forstår aldeles udmærket, hvad hun mener. De kan levende forestille sig, hvordan denne diskussion vil udarte sig, hvis den føres i menigheden og, ikke mindst, i avisen. Mandeklubben, der jager gratis på kirkens jorder og oven i købet lægger beslag på de dyr, de ikke selv nedlægger.

Stefan er medlem af jagtklubben, så han slipper ikke.

Men sognepræsten har også sine grunde til at holde sig på god fod med jagtklubben. De fylder hans fryser. Bertil kan til hver en tid invitere på elgsteg og fuglevildt. Og jagtklubben har skam også gjort andet som betaling for sognepræstens stiltiende godkendelse af deres enevælde. Bertils tømmerhytte, for eksempel. Klubben har opført den og holder den ved lige.

Stefan tænker på sin plads i jagtklubben. Nej, han mærker på den. Som om den var en varm og glat sten i hans lomme. Det er det, den er, hans hemmelige lykkesten. Han kan stadig huske, dengang han fik pladsen. Bertils arm om hans skuldre, da han blev præsenteret for skovfoged Torbjörn Ylitalo. "Stefan går på jagt," havde sognepræsten sagt. "Det ville glæde ham at blive optaget i jagtklubben." Og Torbjörn, feudalherre i kirkens skovrige, nikkede, der var ikke antydning af fjendtlighed i hans ansigt. To måneder senere havde Elis Wiss opsagt sin plads i jagtklubben. Efter treogfyrre år. Stefan var nu en af de tyve.

"Det er uretfærdigt," siger Mildred.

Sognepræsten rejser sig fra Stefans gæstelænestol.

"Lad os diskutere det en dag, hvor du ikke er i affekt," siger han til Mildred.

Så går han. Lader Stefan alene tilbage med hende.

"Hvornår skulle det være?" siger Mildred til Stefan. "Lige så snart jeg tænker på det, kommer jeg i affekt."

Så smiler hun stort.

Stefan glor forbløffet på hende. Hvad griner hun ad? Begriber hun da ikke, at hun lige har gjort sig helt og aldeles umulig? At hun netop har udstedt en krigserklæring uden fortilfælde? Det er, som om der inden i denne temmelig intelligente kvinde – for det er hun, det må han medgive – bor en evnesvag, lallende idiot. Hvad skal han gøre nu? Han kan ikke storme ud af lokalet, for det er jo hans eget kontor. Han bliver rådvildt siddende på sin stol.

Så ser hun pludselig alvorligt på ham, åbner sin håndtaske og hiver tre kuverter op, som hun holder frem mod ham. Det er hans kones håndskrift.

Han rejser sig og tager imod brevene. Hans mave knuger sig sammen. Kristin. Kristin! Uden at have læst dem ved han, hvad det er for en slags breve. Han dumper tilbage i stolen.

"To af dem er temmelig ubehagelige i tonen," siger Mildred.

Ja, det kan han forestille sig. Det er ikke første gang. Det er Kristins evige omkvæd. Det kan variere en anelse, men det er altid det samme. Han har allerede været igennem det to gange. De flytter til et nyt sted. Kristin leder børnekoret og holder søndagsskole, en bedårende lille sangfugl, der synger det nye steds pris i alle tonearter. Men når den første forelskelse, ja, det må han kalde det, har fortaget sig, begynder hendes utilfredshed. Virkelige og indbildte forurettelser, som hun samler på som glansbilleder i et album. En periode med hovedpine, lægebesøg og anklager mod Stefan, som ikke tager hendes problemer seriøst. Derefter rager hun for alvor uklar med en ansat eller et menighedsmedlem, og inden længe indleder hun sit felttog mod egnen. På forrige sted endte det til sidst i et veritabelt cirkus: Fagforeningen blev inddraget, og en af de ansatte på kirkekontoret ville have sit psykiske sammenbrud klassificeret som arbejdsskade. Og Kristin følte sig bare uretfærdigt anklaget. Og endelig flytningen, den uundgåelige. Første gang med én unge, anden gang med tre. Nu går den ældste dreng i folkeskolens afgangsklasse, en meget nærtagende alder.

"Jeg har to mere i samme stil," siger Mildred.

Da hun er gået, bliver Stefan siddende med brevene i højre hånd.

Hun har fanget ham som en rype, føler han og er ikke helt klar over, om han mener Mildred eller sin kone.

Rebecka Martinssons chef Måns Wenngren sad og knirkede på sin kontorstol. Det havde han ikke lagt mærke til før – at den knirkede så irriterende, når man løftede og sænkede den. Han tænkte på Rebecka Martinsson. Så undlod han at tænke på hende.

Han havde egentlig masser at lave. Telefonsamtaler og e-mails, der skulle besvares. Kunder og klienter, der skulle plejes. Hans advokatfuldmægtige var begyndt at lægge papirer og beskeder på gule Post it-sedler på hans stolesæde, for at han skulle få øje på dem. Men nu var der jo kun en time til frokost, så han kunne lige så godt udskyde det hele lidt længere.

Han plejede at sige om sig selv, at han var rastløs. Han kunne næsten høre sin ekskone Madelene sige: "Ja, det lyder jo bedre end lunefuld, utro og på flugt fra sig selv." Men det med rastløsheden passede jo også. Uroen havde grebet ham allerede i vuggen. Hans mor havde fortalt, hvordan han skreg sig gennem nætterne hele sit første leveår. "Han blev lidt roligere, da han lærte at gå. For en tid."

Hans tre år ældre bror havde fortalt mindst tusind gange, hvordan de solgte juletræer. En af familiens forpagtere havde tilbudt Måns og broderen et fritidsjob med at sælge juletræer. De var ikke andet end et par småknægte. Måns var lige begyndt i skolen, men tælle kunne han allerede, kunne broderen berette. I særdeleshed penge.

Så de havde solgt juletræer. To små sælgere på syv og ti. "Og Måns tjente en helvedes masse mere end os andre," fortalte broderen. "Vi fattede selvfølgelig ikke, hvordan det gik til, han fik jo kun fire kroner i provision nøjagtig som os. Men mens vi andre blot stod og frøs og ventede på, at klokken skulle blive fem, for Måns rundt og snakkede med alle gubberne og kvindfolkene, der kom og kiggede. Og hvis en eller anden syntes, et træ var for højt, tilbød han at korte det til, og det var der jo ingen, der kunne stå for: en lille knejt med en sav, der var lige så lang som ham selv. Og nu kommer det allerbedste: De stumper, han havde tilovers, fik savet grenene af, og grangrenene bandt han sammen i store bundter, som han solgte for en femmer stykket. Og den femmer røg direkte i hans egen lomme. Forpagteren – hvad fanden var det nu, han hed, var det Mårtensson? – blev selvfølgelig skidetosset, men hvad kunne han gøre?"

Her gjorde broderen et ophold i historien og hævede brynene med en mine, der fortalte alt om forpagterens magtesløshed over for jordbesidderens durkdrevne søn. "Businessman," afsluttede han, "den fødte businessman."

Helt frem til halvtredsårsalderen havde Måns forsvaret sig mod denne etikette. "Jura er ikke det samme som business," havde han hævdet.

"Gu fanden er det så," plejede broderen at sige. "Gu fanden er det så."

Selv havde broderen tilbragt den første del af sit voksenliv i udlandet, hvor han havde lavet en hulens masse forskellige ting, og mere til, og var til sidst vendt hjem til Sverige, hvor han havde slæbt sig gennem en socionomuddannelse, og var nu chef for socialforvaltningen i Kalmar.

Efterhånden var Måns dog holdt op med at forsvare sig over for broderen. Og hvorfor skal succes altid undskyldes?

"Ja da," var han begyndt at svare, "business og penge i banken." Og så plejede han at fortælle om sit seneste bilkøb eller sin sejlbåd eller blot om sin nyeste mobiltelefon.

Broderens had kunne Måns aflæse i sin svigerindes øjne.

Måns forstod det ikke. Broderen havde holdt sammen på sit ægteskab. Børnene kom og besøgte ham.

Nej, nu gør jeg det, tænkte han og rejste sig fra den knirkende stol.

Maria Taube kvidrede et "hej" i telefonen og lagde på. Forbandede klienter, ringede og fyrede spørgsmål af, der var så upræcise og generelle, at det var umuligt at besvare dem. Det tog en halv time blot at forsøge at forstå, hvad de egentlig ville.

Det bankede på hendes dør, og før hun nåede at svare, stak Måns hovedet indenfor.

Har du overhovedet ingen fornemmelse for pli? tænkte hun irriteret. For eksempel det at vente på, at der bliver sagt "kom ind"?

Som om han havde læst hendes tanker bag hendes smil, sagde han:

"Har du tid et øjeblik?"

Hvornår fik han sidst et nej på det spørgsmål? tænkte Maria, gjorde en bevægelse i retning af gæstestolen og spærrede for indgående samtaler.

Han lukkede døren bag sig. Et dårligt tegn. Hendes hjerne gik øjeblikkelig på jagt efter ting, hun havde overset eller glemt, en klient, der havde grund til utilfredshed. Hun kunne ikke komme i tanker om noget. Det var det værste ved dette job. Hun kunne klare stresset og hierarkiet og overarbejdet, men den der mørke afgrund, der sommetider åbnede sig under ens fødder ... Som den bommert, Rebecka havde begået. Det var så satans nemt at tabe et par millioner på gulvet.

Måns tog plads og så sig om, mens han trommede med fingrene på låret.

"Dejlig udsigt," grinede han smørret.

Lige uden for vinduet sås nabobygningens lortebrune facade. Maria lo høfligt, men tav.

Kom nu bare med det, tænkte hun.

"Hvordan går det med ..."

Måns lod en ubestemt armbevægelse i retning af papirdyngerne på hendes skrivebord afslutte spørgsmålet.

"Fint," svarede hun og nåede at bremse sig selv, inden hun begyndte at fortælle, hvad hun var i gang med.

Han gider alligevel ikke høre det, formanede hun sig selv.

"Så ... har du hørt noget fra Rebecka?" spurgte Måns.

Maria Taubes skuldre sank en centimeter.

"Ja."

"Hørte fra Torsten, at hun blev deroppe en tid."

"Ja."

"Hvad laver hun?"

Maria tøvede.

"Det ved jeg ikke rigtig."

"Spil nu ikke kostbar, Taube. Jeg ved, det var dig, der foreslog hende at tage derop, og jeg må ærligt tilstå, at jeg ikke synes, det var nogen god idé. Og nu vil jeg vide, hvordan hun har det."

Han gjorde en pause.

"Hun arbejder jo faktisk her," afsluttede han.

"Spørg hende selv," sagde Maria.

"Det er ikke så ligetil. Sidst, jeg prøvede, lavede hun en helvedes scene, som du måske erindrer."

Maria tænkte på, hvordan Rebecka var roet væk fra firmafesten. Hun var ikke rigtig klog.

"Jeg kan ikke tale med dig om Rebecka, det må du nok kunne forstå. Hun ville blive skidesur."

"Og hvad med mig?" spurgte Måns.

"Du er jo alligevel altid skidesur," sagde hun.

Måns grinede oplivet over den lille respektløshed.

"Jeg husker, da du begyndte at arbejde hos mig," sagde han. "Sød og rar. Gjorde, hvad man bad dig om."

"Jeg ved det," sagde hun. "Utroligt, som den her arbejdsplads kan forandre mennesker ..."

Rebecka Martinsson og Nalle dukkede op uden for Sivving Fjällborgs dør som to daglejere. Han tog imod dem, som var de ventet, og inviterede dem med ned i fyrkælderen. Bella lå i en trækasse, der var foret med et lag kludetæpper, og sov med hvalpene liggende hulter til bulter under maven. Hun åbnede kun ét øje og dunkede med halen som hilsen, da gæsterne trådte ind.

Hun var taget hjem til Nalle ved ettiden og havde ringet på døren. Nalles far Lars-Gunnar havde lukket op. Tårnet sig op i døråbningen. Hun havde stået ude i bislaget og følt sig som en lille femårig, der spørger, om kammeraten må komme ud og lege.

Sivving satte kaffe over og stillede nogle solide porcelænskrus frem med et stort blomstermønster i gult, orange og brunt. Han lagde nogle skiver brød i en kurv og tog plantemargarine og en pakke spegepølse ud af køleskabet.

Der var køligt nede i kælderen. Lugten af hund og nylavet kaffe blandede sig med den hengemte lugt af jord og beton. Efterårssolen faldt ind gennem det smalle kældervindue oppe ved loftet.

Sivving så på Rebecka. Hun måtte have hentet noget tøj i farmoderens gemmer. Han genkendte den sorte anorak med det hvide snefnugmønster. Han spekulerede på, om hun var klar over, at den havde tilhørt hendes mor. Formodentlig ikke.

Og der var næppe nogen, der havde fortalt hende, hvor meget hun lignede sin mor. Det samme mørkebrune, lange hår og de markerede øjenbryn. Den der firkantede øjenform og øjets iris i en ubestemmelig lysebrun nuance med en mørk ring omkring.

Hvalpene vågnede. Store poter og ører, et farligt leben, haler som små propeller, der bankede rytmisk mod trækassens kant. Rebecka og Nalle satte sig på gulvet og gav dem bidder af deres madder, mens Sivving tog af bordet.

"Der er intet, der lugter så godt," sagde Rebecka og snusede dybt ind mod et hvalpeøre.

"Og lige præcis dén der er ikke lovet bort," sagde Sivving. "Skal du have den?"

Hvalpen tyggede på Rebeckas hånd med sylespidse tænder. Hans pels var chokoladebrun og så kort og blød, at den føltes som glat hud. Bagpoterne havde fået et dyp af hvidt.

Hun satte den tilbage i kassen og rejste sig.

"Det går ikke. Jeg venter udenfor."

Hun havde været lige ved at sige, at hun arbejdede for meget til at kunne have hund.

Rebecka og Sivving gravede kartofler. Sivving gik forrest og trak toppen op med sin raske hånd. Rebecka gik bagefter med hakken.

"Grave og hakke," sagde Sivving, "det er til at blive skør af. Jeg havde ellers tænkt mig at spørge Lena, hun kommer nu i weekenden med drengene."

Lena var hans datter.

"Jeg gør det gerne," sagde Rebecka.

Hun brugte hakken, der gik let gennem den sandede jord, og samlede de aspargeskartofler op, der havde løsnet sig fra toppen og var blevet liggende i jorden.

Nalle løb rundt på græsplænen med en tjurvinge i en snor og legede med hvalpene. Nu og da rettede Rebecka og Sivving ryggen og kiggede hen på dem. Man kunne ikke andet end smile. Nalle flagrede med hånden, der holdt i snoren, oppe i luften og løb hylende omkring med højt løftede knæ. Flokken af hvalpe halsede efter ham med al deres utøjlede jagtinstinkt. Bella lå på siden i græsset og varmede sig i efterårssolen. Løftede fra tid til anden hovedet for at snappe efter en irriterende hestebremse eller kaste et blik på ungerne.

Jeg er helt afgjort ikke normal, tænkte Rebecka. Orker ikke omgås jævnaldrende kolleger, men giv mig en gammel gubbe og en sinke, og jeg føler, at jeg kan være mig selv.

"Jeg husker, da jeg var lille," sagde hun. "Når I voksne havde gravet kartofler, tændte I altid bål på marken om aftenen, og vi unger fik lov at stege de kartofler, der var blevet tilovers."

"Forkullede udenpå, næsten møre yderst og rå indeni, ja, det husker jeg. Og så jer, når I kom ind bagefter. Sodede og smurt ind i jord fra top til tå."

Rebecka smilede ved erindringen. Ilden havde man lært at have respekt for, og normalt havde ungerne ikke noget med den at gøre, men aftenen efter kartoffelopgravningen var en undtagelse. Da var ilden deres. Der var hende selv, fætrene og kusinerne og Sivvings Mats og Lena. De sad i den mørke efterårsaften og så ind i flammerne. Rodede op i bålet med deres pinde. Følte sig fuldstændig som indianere i en drengebog.

De kom først ind til farmor ved ti-ellevetiden om aftenen, det var jo næsten midt om natten. Lykkelige og beskidte. På det tidspunkt havde de voksne for længst været i saunaen og sad og hyggede sig. Farmor og onkel Affes kone Inga-Lill og Sivvings kone Maj-Lis drak te. Sivving og onkel Affe sad med hver sin Tuborg. Hun huskede mændene på reklamen. "Hver gang."

Hun og de andre unger var kloge nok til at blive ude i entreen og ikke slæbe den halve kartoffelmark med ind i køkkenet.

"Jamen der har vi jo hottentotterne," lo Sivving. "Jeg ved ikke, hvor mange de er, for der er mørkt som i en mineskakt ude i entreen, og de er helt sorte i huden. Tag lige og grin rigtigt, så man kan tælle jeres gebisser."

De grinede. Tog imod håndklæder fra farmor. Løb ned til saunaen ved elven og sad i varmen efter de voksne.

FORMANDEN FOR POIKKIJÄRVIS jagtforening, Torbjörn Yli-talo, stod ude på gårdspladsen og savede brænde, da Anna-Maria Mella kom. Hun standsede bilen og steg ud. Han stod med ryggen til hende. Han var iført røde høreværn og havde derfor ikke hørt hende. Hun greb chancen for at se sig lidt om i uforstyrrethed.

Blomstrende pelargonier i vinduet bag småternede køkken-gardiner. Formodentlig gift, med andre ord. Blomsterbedene luget. Ikke ét nedfaldent blad på græsplænen. Stakittet nyde-ligt rødmalet med hvide spidser.

Anna-Maria tænkte på sit eget mosgroede stakit og plastic-malingen, der skallede af på sydgavlen.

Vi må se at få malet til sommer, tænkte hun.

Men var det ikke præcis det, hun havde tænkt forrige efterår?

Torbjörn Ylitalos motorsav åd sig gennem træet med en gen-nemtrængende hvinen. Da han smed det sidste brændestykke til side og bøjede sig ned efter en ny, meterlang stamme, så Anna-Maria sit snit til at give lyd fra sig.

Han vendte sig om, trak høreværnet om i nakken og sluk-kede for motorsaven. Torbjörn Ylitalo var i tresserne, lidt grov i det, men alligevel velplejet. Det hår, der var tilbage på hove-det, var gråt og velklippet ligesom skægget. Da han havde fået beskyttelsesbrillerne af, åbnede han den blå arbejdsjakke og fremdrog et par bøjelige, uindfattede briller, som han klemte fast på den store klumpnæse. Solbrændt og vejrbidt oven over den hvide hals. Øreflipperne var to store hudlapper, men Anna-Maria lagde mærke til, at barbermaskinen også havde været en tur hen over dem.

Ikke som Sven-Erik, tænkte hun.

Sommetider voksede der veritable heksekoste ud af hans?

De satte sig i køkkenet. Anna-Maria sagde ja til en kop kaffe, da Torbjörn Ylitalo sagde, han alligevel selv skulle have noget.

Han målte kaffe op i maskinen, rodede forlegent i fryseren og virkede lettet, da Anna-Maria afslog kage til kaffen.

"Har du ferie nu inden elgjagten?" spurgte Anna-Maria.

"Nej, men jeg har jo ret fleksible arbejdstider, ved du nok."

"Hmm, du er ansat som skovfoged under kirken ..."

"Ja."

"Og formand for jagtforeningen, medlem af jagtklubben ..."
Han nikkede.

De sludrede lidt om jagt og bærplukning.

Anna-Maria hev en notesblok og en pen op af inderlommen på jakken, som hun ikke havde taget af. Hun lagde tingene på bordet foran sig.

"Som jeg sagde udenfor, så drejer det sig om Mildred Nilsson. I to kom ikke så godt ud af det med hinanden, har jeg hørt."

Torbjörn Ylitalo så på hende. Han smilede ikke, det havde han hidtil ikke gjort en eneste gang. Uden at forhaste sig drak han en slurk kaffe, stillede koppen fra sig på underkoppen og spurgte:

"Hvem har sagt det?"

"Passede det?"

"Tja, hvad skal jeg sige ... Det byder mig imod at tale ondt om de døde, men hun såede megen splid og forbitrelse her i landsbyen."

"På hvilken måde?"

"Lad mig sige det ligeud: Hun var mandehader. Jeg tror oprigtig talt, hun ønskede, at landsbyens kvinder lod sig skille fra deres mænd, og så er der ikke meget at stille op."

"Er du gift?"

"Også i dén grad!"

"Prøvede hun at få din kone til at gå fra dig?"

"Nej, ikke hende, men andre."

"Helt præcis hvad var det, du og Mildred var uvenner over?"

"Tja, hun havde jo fået den dér forbandede idé med køns-kvotering i jagtklubben. Mere kaffe?"

Anna-Maria rystede på hovedet.

"Hver anden skulle være en dame, du ved. Det mente hun skulle være et krav, for at vi kunne få forlænget jagtretten."

"Og det syntes du var en dårlig idé."

Nu kom der lidt mere liv i hans ellers så besindige måde at tale på.

"Der var vel knap nok andre end hende selv, der syntes, det var en god idé. Og jeg er ikke kvindehader, men hvis man skal konkurrere om pladserne i firmabestyrelser og rigsdag og vores lille jagtklub, for den sags skyld, så skal det være på lige vilkår. Det ville sgu da være mangel på ligestilling, hvis du fik en plads, bare fordi du var kvinde. Og hvordan skulle du opnå respekt? Og desuden: Hvad er der galt ved at lade mændene have jagten? Nogle gange tænker jeg, at jagten er den sidste bastion. Lad os i det mindste have dén i fred. Jeg insisterede for fanden da ikke på at være med i hendes bibelkreds for kvinder."

"Så det var det, I var uvenner over, du og Mildred?"

"Uvenner og uvenner, hun vidste, hvor jeg stod."

"Magnus Lindmark sagde, du havde lyst til at skyde hende en kugle for panden."

Anna-Maria spekulerede lidt på, om hun burde have fortalt det. Men det havde han sgu godt af, den der satan, der hug-gede hovedet af kattekillinger.

Torbjörn Ylitalo syntes ikke at blive rystet. Han smilede oven i købet lidt for første gang. Et træt, næsten umærkeligt smil.

"Det handler nok mere om Magnus' egne følelser," sagde han. "Men Magnus slog hende ikke ihjel, og det gjorde jeg heller ikke."

Anna-Maria svarede ikke.

"Hvis jeg havde slået hende ihjel, så ville jeg have skudt hende og gravet hende forsvarligt ned i en eller anden myr," sagde han.

"Var du klar over, at hun ville opsige jeres forpagtning?"

"Ja, men hun havde ingen i menighedsrådet på sin side, så det kunne være ligegyldigt."

Torbjörn Ylitalo rejste sig.

"Du, hvis der ikke var mere, så må jeg videre med brændet."

Anna-Maria rejste sig. Hun så til, mens han stillede deres kopper hen på køkkenbordet.

Så tog han kanden med den stadig varme kaffe og satte den ind i køleskabet.

Hun kommenterede det ikke, og de sagde stille og roligt farvel ude på gårdspladsen.

Anna-Maria Mella kørte fra Torbjörn Ylitalo og hen til Erik Nilsson igen. Hun ville spørge, om han vidste, hvem der havde sendt tegningen til hans kone.

Hun parkerede bilen uden for lågen ind til præstegården. Postkassen var proppet med så mange aviser og breve, at låget stod lodret. Inden længe ville det regne ned i postkassen. Regninger, reklamer og aviser ville ende som én stor papmaché-klump. Anna-Maria havde set den slags oversvømmede postkasser før i sit liv. Naboer ringer og fortæller, hvordan postkassen ser ud, politiet lukker sig ind og mødes af død indenfor. I en eller anden forstand.

Hun tog en dyb indånding. Først ville hun tage i døren. Hvis præstens mand lå derinde, ville den muligvis være ulåst. Var den låst, ville hun kigge ind ad vinduerne i stueetagen.

Hun gik op på forverandaen. Den var udsmykket med enkle, hvidmalede udskæringer, hvide kurvestole og store, blåglaserede krukker, hvis indhold var tørret ind til hård cement med nogle vissenbrune, knitrende rester af sommerblomster.

I samme øjeblik, som hun lagde hånden på dørhåndtaget, blev det trykket ned, og døren åbnedes indefra. Anna-Maria skreg ikke. Formodentlig fortrak hun ikke en mine. Men hun gøs indvendig. Maven knyttede sig sammen.

En kvinde kom ud på verandaen, kolliderede næsten med Anna-Maria og gav et forskrækket råb fra sig.

Hun var omkring de fyrre, de mørkebrune øjne med lange, tætte vipper var vidt opspærrede. Ikke meget højere end Anna-Maria, lille af vækst, med andre ord. Men hun var spinklere og mere finlemmet. Hånden, der for op til brystet, havde lange fingre, håndleddet var smalt.

"Ups," smilede hun.

Anna-Maria præsenterede sig.

"Jeg skulle tale med Erik Nilsson."

"Jaså," sagde kvinden. "Han ... er ikke her."

Hendes stemme døde hen.

"Han er flyttet," sagde hun. "Altså, præstegården tilhører jo kirken. Der er skam ingen, der har tvunget ham væk, men ... Undskyld, jeg hedder Kristin Wikström."

Hun rakte den spinkle hånd frem mod Anna-Maria. Så blev hun pludselig næsten forlegen og så ud til at have behov for at forklare sin tilstedeværelse.

"Det er min mand Stefan Wikström, der skal flytte ind i præstegården, nu da Mildred ... Ja, altså ikke kun ham, men også mig og børnene, selvfølgelig."

Hun udstødte en kort latter.

"Erik Nilsson har ikke flyttet sine møbler eller ejendele, og vi ved ikke, hvor han opholder sig, og ... ja, jeg gik herhen for at se, hvor meget der skal gøres."

"Så I ved ikke, hvor Erik Nilsson befinder sig?"

Kristin Wikström rystede på hovedet.

"Hvad med din mand?" spurgte Anna-Maria.

"Han ved det heller ikke."

"Nej, men hvor er han, mener jeg?"

Kristin Wikström fik nogle små rynker over overlæben.

"Hvad vil du ham?"

"Stille et par spørgsmål."

Kristin rystede langsomt på hovedet med et bekymret udtryk.

"Jeg ville sådan ønske, han kunne få lov at være i fred," sagde hun. "Han har haft en meget hård sommer. Ingen ferie. Et rend af betjente. Journalister – de ringer sågar midt om natten, og vi tør ikke trække stikket ud, for min mor er jo gammel og syg, og tænk, hvis det er hende, der ringer. Og den skræk, vi alle føler for, at der er en eller anden galning, som ... Man tør ikke lade børnene færdes alene ude. Jeg er hele tiden urolig for Stefan."

Men sorgen over en mistet kollega nævnte hun ikke, konstaterede Anna-Maria koldt.

"Er han hjemme?" spurgte Anna-Maria skånselsløst.

Kristin Wikström sukkede. Så på Anna-Maria, som om denne var et barn, der havde skuffet hende. Skuffet hende dybt.

"Jeg ved det faktisk ikke," sagde hun. "Jeg er ikke en af den slags kvinder, der hele tiden skal have kontrol over deres mænd."

"Så prøver jeg i Jukkasjärvi præstegård først, og hvis han ikke er der, kører jeg ind til byen," sagde Anna-Maria og undertvang sin lyst til at rulle med øjnene.

Kristin Wikström bliver stående på forverandaen til Poikkijärvi præstegård. Hun følger den røde Escort med blikket. Hun brød sig ikke om den der kvindelige betjent. Hun bryder sig ikke om nogen. Jo, det gør hun selvfølgelig. Hun elsker Stefan. Og børnene. Hun elsker sin familie.

Hun har en filmfremviser inde i sit hoved. Hun tror ikke, det er så almindeligt. Sommetider viser den kun tåbeligheder, men nu vil hun lukke øjnene og se en film, som hun holder meget af. Efterårssolen varmer i ansigtet. Det er stadigvæk sensommer, man skulle ikke tro, det var Kiruna, så varmt som det er.

Det er også meget passende, for filmen er fra dette forår.

Forårssolen lyser ind gennem ruden og varmer hendes ansigt. Farverne er bløde. Billedet er så uskarpt, at det ser ud, som om hun har en glorie omkring håret. Hun sidder på en stol i køkkenet. Stefan sidder på en stol ved siden af. Han har lænet sig frem og har hovedet i hendes arme. Hendes hænder stryger ham over håret. Hun siger: schh. Han græder. "Mildred," siger han. "Jeg magter det snart ikke mere." Det eneste, han ønsker, er fred og ro. Arbejdsro. Fred i hjemmet. Men med Mildred, der spreder sin gift i menigheden ... Hun stryger ham over det bløde hår. Det er et helligt øjeblik. Stefan er så stærk. Han søger aldrig trøst hos hende. Hun nyder at kunne være alt dette for ham. Noget får hende til at kigge op. I døråbningen står deres ældste søn Benjamin. Gudfader, hvor ser han ud med det der lange hår og de stramme, sorte, lasede cowboybukser. Han stirrer på sine forældre. Siger ikke en lyd. Ser bare vild ud i øjnene. Hun rynker øjenbrynene for at vise, at han skal forsvinde. Hun ved, Stefan ikke ønsker, at børnene skal se ham sådan her.

Filmen slutter. Kristin griber fat om trappegelænderet. Det her skal blive hendes og Stefans hus. Hvis Mildreds mand tror, han bare kan efterlade alle møblerne, og at ingen vil turde flytte dem ud, så tager han fejl. Da hun går hen mod bilen, afspiller hun filmen inde i hovedet en gang til. Denne gang klipper hun sønnen Benjamin fra.

ANNA-MARIA KØRTE IND på gårdspladsen til Jukkasjärvi præstegård. Hun ringede på, men der var ingen, der åbnede.

Da hun vendte sig om, kom en dreng gående hen mod huset. Han var på Marcus' alder, måske femten år. Hans hår var langt og farvet kulsort. Han havde sorte kohl-streger under øjnene. Han var iført en slidt sort læderjakke og sorte, stramme bukser med enorme huller ved knæene.

"Hej!" råbte Anna-Maria. "Bor du her? Jeg skal tale med Stefan Wikström. Ved du, om ..."

Længere nåede hun ikke. Knægten stirrede på hende. Så drejede han om på hælen og satte i løb. Løb ned ad vejen. Anna-Maria var på nippet til at løbe efter og gribe fat i ham, men så besindede hun sig. Hvad skulle det gøre godt for?

Hun satte sig i bilen og kørte ind mod byen. Spejdede efter den sortklædte fyr, da hun kørte gennem landsbyen, men kunne ikke få øje på ham.

Kunne det have været et af præstefamiliens børn? Eller var han en, der måske havde haft i sinde at bryde ind? Som blev overrasket over, at der var nogen?

Der var også noget andet, der rumsterede i hendes hoved.

Stefan Wikströms kone. Hun hed Kristin Wikström.

Kristin. Hun genkendte jo det navn.

Så kom hun på det. Holdt ind til siden og standsede bilen. Rakte ud efter den stak breve til Mildred, som Fred Olsson havde sorteret fra og mente var af interesse.

To af dem var underskrevet "Kristin".

Anna-Maria lod blikket løbe ned over dem. Det ene var dateret i marts og forfattet i en nydelig håndskrift:

"Lad os være i fred. Vi vil have fred og ro. Min mand har brug for arbejdsro. Skal jeg ligge på knæ? Jeg ligger på knæ. Og jeg beder: Lad os være i fred."

Det andet var dateret godt en måned senere. Man kunne se, at det var skrevet af den samme person, men håndskriften var mere svungen, g'erne gik længere ned på linjerne, og enkelte ord var sjusket streget over:

"Du tror måske, at vi ikke VED det. Men alle er klar over, at det ikke er nogen tilfældighed, at du søgte embedet i Kiruna blot et år efter, at min ægtefælle havde tiltrådt sin stilling her i byen. Men jeg FORSIKRER dig om, at vi VED det. Du samarbejder med grupper og organisationer, hvis ENESTE mål er at modarbejde ham. Du forgifter brønde med dit HAD. Det HAD vil du selv få lov at drikke!"

Hvad gør jeg nu? tænkte Anna-Maria. Kører tilbage og trænger hende op i en krog?

Hun ringede til Sven-Erik Stålnacke fra mobilen.

"Vi snakker med hendes mand i stedet," foreslog han. "Jeg var alligevel på vej til menighedshuset for at få udleveret bogføringen fra den der ulvefond."

STEFAN WIKSTRÖM SUKKEDE TUNGT, da han satte sig bag sit skrivebord. Sven-Erik Stålnacke havde taget plads i gæstestolen. Anna-Maria Mella stod lænet op ad døren med korslagte arme.

Sommetider kunne hun være så ... upædagogisk, tænkte Sven-Erik og betragtede Anna-Maria.

I virkeligheden burde han have taget sig af ham fyren selv, det havde været bedre. Anna-Maria kunne ikke lide ham og gjorde sig ikke den ulejlighed at skjule det. Javist, Sven-Erik havde også læst om stridighederne mellem Mildred og præsten, men nu var de her jo i embeds medfør.

"Ja, jeg kender til brevene," sagde præsten.

Han havde venstre albue på skrivebordet og lænede panden mod fingerspidserne.

"Min kone ... hun ... sommetider har hun det ikke så godt. Ikke at hun er psykisk syg, men hun kan være lidt uligevægtig nu og da. I virkeligheden er det her slet ikke hende."

Sven-Erik Stålnacke og Anna-Maria Mella tav.

"Det hænder, at hun ser spøgelser ved højlys dag. Hun ville aldrig ... I tror da vel ikke ...?"

Han slap panden med hånden og klaskede håndfladen ned i bordet.

"I så fald er det helt absurd. Gud fri mig, Mildred havde hundredvis af fjender."

"Blandt andet dig?" spurgte Anna-Maria.

"Overhovedet ikke! Er jeg også mistænkt? Jeg og Mildred var uenige om visse ting, det stemmer, men at jeg eller stakkels Kristin skulle have noget at gøre med mordet på hende ..."

"Det har vi jo heller ikke påstået," sagde Sven-Erik.

Han rynkede brynene på en måde, der fik Anna-Maria til at forholde sig tavs og lytte.

"Hvad sagde Mildred om brevene her?" spurgte Sven-Erik.

"Hun informerede mig om, at hun havde modtaget dem."

"Hvorfor beholdt hun dem, tror du?"

"Det ved jeg ikke. Personlig gemmer jeg faktisk alle de julekort, jeg får."

"Havde flere kendskab til brevene?"

"Nej, og jeg vil være taknemmelig, hvis det kan fortsætte sådan."

"Så Mildred fortalte det ikke til andre?"

"Nej, ikke hvad jeg ved af."

"Følte du dig taknemmelig over det?"

Stefan Wikström måtte blinke en gang.

"Hvad?"

Det var lige før, han måtte grine. Taknemmelig. Burde han have været taknemmelig over for Mildred? Den blotte tanke var latterlig! Men hvad skulle han sige? Han kunne ikke fortælle noget. Mildred havde ham fortsat i bur. Og hun havde anbragt hans kone som lås. Og forventet hans taknemmelighed.

I midten af maj havde han bidt hovedet af al skam og var taget hen til Mildred for at bede hende om brevene. Han fulgtes med hende hen ad Skolgatan ned mod hospitalet. Hun skulle besøge nogen. Det var den værste tid på året. Ikke hjemme i Lund, selvfølgelig. Men i Kiruna. Gaderne flød med grus og alskens affald, der dukkede op fra den smeltede sne. Intet grønt. Kun snavs, affald og disse dynger af grus.

Stefan havde talt med sin kone i telefonen. Hun befandt sig hos sin mor i Katrineholm sammen med de yngste børn. Hendes stemme lød gladere.

Stefan ser på Mildred. Hun virker også glad. Vender ansigtet mod solen og tager indimellem en dyb og nydende indånding. Det må være en velsignelse ikke at have nogen skønhedssans.

I så fald går grus og skidt ikke ud over humøret.

Det er godt nok underligt, tænker han – ikke uden bitter-
hed – at Kristin bliver gladere og henter styrke ved at være væk
fra ham et stykke tid. Faktisk er det ikke hans forestilling om
ægteskabet, hvor man burde finde styrke og støtte hos hinan-
den. Han har for længst accepteret, at hun ikke er den støtte,
han havde håbet på, men nu begynder han at få en følelse af,
at hun synes, heller ikke han har indfriet hendes forventnin-
ger. "Åh, lidt længere," svarer hun svævende, når han spørger,
hvor længe hun vil være væk.

Mildred vil ikke give ham brevene.

"Du kan lægge min tilværelse i ruiner, hvis det passer dig,"
siger han med et skævt smil.

Hun sender ham et fast blik.

"Så må du øve dig i at stole på mig," siger hun.

Han ser på hende fra siden. Som de går her side ved side,
er det tydeligt, hvor lille hun er. Hendes fortænder er virkelig
unaturligt små. Hun er en mus, på alle måder.

"Jeg har tænkt mig at tage sagen om Poikkijärvi jagtforening
op i menighedsrådet. Forpagtningen udløber jo til jul. Hvis vi
bortforpagter til nogen, der kan betale ..."

Han tror knap sine egne ører.

"Er det sådan, det forholder sig?" siger han og forundres
over, hvor rolig han lyder. "Du truer mig! Hvis jeg stemmer for
foreningens fortsatte forpagtning, fortæller du det om Kristin.
Det er nedrigt, Mildred. Nu viser du virkelig dit sande jeg."

Han mærker, hvordan munden lever sit eget liv i ansigtet.
Den forvrænges i en grådkvalt grimasse.

Hvis blot Kristin får hvilet lidt ud, kommer hun i balance
igen. Men hvis det her med brevene rygtes ... Han ved, hun
ikke vil kunne klare det. Han kan allerede høre, hvordan hun
beskylder folk for at bagvaske hende bag hendes ryg. Hun vil
skaffe sig flere fjender. Inden længe vil hun føre krig på flere
fronter på samme tid. Og så går de under.

"Nej," siger Mildred. "Jeg truer ikke. Jeg skal nok holde min mund. Jeg ville bare ønske, at du ..."

"Ville føle taknemmelighed?"

"... kunne imødekomme mig i én enkelt sag," siger hun træt.

"Handle imod min samvittighed?"

Og nu farer hun i flint. Viser sit sande ansigt.

"Jamen gider du lige! Mon dog det er dét, det handler om? Et samvittighedsspørgsmål?"

Sven-Erik Stålnacke gentog sit spørgsmål:

"Følte du taknemmelighed? I betragtning af, at I ikke ligefrem var hjertevenner, var det jo storsindet af hende ikke at fortælle nogen om brevene."

"Ja," fremmumlede Stefan efter en kort tøven.

Sven-Erik rømmede sig. Anna-Marias ryg flyttede sig fra døren.

"En ting mere," sagde Sven-Erik. "Ulvefondens bogføring. Befinder den sig her i menighedshuset?"

Stefan Wikströms øjne flakkede uroligt som akvariefisk i en glasskål.

"Hvad?"

"Ulvefondens bogføring, er den her?"

"Ja."

"Vi vil gerne se den."

"Skal I ikke først have en slags ransagningskendelse?"

Anna-Maria og Sven-Erik vekslede et hurtigt blik. Sven-Erik rejste sig.

"I må have mig undskyldt," sagde han. "Jeg skal på toilettet. Hvor ...?"

"Til venstre, ud ad døren på kontoret og så til venstre igen."

Sven-Erik forsvandt.

Anna-Maria fiskede kopien frem af tegningen med den hængte Mildred.

"En eller anden sendte den her til Mildred Nilsson. Har du set den før?"

StefanWikström tog imod den. Han rystede ikke på hånden.

"Nej," sagde han.

Han rakte tegningen tilbage.

"Du har ikke modtaget noget tilsvarende?"

"Nej."

"Og har ingen anelse om, hvem der kan have sendt den? Hun nævnte den aldrig?".

"Jeg og Mildred stod ikke på fortrolig fod."

"Du kunne måske lave en liste til mig over personer, som du kan forestille dig, hun ville betro sig til. Jeg tænker på dem, der arbejdede i kirken eller her i menighedshuset."

Anna-Maria så på ham, mens han skrev. Hun håbede, Sven-Erik fik ordnet det, han skulle derude, i en vis fart.

"Har du børn?" spurgte hun.

"Ja. Tre drenge."

"Hvor gammel er den ældste?"

"Femten."

"Hvordan ser han ud? Ligner han dig?"

StefanWikströms stemme blev pludselig drævende.

"Det er umuligt at svare på. Det er ikke til at sige, hvordan han ser ud inden under al hårfarven og sminken. Han er inde i ... en fase."

Han så op og smilede. Anna-Maria indså, at dette faderlige smil og den lille kunstpause og ordet "fase" var noget, han rutinemæssigt gjorde brug af, når han talte om sønnen.

StefanWikströms smil slukedes.

"Hvorfor spørger du om Benjamin?" ville han gerne vide.

Anna-Maria tog listen ud af hans hånd.

"Tak for hjælpen," sagde hun og gik.

Sven-Erik Stålnacke trådte direkte fra StefanWikströms kontor og ind på kirkekontoret. Der befandt sig tre kvinder derinde.

Den ene var i færd med at vande blomsterne i vindueskarmene, de to andre sad ved deres computere. Sven-Erik gik hen til en af dem og præsenterede sig. Hun var på hans egen alder, knap tres, med en skinnende næse og venlige øjne.

"Vi vil gerne kigge på den der ulvefonds bogføring," sagde han.

"Okay."

Hun gik hen til en af boghylderne og vendte tilbage med en mappe, der stort set var tom. Sven-Erik kiggede grundende i den. Bogføring burde være store dynger med papirer, fakturaer, talkolonner og regninger.

"Er dette det hele?" spurgte han mistroisk.

"Ja," sagde hun. "Der er ikke specielt mange posteringer, mest indbetalinger."

"Jeg låner den lige lidt."

Hun smilede.

"Behold den, det er kun udskrifter og kopier. Jeg har det liggende på computeren og udskriver bare nogle nye."

"Hør engang," sagde Sven-Erik og dæmpede stemmen. "Der er noget, jeg godt vil spørge om. Kan vi ..."

Han nikkede mod den mennesketomme trappeopgang.

Kvinden fulgte med ham ud.

"Der er en faktura, der vedrører efteruddannelsesomkostninger," sagde Sven-Erik. "En ganske stor post ..."

"Ja," sagde kvinden. "Jeg ved, hvilken en du mener."

Hun tænkte sig om et lille stykke tid, som om hun tog tilløb.

"Det dér var ikke rimeligt," sagde hun. "Mildred var meget vred. Stefan og hans familie rejste på ferie til USA sidst i maj måned. For fondens penge."

"Hvordan kunne han gøre det?"

"Han og Mildred og Bertil var hver for sig tegningsberettigede i fonden, så det voldte ingen problemer. Han regnede vel ikke med, at nogen ville opdage det, eller også gjorde han det for at irritere hende, hvad ved jeg."

"Hvad skete der?"

Kvinden så på ham.

"Ikke noget," sagde hun. "De slog åbenbart en streg over det. Og Mildred sagde, han havde besøgt Yellowstone, hvor de kører et ulveprojekt, så ja, jeg ved snart ikke, men han slap for ballade."

Sven-Erik takkede hende, og hun vendte tilbage til sin plads ved computeren. Han spekulerede på, om han skulle gå tilbage til Stefans kontor og spørge ham ud om denne rejse, men det havde jo ingen hast, de kunne tale med ham om det i morgen. Instinktivt følte han, at han havde brug for at tænke lidt over sagen. Og i mellemtiden tjente det ikke noget formål at opskræmme folk.

"Han fortrak ikke en mine," sagde Anna-Maria til Sven-Erik i bilen. "Da jeg viste Stefan Wikström tegningen, fortrak han ikke en mine. Enten er han totalt følelseskold, eller også havde han travlt med at skjule, hvad han følte. Du ved, man kan være så opsat på at virke rolig, at man glemmer, at man trods alt burde udvise en eller anden reaktion."

Sven-Erik rømmede sig.

"Han burde i det mindste have vist en smule interesse," fortsatte Anna-Maria. "Kigget lidt nærmere på den. Sådan ville jeg have reageret. Være blevet rystet, hvis det var en, jeg syntes om. Og lidt nysgerrig, hvis jeg ikke kendte hende eller måske oven i købet ikke brød mig om hende. Jeg ville have kigget nærmere på tegningen."

Han svarede faktisk ikke på mit sidste spørgsmål, tænkte hun derefter. Da jeg spurgte, om han havde nogen anelse om, hvem der kunne have sendt den. Han sagde blot, at han og Mildred ikke stod på fortrolig fod.

Stefan Wikström gik ud i forkontoret. Han havde en let kvalme. Han burde tage hjem og få noget at spise.

Kontordamerne kiggede nysgerrigt på ham.

"De stillede nogle rutinespørgsmål om Mildred," sagde han.

De nikkede, men han kunne se, at de alligevel undrede sig. Sikket ord. Rutinespørgsmål.

"Talte de med jer?" spurgte han.

Kvinden, der havde talt med Sven-Erik, svarede.

"Ja, ham der den store fyr ville have ulvefondens bogføring."

Stefan stivnede.

"Du udleverede den vel ikke til dem? De har ingen ret til at ..."

"Selvfølgelig fik han den! Er der måske hemmeligheder i den?"

Hun så skarpt på ham. Han mærkede også de andres blikke. Så vendte han om på hælen og marcherede ind på sit kontor.

Sognepræsten kunne sige, hvad han ville, men nu måtte Stefan altså tale med ham. Han ringede til Bertils mobil.

Sognepræsten sad i bilen. Stemmen forsvandt nu og da.

Stefan fortalte, at politiet havde været der. Og at de havde lånt fondens bogføring.

Bertil syntes ikke at tage sig det nær. Stefan sagde, at i og med at de begge sad i fondens bestyrelse, var der ikke begået nogen formel fejl, men alligevel.

"Hvis det bliver slået stort op, ved vi jo nok, hvordan det vil gå. Vi vil blive beskyldt for underslæb."

"Det skal nok gå alt sammen," sagde sognepræsten roligt. "Men du, jeg skal til at parkere. Vi tales ved."

Ud fra hans ro stod det Stefan klart, at sognepræsten ikke ville bakke ham op, hvis USA-rejsen kom til offentlighedens kundskab. Han ville aldrig indrømme, at de havde drøftet det i fællesskab. "Lige nu ligger fonden inde med en masse penge, der ikke er nogen nytte til," havde sognepræsten jo selv sagt. Og så havde de diskuteret en slags kompetencegivende rejse. De sad i bestyrelsen for en vildtplejefond, men havde ikke begreb skabt om ulve. Så det var blevet besluttet, at Stefan skulle rejse over til Yellowstone. Og på en eller anden måde var det blevet til, at Kristin og de mindste drenge tog med, og på den måde fik han dem hjem fra Katrineholm.

Det havde ligesom været underforstået, at ingen af dem ville fortælle Mildred, at pengene kom fra fonden, men så var der selvfølgelig en af kontordamerne, der ikke kunne dy sig for at sladre til hende.

Hun havde konfronteret ham med sagen, da han vendte tilbage fra rejsen. Han havde nøgternt forklaret nødvendigheden af, at nogen i fondens bestyrelse rent faktisk skaffede sig viden på området. Desuden var han jo oplagt, jæger og friluftsmenneske som han var. Han kunne jo opnå en respekt og en forståelse for sagen, som Mildred ikke kunne få, om hun så forsøgte i tusind år.

Han havde forventet et vredesudbrud. En lille, godt fortrængt del af ham glædede sig næsten til det. Glædede sig til, at hendes hidsighed og manglende selvkontrol skulle komme til kort over for hans egen dybe ro og besindelse.

I stedet havde hun lænet sig ind over hans skrivebord. Tungt og på en måde, der et øjeblik fik ham til at tro, at hun måske bar på en hemmelig sygdom, noget med nyrerne eller hjertet. Ansigtet var vendt mod ham. Det var hvidt under den første forårssolbrændthed. Øjnene to sorte huller. Et latterligt tøjdyr med knapøjne, der er blevet levende og begyndt at tale og pludselig er meget skræmmende.

"Når jeg snakker med menighedsrådet om jagtretten i forbindelse med årsregnskabet, gør du klogest i at holde lav profil, er du med?" sagde hun. "Ellers må politiet tage stilling til, om det her var lovligt eller ej."

Han havde forsøgt at sige, at hun gjorde sig til grin.

"Vælg selv," havde hun sagt. "Jeg agter ikke at holde hånden over dig i al evighed."

Han havde stirret målløs efter hende. Hvornår havde hun

holdt hånden over ham? At omgås hende var tværtimod som at rulle sig i brændenælder.

Stefan tænkte på sognepræsten. Han tænkte på sin kone. Han tænkte på Mildred. Han tænkte på kontordamernes blikke. Pludselig føltes det, som om han mistede kontrollen med sin vejrtrækning. Han gispede som en hund i en bil. Han måtte prøve at falde til ro.

Jeg kan godt rode mig ud af det her, tænkte han. Hvad er der galt med mig?

Allerede som dreng havde han opsøgt kammerater, der undertrykkede og udnyttede ham. Han måtte løbe ærinder for dem og aflevere sit slik til dem. Senere punktere dæk og kaste med sten for at bevise, at sognepræstens søn ikke var nogen tøsedreng. Og nu som voksen opsøger han mennesker og sammenhænge, hvor han bliver behandlet som skidt.

Han greb telefonen. Bare én samtale.

LISA STÖCKEL SIDDER på trappen til sit peberkagehus. Jun-kie-konditorens eksamensopgave, som Mimmi kalder det. Om lidt vil hun gå ned til kroen, hvor hun efterhånden er begyndt at spise hver dag. Mimmi synes ikke at finde det mærkeligt. Ude i køkkenet har Lisa nu kun en dyb tallerken, en ske og en dåseåbner til kattemaden. Hundene vimser rundt på grunden. Snuser og pisser på solbærbuskene. Hun synes næsten, de ser lidt spørgende ud, når hun ikke brøler ad dem.

Pis, hvor I vil, tænker hun med et skævt smil.

Hårdheden i menneskehjertet er en sær ting. Den er som sommerfødder. Man kan løbe barfodet hen over fyrrekogler og grus, men når først hælen sprækker, går det dybt.

Hårdheden har altid været hendes styrke. Nu er den hendes svaghed. Hun prøver at finde de rette ord at sige til Mimmi, men det er håbløst. Alt det, der skulle siges, burde være blevet sagt for længe siden, og nu er det for sent.

Og hvad skulle hun have sagt dengang? Sandheden? Næppe. Hun husker, da Mimmi var seksten. Hun og Tommy havde allerede været skilt i mange år. Han drak sig gennem weeken-derne. Det var heldigt, han var sådan en dygtig fliselægger. Så længe han havde et job, holdt han sig til øl mandag til tors-dag. Mimmi gjorde sig bekymringer. Naturligt nok. Syntes, at Lisa skulle snakke med ham. Spurgte: "Er du da ligeglad med far?" Lisa havde svaret nej, men det var løgn. Og hun, der havde besluttet, at det skulle være slut med løgne. Men Mimmi var Mimmi. Lisa var pisseligeglad med Tommy. "Hvorfor gif-tede du dig egentlig med far?" havde Mimmi spurgt ved en anden lejlighed. Det havde slået Lisa, at hun ikke havde nogen anelse om det. Det var en næsten svimlende opdagelse. Det var ikke lykkedes hende at huske, hvad hun havde tænkt eller følt i den periode, hvor de begyndte at komme sammen, gik i seng med hinanden, forlovede sig, og hun fik hans bomærke på sin finger. Og så kom Mimmi. Hun havde været sådan en skøn unge. Og samtidig den lænke, der for altid knyttede Lisa sammen med Tommy. Hun havde tvivlet på sine moderfølelser. Hvordan burde en mor føle for sit barn? Hun vidste det ikke. "Jeg ville kunne ofre mit liv for hende," havde hun sommetider tænkt, når hun havde stået og betragtet den sovende Mimmi. Men det betød jo ingenting. Det var som at love folk en udlandsrejse, hvis man nu skulle vinde en million i lotteriet. Det var lettere at dø for sine børn i teorien end at sætte sig ned og læse højt for dem i et kvarter. Den sovende Mimmi gjorde hende syg af længsel og dårlig samvittighed. Den vågne Mimmi med sine små hænder, der famlede hen over hendes ansigt og ind i hendes ærmer på jagt efter hud og nærhed, gav hende myrekryb.

Det havde føltes fuldstændig umuligt at bryde ud af ægteskabet, og da hun endelig gjorde det, var hun forbavset over, hvor let det var gået. Det var jo bare at pakke og flytte. Tårer og skrig var som olie på vand.

Med hundene er der ikke så meget vrøvl. De vil blæse på hendes arrigskab. De er helt igennem ærlige og utrætteligt glade.

Ligesom Nalle. Lisa må smile, når hun tænker på ham. Hun kan se det på hans nye kammerat, hende Rebecka Martinsson. Da Lisa så hende første gang tirsdag aften, havde hun været iført den der lange frakke og et blankt tørklæde, sikkert af ægte silke. En højrøvet sekretærdulle, eller hvad hun nu var. Og der var et eller andet ved hende, noget ligesom tøvende. Som om hun hele tiden tænkte sig nøje om, før hun svarede, gestikulerede eller bare trak på smilebåndet. Den slags er Nalle ligeglad med. Han går lige i folk med træsko på. Én dag sammen med Nalle, og Rebecka Martinsson havde iført sig en anorak fra halvfjerdserne og havde sat håret op med en brun elastik af den slags, der flår det halve af parykken af, når man fjerner den.

Og han ved ikke, hvordan man lyver. Hver anden torsdag serverer Mimmi afternoon-tea på kroen. Det er blevet lidt af et tilløbsstykke, som lokker damer helt inde fra byen ud til Poikkijärva. Friskbagte scones og marmelade, syv slags kager. Forrige torsdag havde Mimmi skreget med vrede i stemmen: Hvem er det, der har bidt i kagerne? Nalle, der havde siddet med sine mellemmadder og sin mælk, havde lynhurtigt rakt hånden i vejret og var gået til øjeblikkelig bekendelse: "Mig!"

Velsignede Nalle, tænker Lisa.

Præcis de ord, Mildred havde brugt tusind gange.

Mildred. Da Lisas hårdhed sprækkede, trængte Mildred ind. Som en smitte.

Det er kun tre måneder siden, de lå i slagbænken i køkkenet. Der endte de ofte, fordi hundene havde okkuperet sengen, og Mildred bønfaldende sagde: "Du må ikke jage dem væk. Kan du ikke se, hvor hyggeligt de har det?"

Egentlig har Mildred rigeligt at se til nu her i begyndelsen af juni. Der er skoleafslutninger, konfirmationer, vuggestueaf-slutninger, børnehaveafslutninger, afslutning for kirkens ung-domsgruppe og en masse vielser. Lisa ligger på venstre side og støtter sig på albuen. Hun holder en cigaret i højre hånd. Mildred sover, eller måske er hun vågen – formodentlig noget midtimellem. Hendes ryg er stærkt behåret, dækket af bløde dun, der vokser ned langs rygraden. Det er en ekstra gave, at Lisa, der er så vild med hunde, får en kæreste med en ryg som en hvalpemave. Eller måske en ulvemave.

"Hvad er det med dig og den der ulv?" spørger Lisa.

Mildred har haft et veritabelt ulveforår. Hun har fået halv-fems sekunder i tv-nyhederne og snakket ulv. Tusind Toner har afholdt koncert, hvor indtægten er gået til fonden. Hun har endog prædiket om hunulven.

Mildred vender sig om på ryggen, overtager cigaretten fra

Lisa. Lisa tegner mønstre på hendes mave.

"Åh ja," siger hun, og det er tydeligt, at hun gør sig umage med at besvare spørgsmålet. "Der er et eller andet med ulve og kvinder. Vi ligner hinanden. Jeg ser på denne hunulv og bliver påmindet om, hvad vi er skabt til. Ulve er utrolig hårdføre. Tænk på, at de lever i polaregne med halvtreds graders kulde og i ørkener med halvtreds graders varme. De er territoriebevidste, afmærker benhårdt deres grænser. Og de strejfer frit og langt omkring. De hjælpes ad i flokken, er loyale, elsker deres hvalpe over alt andet. De er ligesom os."

"Du har jo ingen hvalpe," siger Lisa og fortryder næsten øjeblikkelig sine ord, men Mildred bliver ikke stødt.

"Jeg har jo jer," ler hun.

"De tør holde fast, når det kræves," fortsætter Mildred sin prædiken, "de tør give slip, når det kræves, de tør kæfte op og bide fra sig, når der er brug for det. Og de er ... levende. Og lykkelige."

Hun puster røg ud, prøver at lave røgringe, mens hun spekulerer.

"Det har noget med min tro at gøre," siger hun. "Hele Bibelen er fuld af mænd med store missioner, der kommer før alt andet, før kone og børn og ... ja, alt. Der er Abraham og Jesus og ... Min far gik i deres fodspor i sin præstegerning, skal du lige vide. Min mor fik overladt ansvaret for hjemmet og tandlægebesøgene og julekortene. Men for mig at se er Jesus den, der tillader kvinder at begynde at tænke, at bryde op, hvis de er nødt til det, at være som en hunulv. Og når jeg bliver bitter og har lyst til at græde, siger han til mig: Styr dig nu lige, vær lykkelig i stedet for."

Lisa fortsætter med at tegne på Mildreds mave, pegefingeren løber hen over brysterne og hoftebenene.

"Du ved godt, de hader hende, ikke?" siger hun.

"Hvem?" spørger Mildred.

"Mændene i landsbyen," siger Lisa. "Dem i jagtklubben.

Torbjörn Ylitalo. Først i firserne blev han dømt for overtrædelse af jagtloven. Han skød en ulv nede i Dalarna. Hans kone kommer jo derfra."

Mildred sætter sig op.

"Du tager gas på mig!"

"Nej, det passer. Egentlig skulle han have fået frataget sin våbentilladelse, men du ved, Lars-Gunnar var jo betjent. Og det er politiet, der afgør den slags, og han trak i de rigtige tråde, så ... Hvor skal du hen?"

Mildred er hoppet ud af slagbænken. Hundene kommer stormende. De tror, de skal lukkes ud. Hun ignorerer dem og skynder sig i tøjet.

"Hvor skal du hen?" spørger Lisa igen.

"Den der skide mandeklub," råber Mildred. "Hvordan kan du gøre det? Hvordan kan du bare have vidst det her hele tiden uden at sige noget?"

Lisa sætter sig op. Hun har altid vidst det. Hun var jo gift med Tommy, og Tommy var ven med Torbjörn Ylitalo. Hun betragter Mildred, der i sin ophidselse ikke kan få armbåndsuret på og i stedet stikker det i lommen.

"De jager gratis," hvæser Mildred. "Kirken står på pinde for dem, de holder fandeme alle ude, især kvinder. Men kvinderne, de slider og slæber og må vente på deres løn i Himlen. Jeg er så skidetræt af det. Det udsender virkelig et signal om, hvordan kirken ser på mænd og kvinder, men nu kan det sateme være nok!"

"Gud fri mig, som du bander!"

Mildred vender sig om mod Lisa.

"Det burde du også gøre!" siger hun.

MAGNUS LINDMARK STOD ved køkkenvinduet i skumringen. Han havde ikke tændt lys. Alle konturer og genstande ude og inde var blevet lodne, begyndt at udviskes, var på vej ind i mørket.

Alligevel kunne han tydeligt se jagtlederen Lars-Gunnar Vinsa og jagtforeningens formand Torbjörn Ylitalo komme gående ad landevejen op mod hans hus. Han holdt sig bag gardinet. Hvad fanden ville de? Og hvorfor kom de ikke i bil? Havde de parkeret bilerne lidt væk og gået det sidste stykke? Hvorfor? Han følte sig meget ubehageligt til mode.

Hvad de så end ville, skulle han sgu nok fortælle dem, at han ikke havde tid. Til forskel fra dem havde han faktisk et job. Jo, selvfølgelig, Torbjörn Ylitalo var jo skovfoged, men der var fandeme ingen, der kunne påstå, at han arbejdede.

Nu om stunder skete det ikke ret tit, at Magnus Lindmark fik gæster, ikke efter at Anki skred med drengene. Før i tiden havde han været pisseirriteret over det evige rend af hendes familie og drengenes kammerater. Og det lå ikke ligefrem til ham at hykle og konversere høfligt. Så til sidst endte det med, at hendes søstre og kammeraterne gik, straks han kom hjem. Det havde passet ham glimrende. Han kunne ikke snuppe, når folk sad og knevrede løs i timevis. Havde de ikke noget at tage sig til?

Nu stod de ude i bislaget og bankede på. Magnus' bil stod ude på gårdspladsen, så det nyttede ikke at lade, som om man ikke var hjemme.

Torbjörn Ylitalo og Lars-Gunnar Vinsa trådte indenfor uden at vente på, at Magnus lukkede op. Nu stod de i køkkenet.

Torbjörn Ylitalo tændte lyset i loftet.

Lars-Gunnar kiggede sig om. Pludselig så Magnus selv sit eget køkken.

"Her er lidt ... Jeg har haft meget om ørerne," sagde han.

Køkkenbordet flød med snavset service og gamle mælkekartoner. To papkasser fulde af tomme, stinkende dåser inden for døren. Tøj, han havde efterladt på gulvet, før han gik i bad, og som han burde have smidt ned i vaskekælderen. Bordet overdænget med reklamer, rudekuverter, gamle aviser og en tallerken ymer, hvis indhold var tørret ind i store sprækker. På bordet ved siden af mikroovnen lå delene til en bådemotor, som han havde tænkt sig at reparere på et tidspunkt.

Magnus spurgte, om de ville have kaffe, men nej. Heller ikke en øl. Magnus tog selv en pilsner, hans femte den aften.

Torbjörn gik lige til sagen.

"Hvad er det, du går og siger til politiet?" spurgte han.

"Hvad fanden snakker du om?"

Torbjörn Ylitalos øjne blev smalle. Lars-Gunnar Vinsa fik noget tungt i sin holdning.

"Spil nu ikke dum, knægt," sagde Torbjörn. "At jeg kunne have haft lyst til at skyde præsten."

"Sikke noget pis! Den dér damestrisser er fuld af lort, hun ..."

Han nåede ikke længere. Lars-Gunnar var trådt et skridt frem og knaldede ham en lussing, som – ja, det var som at få en øretæve af en grizzlybjørn.

"Skal du stå her og lyve os op i ansigtet?!"

Magnus blinkede forskrækket, og hånden for op til den brændende kind.

"Jamen hvad i helvede ..." klynkede han.

"Jeg har bakket dig op," sagde Lars-Gunnar. "Du er en skide taber, det har jeg altid ment. Men for din fars skyld lod vi dig komme med i jagtklubben. Og blive hængende på trods af alt det forbandede lort, du render og laver."

Magnus blev grebet af trods.

"Hvad fabler du om? Er du måske bedre end mig? Er du måske finere end mig, hva'?"

Nu var det Torbjörn, der reagerede og gav ham et stød i brystet. Magnus vaklede bagover og hamrede rumpen ind i køkkenbordet.

"Nu har du at høre efter, knægt!"

"Jeg har fundet mig i dig," fortsatte Lars-Gunnar. "Fundet mig i, at du og dine venner var ude og afprøve jeres nye bøsser på færdselsskilte. Det der forpulede slagsmål i jagthytten for to år siden. Du kan ikke tåle sprut. Drikker alligevel og laver en helvedes masse åndssvage ting."

"Hold da kæft, slagsmål, det var jo ham Jimmys fætter, der ..."

Endnu et stød i brystet fra Torbjörn. Magnus tabte øldåsen på gulvet, hvor den blev liggende. Øllet løb ud over gulvet.

Lars-Gunnar tørrede sveden af panden. Den silede rundt om øjenbrynene og ned ad kinderne.

"Og så de der elendige kattekillinger ..."

"Ja, føj for den lede," istemte Torbjörn.

Magnus slog en fjollet fuldemandslatter op.

"For helvede, et par katte ..."

Lars-Gunnar slog ham i ansigtet. Med knytnæve. Direkte på næsen. Det føltes, som om ansigtet flækkede. Blodet løb varmt ned over munden.

"Kom an!" råbte Lars-Gunnar. "Her, her!"

Han pegede på sin egen hage.

"Kom nu! Her! Nu har du chancen for at slås med en rigtig mand, din skidefeje kvindemishandler! Du er en forpulet skamplet! Kom an!"

Han formede begge hænder til kroge, som han vinkede Magnus til sig med. Stak hagen frem som lokkemad.

Magnus holdt sin højre hånd under den blødende næse, og blodet løb ind under skjorteærmet. Han vinkede afværgende med venstre hånd.

Pludselig støttede Lars-Gunnar sig til spisebordet, lænede sig tungt ind over det.

"Jeg går udenfor," sagde han til Torbjörn Ylitalo. "Før jeg gør noget, jeg fortryder."

Inden han forsvandt ud ad døren, vendte han sig om.

"Du kan melde os, hvis du vil," sagde han. "Jeg er ligeglad. Det er ikke mere, end hvad man kan vente sig af en som dig."

"Men det gør du ikke," sagde Torbjörn Ylitalo, da Lars-Gunnar var gået ud. "Og nu holder du din kæft om mig og jagtklubben i det hele taget. Er du med?"

Magnus nikkede.

"Hvis jeg hører, du har ladet kæften gå igen, skal jeg personlig sørge for, at du fortryder det. Er det forstået?"

Magnus nikkede igen. Så bøjede han hovedet bagover for at forhindre blodet i at løbe ud af næsen. I stedet løb det ned i hans hals og smagte som jern.

"Jagtretten skal fornys ved årsskiftet," fortsatte Torbjörn. "Hvis der bliver en masse snak og ballade ... ja, det er fandeme ikke til at vide. Der er intet, der er sikkert her i verden. Du har din plads på holdet, men så har du også at styre dig."

De tav et stykke tid.

"Nå, men sørg lige for at komme noget is på det der," sagde Torbjörn til sidst.

Så gik han også.

Ude på trappen sad Lars-Gunnar Vinsa med hovedet i hænderne.

"Vi er skredet," sagde Torbjörn Ylitalo.

"For helvede da," sagde Lars-Gunnar Vinsa. "Men min far slog jo min mor, ved du nok, så jeg går helt amok ... Jeg burde have slået ham ihjel, min far altså. Da jeg var færdig på politiskolen og flyttede tilbage hertil, prøvede jeg faktisk at få hende til at lade sig skille fra ham, men dengang i tresserne var man jo nødt til at tale med præsten først, og den der satan overtalte hende til at blive hos stodderen."

TorbjörnYlitalo så ud over den tilgroede eng, der grænsede op til Magnus Lindmarks gårdsplads.

"Kom nu," sagde han.

Lars-GunnarVinsa kom med besvær på benene.

Han tænkte på den der præst. Hans blanke, hårløse isse. Halsen som ringe af medisterpølse. Føj for helvede. Hans mor havde siddet der i sin søndagsfrakke og med håndtasken i skødet. Lars-Gunnar var gået med og sad ved siden af. Præsten havde smilet skævt, som om det var en skide vittighed. "Sådan en gammel kone," havde præsten sagt til hende. Hun var lige fyldt halvtreds og skulle leve i mere end tredive år endnu. "Burde De ikke hellere forsone Dem med Deres mand?" Bagefter havde hun været meget stille. "Nu er det klaret," havde Lars-Gunnar sagt. "Nu har du snakket med præsten, så nu kan du lade dig skille fra ham." Men hans mor havde rystet på hovedet. "Det er lettere nu, hvor I børn er flyttet hjemmefra," havde hun svaret. "Hvordan skulle han klare sig?"

Magnus Lindmark så de to mænd forsvinde ned ad vejen. Han åbnede fryseren og rodede i indholdet. Gravede en plasticpose med frossent hakkekød frem, lagde sig på sofaen i dagligstuen med en ny øl og det frosne kød ind mod næsen og tændte for fjernsynet. De viste en eller anden dokumentarfilm om dværge, skide stakler.

REBECKA MARTINSSON KØBER en af Mimmis ud af huset-fær-
digretter. Hun er på vej ned til Kurravaara. Måske bliver hun
der i nat. Sammen med Nalle føltes det helt fint at være der,
men nu skal hun prøve at være der alene. Hun vil gå i sauna
og tage en dukkert i elven bagefter. Hun ved, hvordan det vil
føles. Koldt vand, skarpe sten under fødderne. Den tunge
vejrtrækning, lige når man har kastet sig ud i det, de hurtige
svømmetag udad. Og den uforklarlige følelse af at være ét med
alle sine aldre. Hun har taget en dukkert der, svømmet der,
som seksårig, tiårig, trettenårig – helt til hun flyttede fra byen.
Det er de samme store sten, den samme bred. Samme kølige
efterårsluft, der strømmer som en elv af luft oven over elven af
vand. Det er som en russisk dukke, der endelig har fået samlet
alle dele og kan skrue overdel og underdel sammen i forvisning
om, at selv den mindste lille figur er trygt forvaret indenfor.

Bagefter vil hun sidde alene i køkkenet og spise aftensmad og
se fjernsyn. Hun kan lade radioen være tændt, mens hun vasker
op. Måske kommer Sivving over, når han ser, at der er lys.

"Så du var ude på eventyr med Nalle i dag?"

Det er Micke, der spørger, kroejeren. Han har rare øjne. De
passer ikke rigtigt sammen med hans svulmende, tatoverede
arme, skægget og ringen i øret.

"Ja," svarer hun.

"Alle tiders. Mildred og han var ofte på tur sammen."

"Ja," siger hun.

Jeg har gjort noget for hende, tænker hun.

Nu er Mimmi kommet ud med Rebeckas foliebakke med
mad.

"I morgen aften," siger Micke, "kunne du så tænke dig at

give en hånd med her? Det er lørdag, alle har afsluttet deres ferie, skolerne er begyndt, så her bliver stuvende fuldt. En halvtredser i timen, mellem otte og et, plus drikkepenge."

Rebecka ser målløs på ham.

"Ja da," siger hun og skruer ned for sit fjogede smil. "Hvorfor ikke?"

Så kører hun. Føler sig som et barn, der er ude på narrestreger.

Gule Ben

NOVEMBER. Dagen gryr langsomt med et gråt lys. Det har sneet om natten, og der daler stadigvæk dunlette snefnug ned i den tavse skov. Et sted i det fjerne høres en ravns skrig.

Ulveflokken sover i en lille fordybning og er helt tilsneede. End ikke ørerne stikker op. Alle hvalpene på nær én har overlevet sommeren, så nu er der elleve medlemmer i flokken.

Gule Ben rejser sig og ryster sneen af sig. Vejrer. Sneen har lagt sig som et tæppe over alle gamle duftspor. Vasket luften og jorden ren. Hun skærper sine sanser. Det skarpe øje. Det årvågne øre. Og dér. Hun hører lyden af en elg, der rejser sig fra sit natteleje og ryster sneen af kroppen. Den befinder sig en kilometer væk. Sulten giver sig til kende som et smertende hul i hendes mave. Hun vækker de andre og gør tegn. De er mange nu og kan jage så stort et bytte.

Elgen er farligt vildt. Den har stærke bagben og skarpe klove. Den kan med lethed sparke hendes kæbe af led, som var den en kvist. Men Gule Ben er en dygtig jæger. Og modig.

Flokken bevæger sig i retning af elgen i et roligt tempo. Inden længe har de fået færten. Med en irriteret, lydløs bjæffen og små nap får hvalpene, der nu er syv måneder gamle, besked på at holde sig bag resten af flokken. De er allerede begyndt at fange småvildt, men denne jagt får de kun lov at være tilskuere til. De ved, der er noget stort i anmarch, og dirrer af indestængt ophidselse. De ældre sparer på kræfterne. Det er kun de nu og da løftede snuder, der vidner om, at der ikke er tale om et almindeligt opbrud, men om indledningen til en krævende jagt. Der er større sandsynlighed for, at den mislykkes, end at den lykkes, men der er noget beslutsomt over Gule Bens skridt. Hun er sulten. Og nu arbejder hun hele tiden hårdt for flokken. Tør ikke som tidligere forlade den for at strejfe alene omkring. Hun fornemmer, at hun er ved at blive udstødt af fællesskabet. En skønne dag får hun måske ikke lov til at vende tilbage til dem. Hendes halvsøster, fører-hunnen, holder hende i meget kort snor. Gule Ben nærmer sig altid førerparret med bøjede bagben og krummet ryg for at vise dem sin underkastelse. Rumpen slæber hen ad jorden. Hun kryber og slikker deres mundvige. Hun er flokkens dyg-tigste jæger, men det hjælper ikke længere. De klarer sig uden hende, og alle er på en eller anden måde klar over, at hendes dage i flokken er ved at være talt.

Rent fysisk er det Gule Ben, der er overlegen. Hun er hurtig og langbenet. Den største hun i flokken. Men hun er ikke nogen ledertype. Kan godt lide at strejfe om på egen hånd. Bryder sig ikke om ballade og afleder gerne kiv og strid ved at gøre sig til og opfordre til leg i stedet. Hendes halvsøster, derimod, rejser sig efter søvnen og strækker sig, mens hun ser sig omkring med et benhårdt spørgsmål i blikket: "Nå? Er der nogen, der vil i klammeri med mig i dag?" Hun er kompromisløs og frygtløs. Man tilpasser sig eller skrider, det vil hendes unger snart få lært. Hun ville ikke afholde sig fra at dræbe, hvis der opstod stridigheder. Så længe hun er den ene af førerulvene, gør riva-liserende flokke klogest i at holde sig fra deres revir. Hendes rastløshed får hele flokken på poterne for at jage eller bryde op og udvide deres territorium.

Nu har elgen fået færten af flokken. Det er en ungtyr. De hører grene knække, da den farer af sted gennem skoven. Gule Ben sætter farten op. Nysneen er ikke ret dyb, og der er stor risiko for, at det lykkes elgen at løbe fra dem. Gule Ben skil-ler sig ud fra flokken og løber i en halvcirkel for at afskære elgen vejen.

Efter to kilometer indhenter flokken den. Gule Ben har fået

den til at standse op, gør små udfald, men holder sig på afstand af gevir og klove. De andre grupperer sig rundt om det store dyr. Tyren tramper rundt, parat til at forsvare sig mod den første, der tør gå til angreb. Det bliver en af hannerne. Han bider sig fast i elgens bagben. Elgen får revet sig løs. Der er et stort sår, muskler og sener er flået op. Men ulven trækker sig ikke væk tilstrækkelig hurtigt, og elgen sparker ham omkuld, så han ruller bagover. Da han kommer på benene igen, halter han lidt. To ribben er brækket. De andre ulve rykker lidt baglæns, og elgen bryder fri af deres omringning. Blødende fra bagbenet forsvinder den i vildnisset.

Den har for mange kræfter tilbage. Det er bedst at lade den forbløde og løbe sig træt. Ulvene sætter efter deres bytte, denne gang i trav. Det har ingen hast. De vil snart indhente det store dyr igen. Den sparkede ulv halter efter i deres spor. I den nærmeste tid vil han være helt afhængig af de andres succes med jagten for at overleve. Bliver udbyttet for lille, vil der ikke være andet end knogler tilbage til ham, når det er hans tur til at æde. Hvis de skal tilbagelægge for store afstande under jagten, vil han ikke være i stand til at følge med. Når sneen bliver dyb, vil det være smertefuldt at komme frem.

Efter fem kilometer angriber ulveflokken igen. Nu er det Gule Ben, der gør det grove arbejde. Hun lægger sig i spidsen, og afstanden mellem flokken og elgen mindskes hurtigt. De andre følger så tæt efter hende, at hun kan mærke deres hoveder mod sine bagben. Der eksisterer ikke andet end det store dyr. Hans blod i hendes næsebor. Hun indhenter ham og hager sig fast i tyrens højre bagben. Det er det farligste øjeblik, hun mister ikke grebet, og sekundet efter bider en ulv sig fast i det venstre bagben. En anden overtager lynhurtigt Gule Bens greb, da hun slipper. Hun kaster sig hurtigt frem og sætter tænderne i elgens strube. Elgen falder på knæ i sneen. Gule Ben trækker i dens hals. Det store dyr forsøger at opbyde kræfter nok til at rejse sig. Løfter hovedet op mod himlen. Førerhannen bider sig fast i elgens mule og trækker dens hoved ned mod jorden. Gule Ben får atter fat i halsen og flår struben op.

Livet rinder hurtigt ud af elgen. Sneen farves rød. Der gøres tegn til hvalpene, at der er fri bane. De kommer stormende og kaster sig over det døende dyr. Får lov til at dele sejrens sødme, rusker i byttets ben og mule. De ældre ulve flænser tyren op med deres kraftige kæber. Kroppen damper i morgenkulden.

I træerne ovenfor samles sorte fugle.

Lørdag den 9. september

ANNA-MARIA MELLA kiggede ud ad køkkenvinduet. Nabo-
konen var ved at vaske sålbænkene uden på huset. Igen! Det
gjorde hun en gang om ugen. Anna-Maria havde aldrig været
inde hos dem, men hun kunne forestille sig, at der var pinligt
rent og ryddeligt og helt igennem nydeligt.

Naboernes arbejde med huset og grunden. Den evinde-
lige kryben rundt på knæene i jagten på mælkebøtter. Den
omhyggelige snerydning og de perfekt formede snebunker.
Vinduespudsningen. Udskiftningen af gardiner. Nogle gange
fyldte alt dette Anna-Maria med en urimelig irritation. Andre
gange med medlidenhed. Og nu med en slags misundelse.
Det ville være fantastisk, hvis man engang kunne få gjort rent
i hele huset.

"Nu vasker hun sålbænkene igen," sagde hun til Robert.

Robert brummede et eller andet inde bag sportssektionen
og kaffekruset. Gustav sad foran grydeskabet og hev alting
ud på gulvet.

Anna-Maria mærkede en langsom bølge af ulyst strømme
igennem sig. De skulle i gang med lørdagsrengøringen, men
det var hende, der måtte tage initiativet. Smøge ærmerne op
og få de andre sat i sving. Marcus overnattede hos Hanna. Den
skulker! Hun burde selvfølgelig være glad for, at han havde
både kæreste og kammerater. Det værste mareridt var jo, at
ungerne skulle afvige fra resten og blive holdt udenfor. Men
hans værelse!

"I dag må du altså sige til Marcus, at han skal rydde op på

sit værelse," sagde hun til Robert. "Jeg orker simpelthen ikke at brokke mig mere."

"Hallo!" sagde hun lidt efter. "Eksisterer jeg overhovedet?"

Robert så op fra avisen.

"Kan du ikke bare svare? Så man ved, om du hører efter!"

"Ja, jeg skal nok sige det til ham," sagde Robert. "Hvorfor lyder du sådan?"

Anna-Maria tog sig sammen.

"Undskyld," sagde hun. "Det er bare ... Altså Marcus' forbandede værelse, det gør mig bange. Det er lige før, jeg tror, det er farligt at gå derind. Jeg har set narkobuler, der har lignet udklip fra *Bo Bedre* sammenlignet med det her."

Robert nikkede alvorligt.

"Talende, lodne æbleskrog ..." sagde han.

"De skræmmer mig!"

"... danser svimle rundt efter at have sniffet til en gærende bananskræl. Vi må købe nogle hamsterbure til vores nye venner."

Det gælder om at smede, mens ...

"Hvis du tager køkkenet, så begynder jeg deroppe," foreslog Anna-Maria.

Det ene var ikke værre end det andet. Førstesalen var totalt kaos. Gulvet i hendes og Roberts soveværelse flød med snavsetøj og halvfulde plasticposer og sportstasker, der endnu ikke var blevet tømt efter deres bilferie. Vindueskarmene var dækket af døde insekter og visne blade fra potteplanterne. Toilettet var møgbeskidt. Og børnenes værelser ...

Anna-Maria sukkede. Det med at sortere og rydde op var ikke Roberts stærke side. Det ville tage ham en evighed. Så var det bedre at sætte ham til at rense komfuret, tage opvasken og støvsuge nedenunder.

Hvor er det altså forbandet ærgerligt, tænkte hun. De havde besluttet tusind gange, at de skulle gøre rent torsdag aften i stedet. Så ville der være rent og pænt, når det blev fredag eftermiddag, og weekenden stod for døren. Og så kunne man spise noget lækkert om fredagen, og weekenden ville virke længere, og lørdagen kunne bruges til noget sjovere, og alle ville være sammen og ovenud lykkelige i det rene og ryddelige hus.

Men det endte altid sådan her. Om torsdagen var man helt færdig, at gøre rent kom overhovedet ikke på tale. Om fredagen lukkede man øjnene for rodet, lejede en film, som hun altid faldt i søvn til, og så gik lørdagen med at gøre rent, og den halve weekend var ødelagt. Sommetider blev det først om søndagen, og da startede rengøringen som regel med, at hun fik et hysterisk anfald.

Og så alle de ting, der aldrig blev gjort. Tøjdyngerne i vaskekælderen, hun nåede aldrig i bund, det var umuligt. Alle de uhumske skabe. Sidst hun havde stukket hovedet ind i Marcus' klædeskab – hun havde hjulpet ham med at lede efter et eller andet – havde hun løftet stakken med uldne bluser og andet bras, og så havde et aflangt lille kryb pisket af sted og var forsvundet ned i de dybere geologiske lag. Hun ville ikke tænke på det. Hvornår havde hun sidst skuret badekarret? Og så alle de forbandede køkkenskuffer fulde af ragelse. Hvordan fik alle andre tid? Hvordan orkede de?

Hendes tjenestetelefon spillede sin lille melodi ude i entreen. Et Stockholmsnummer, hun ikke genkendte, viste sig på displayet.

Det var en mand, der præsenterede sig som Christer Elsner, professor i religionshistorie. Det drejede sig om det symbol, politiet i Kiruna havde ønsket en forklaring på.

"Ja ..." sagde Anna-Maria.

"Jeg har desværre ikke kunnet finde det symbol. Det ligner det alkymiske tegn for prøve eller test, men den der krog, der fortsætter ned gennem halvcirklen, er en afvigelse. Halvcirklen står jo ofte for det ufuldkomne eller sommetider det menneskelige."

"Så symbolet eksisterer ikke?" spurgte Anna-Maria skuffet.

"Åh, nu kommer vi ind på de svære spørgsmål," sagde professoren. "Hvad eksisterer? Hvad eksisterer ikke? Eksisterer Anders And?"

"Nej," sagde Anna-Maria. "Han eksisterer jo kun i fantasien."

"I dit hoved?"

"Ja. Og i andres, men ikke i virkeligheden."

"Hmm. Og hvad så med kærligheden?"

Anna-Maria kom med et lille overrasket latterudbrud. Det føltes, som om noget rart strømmede igennem hende. Hun blev oplivet over for en gangs skyld at tænke en ny tanke.

"Den var straks sværere," sagde hun.

"Jeg har ikke kunnet finde symbolet, men jeg leder jo i historien. Symboler opstår jo på et eller andet tidspunkt. Det kan være nyt. Der findes mange symboler inden for visse musikgenrer og også inden for litteraturen, for eksempel i fantasygenren."

"Hvem ved noget om den slags?"

"Musikskribenter. Hvad angår bøger, så har vi her i Stockholm en velassorteret boghandel for science fiction og fantasy og den slags. I Gamla Stan."

De afsluttede samtalen, og det ærgrede Anna-Maria. Hun ville gerne have snakket noget mere, men hvad skulle hun sige til ham? Man burde kunne forvandle sig til en hund, og så kunne han gå tur med hunden i skoven og snakke om sine seneste tanker og grublerier. Der var jo mange, der talte med deres hunde. Og Anna-Maria, der midlertidigt var forvandlet til en hund, kunne lytte uden at føle sig presset til at komme med intelligente svar.

Hun gik ud i køkkenet. Robert havde ikke rørt sig ud af flækken.

"Jeg er nødt til at smutte hen på arbejdet," sagde hun. "Jeg er tilbage om en times tid."

Hun overvejede kort, om hun skulle bede ham gå i gang

med rengøringen, men hun lod være. Han ville ikke gøre det alligevel. Og hvis hun havde bedt ham om det, ville hun blive skidetosset og skuffet, når hun kom tilbage og fandt ham siddende her ved bordet i præcis samme stilling, som da hun gik. Hun kyssede ham farvel. Det var bedre at være gode venner.

Ti minutter senere var Anna-Maria henne på sit kontor. Der lå en fax fra Kriminalteknisk Laboratorium til hende i bakken med indgående post. De havde fundet masser af fingeraftryk på trusselstegningen – Mildred Nilssons. De ville tjekke tegningen yderligere, og det kunne tage et par dage.

Hun ringede til nummeroplysningen og bad om telefonnummeret til en science fiction-boghandel, der skulle ligge et sted i Gamla Stan. Manden i den anden ende fandt det med det samme og stillede hende om til nummeret.

Hun fremførte sit ærinde for kvinden, der tog telefonen. Beskrev tegnet.

"Desværre," sagde boghandleren. "Jeg kan ikke umiddelbart komme i tanker om noget, men fax et billede, så skal jeg spørge nogle af mine kunder."

Anna-Maria lovede at gøre det, takkede for hjælpen og lagde på.

Næppe havde hun lagt røret, før telefonen ringede. Det var Sven-Erik Stålnacke.

"Du bliver nødt til at komme," sagde han. "Det er ham der præsten, Stefan Wikström."

"Hvad er der med ham?"

"Han er forsvundet."

KRISTIN WIKSTRÖM STOD i præstegårdskøkkenet i Jukkasjärvi og hulkede voldsomt.

"Her!" skreg hun til Sven-Erik Stålnacke. "Her er Stefans pas. Hvordan kan I overhovedet spørge? Han er ikke rejst sin vej, siger jeg jo. Skulle han forlade sin familie? Han, der er det fineste ... Jeg siger jo, at der er sket ham noget."

Hun smed passet på gulvet.

"Jeg forstår dig godt," sagde Sven-Erik, "men vi er nødt til at undersøge det fra en ende af. Kan du ikke sætte dig ned?"

Det var, som om hun ikke hørte ham. Hun ravede fortvivlet rundt i køkkenet, stødte ind i møblerne og slog sig. På slagbænken sad to drenge på fem og ti. De byggede noget med Legoklodser på en grøn plade og virkede ikke specielt bekymrede over moderens fortvivlelse eller Sven-Eriks og Anna-Marias tilstedeværelse.

Børn, tænkte Anna-Maria. De kan kapere alt.

Pludselig føltes hendes og Roberts problemer så små og ubetydelige.

Og hvad så, hvis jeg gør mere rent end ham? tænkte hun.

"Hvordan skal det gå?" råbte Kristin. "Hvordan skal jeg klare mig?"

"Er du nu også sikker på, han ikke har været hjemme i nat?" spurgte Sven-Erik.

"Han har ikke ligget i sengen," jamrede hun. "Jeg skifter altid sengetøj om fredagen, og hans side er urørt."

"Han kom måske sent hjem og sov på sofaen?" sagde Sven-Erik prøvende.

"Vi er gift! Hvorfor skulle han ikke sove inde hos mig?"

Sven-Erik Stålnacke var kørt ned til Jukkasjärvi præstegård

for at spørge Stefan Wikström om den udlandsrejse, familien Wikström havde foretaget på fondens regning. Han var blevet mødt af præstens grædende kone. "Jeg skulle lige til at ringe til politiet," havde hun sagt.

Det første, han havde gjort, var at låne nøglen til kirken og løbe derover. Der havde ikke hængt en død præst fra orgelgalleriet. Sven-Erik havde næsten været nødt til at sætte sig på kirkebænken, så lettet var han blevet. Så havde han ringet til stationen og beordret nogle betjente ud for at tjekke de øvrige kirker i området. Derefter havde han ringet til Anna-Maria.

"Vi må have din mands bankkontonumre, har du dem?"

"Men hvad går der af jer? Hører I slet ikke efter? I må ud og lede efter ham. Der er jo sket ham noget! Han ville aldrig ... Han ligger måske ..."

Hun tav og stirrede på sine sønner. Så stormede hun ud på gårdspladsen. Sven-Erik fulgte efter hende, og Anna-Maria greb chancen for at kigge sig om.

Hun åbnede hurtigt køkkenskufferne. Ingen tegnebog. Ingen af jakkerne i entreen havde en tegnebog i lommen. Hun gik op på første sal. Det forholdt sig, som Kristin Wikström havde sagt. Ingen havde sovet i den anden halvdel af dobbeltsengen.

Fra soveværelset kunne man se den bådebro, hvor Mildred Nilsson havde haft sin robåd. Det sted, hvor hun blev myrdet.

Og det var jo lyst, tænkte Anna-Maria. Natten før midsommeraften.

Intet armbåndsur på hans sengebord.

Han havde åbenbart ur og tegnebog med sig.

Hun gik ned igen. Et af rummene så ud til at være Stefans arbejdsværelse. Hun trak i skrivebordsskufferne. De var låst. Efter en kort søgen fandt hun nøglen bag nogle bøger i reolen. Hun åbnede skufferne. Der var ikke ret meget. Nogle breve, som hun skimmede. Ingen af dem så ud til at have noget at gøre med ham og Mildred. Ingen fra en eventuel elskerinde.

Hun kastede et blik ud ad vinduet. Sven-Erik og Kristin stod ude på gårdspladsen og snakkede. Fint.

Under normale omstændigheder ville de have ventet nogle dage. Som regel drejede det sig jo om frivillig forsvinden.

En seriemorder, tænkte Anna-Maria. Hvis han bliver fundet død, så er det dét, vi har med at gøre. Så har vi dét på det rene.

Ude på gårdspladsen var Kristin Wikström sunket sammen i en havesofa. Sven-Erik lirkede oplysninger om alt muligt ud af hende. Hvem de kunne ringe til og bede tage sig af børnene. Navne på Stefan Wikströms nære venner og familie, måske vidste nogle af dem mere end hans kone. Havde de noget sommerhus? Ejede familien kun den bil, der stod på gårdspladsen?

"Nej," snøftede Kristin. "Hans bil er væk."

Tommy Rantakyrö ringede og rapporterede, at de havde tjekket samtlige kirker og kapeller. Ingen død præst.

En stor kat kom spadserende selvsikkert ned ad grusgangen mod huset. Han værdigede knap nok den fremmede mand et blik. Han skiftede ikke kurs eller smuttede ind i det høje græs. Gangen blev muligvis lidt mere snigende, og halen blev sænket. Den var mørkegrå. Pelsen var lang og blød, forekom næsten dunet. Sven-Erik syntes, den så upålidelig ud. Fladt hoved, gule øjne. Hvis sådan en stor satan havde kastet sig over Manne, ville Manne ikke have haft en chance.

Sven-Erik kunne se for sig, hvordan Manne lå og gjorde sig lillebitte, som katte har for vane, et eller andet sted, måske i en grøft eller under et hus. Ilde tilredt og afkræftet. Til sidst et let bytte for en ræv eller en jagthund. Det ville ikke være nogen sag at brække ryggen på ham, haps.

Anna-Marias hånd strejfede hans skulder, og de trak sig lidt væk. Kristin Wikström stirrede lige ud i luften. Hun holdt højre hånd knyttet foran ansigtet, bed i pegefingeren.

"Hvad synes du?" spurgte Anna-Maria.

"Vi efterlyser ham," sagde Sven-Erik og kiggede hen på Kristin Wikström. "Jeg har en rigtig ubehagelig fornemmelse.

Foreløbig kun indenrigs. Også toldvæsenet. Vi tjekker flyaf-
gange og hans konti og mobiltelefon. Og vi må hellere snakke
med hans kolleger og venner og familie."

Anna-Maria nikkede.

"Overarbejde."

"Ja, men hvad fanden vil anklageren ikke sige? Når pressen
får nys om det her, så ..."

Sven-Erik slog ud med armene i en hjælpeløs gestus.

"Vi må også spørge hende om brevene," sagde Anna-Maria.
"Dem, hun skrev til Mildred."

"Men ikke nu," sagde Sven-Erik bestemt. "Først når nogen
har været og hentet drengene."

MICKE KIVINIEMI KIGGEDE UD over lokalet fra sin strategiske placering bag bardisken. Konge i sit rige. I sit larmende og støjende rige, der lugtede af mados, cigaretrøg, øl og aftershave med en underliggende hørm af sved. Han tappede øl på samlebånd, indimellem et glas rødvin eller sågar hvidvin eller en whisky. Mimmi sprang rundt som en cirkusrotte mellem bordene og vrissede kærligt ad gæsterne, mens hun svingede med sin klud og tog imod bestillinger. Han hørte hendes "kyllingegryde eller lasagne, det er det eneste, vi har".

Fjernsynet i hjørnet var tændt, og bag baren var musikanlægget i gang. Rebecka Martinsson svedte ude i køkkenet. Mad ind i og ud af mikroovnen. Hentede bakker med snavsede glas i baren og kom ind med rene. Det var som en dejlig film. Alle ubehageligheder syntes langt borte: skattevæsenet, banken. Mandag morgener, hvor han vågnede med en følelse af at være dødtræt helt ind i knoglerne og lå og hørte rotterne rumstere i skraldespandene.

Hvis blot Mimmi havde været en lille smule jaloux over, at han havde givet Rebecka Martinsson arbejde, ville alting have været helt perfekt. Men hun havde bare syntes, det var fint. Han havde afstået fra at sige noget om, at gutterne havde fået noget nyt at glo på, nu da Rebecka var her. Mimmi ville ikke have sagt noget, men han havde på fornemmelsen, at hun havde en lille æske gemt et sted. Og i den lille æske samlede hun hans fejltagelser og forseelser, og en dag, når æsken var fyldt op, ville hun pakke sine ting og rejse. Uden forvarsel. Det var kun piger, der interesserede sig for en, som kom med et forvarsel.

Men nu, lige nu var hans rige fuldt af liv som en myretue om foråret.

Det her er et arbejde, jeg kan klare, tænkte Rebecka Martinsson og spulede tallerkenerne, før bakken røg ind i opvaskemaskinen.

Man behøvede ikke tænke eller koncentrere sig. Blot bære, knokle på og skynde sig. Højt tempo hele tiden. Hun var ubevidst om, at hun smilede over hele ansigtet, da hun slæbte en bakke med rene glas ind til Micke.

"Går det godt?" spurgte han og smilede tilbage.

Hun mærkede telefonen snurre i forklædelommen og tog den op. Det kunne umuligt være Maria Taube. Hun arbejdede ganske vist uafbrudt, men ikke en lørdag aften. Da var hun i byen og blev budt på drinks.

Måns' nummer på displayet. Hendes hjerte sprang et slag over.

"Rebecka," råbte hun ind i telefonen og pressede hånden mod det andet øre for at kunne høre.

"Måns," råbte Måns Wenngren tilbage.

"Vent lidt," råbte hun. "Lige et øjeblik. Her er sådan en larm."

Hun styrtede gennem krostuen, holdt telefonen op, så Micke kunne se den, og holdt den anden hånds fingre i vejret, mens hun med læberne formede ordene "fem minutter". Micke nikkede godkendende, og hun smuttede ud på gårdspladsen. Den kølige luft udenfor fik hårene på armene til at rejse sig.

Nu kunne hun høre, at der også var en fandens larm i den anden ende. Måns var på værtshus. Så blev der mere stille.

"Så, nu kan jeg snakke," sagde hun.

"I lige måde. Hvor er du?" spurgte Måns.

"Uden for Mickes Bar & Køkken i Poikkijärvi. Det er en landsby uden for Kiruna. Hvor er du?"

"Uden for Brækspanden. Det er en lille landsbykro i udkanten af Stureplan."

Hun lo. Han lød glad. Ikke så forbandet afvisende. Han var formentlig fuld, men det ville hun blæse på. De havde ikke talt med hinanden siden den aften, hvor hun roede væk fra Lidö.

"Er du ude på druk?" spurgte han.

"Nej, jeg arbejder faktisk sort."

Nu bliver han skidetosset, tænkte Rebecka. Eller måske ikke. Hun tog chancen.

Og Måns lo højt.

"Javel. Med hvad?"

"Jeg har fået alle tiders job som opvasker," sagde hun med overspillet entusiasme. "Tjener en halvtredser i timen, så det bliver to hundrede halvtreds i aften. Og så har jeg også fået lov at beholde drikkepengene, men jeg ved snart ikke. Der er ikke så mange, der kommer ud i køkkenet for at stikke opvaskeren drikkepenge, så der er jeg nok blevet taget ved næsen."

Hun kunne høre Måns grine i den anden ende. Et prustende hø-hø, der afsluttedes med et næsten bedende åh nej, som hun vidste akkompagnerede hans latter, når han tørrede sig om øjnene.

"For fanden da, Martinsson," snøvlede han.

Mimmi stak hovedet ud ad døren og sendte Rebecka et blik, der betød krise.

"Du, jeg er nødt til at lægge på nu," sagde Rebecka. "Ellers trækker de mig i løn."

"Og du kommer til at skylde dem penge, kan jeg regne ud. Hvornår kommer du tilbage?"

"Det ved jeg ikke."

"Jeg må vist hellere komme og hente dig," sagde Måns. "Du er ikke tilregnelig."

Gør det, tænkte Rebecka.

Klokken halv tolv kom Lars-Gunnar Vinsa hen på kroen. Han havde ikke Nalle med. Blev stående inde i krostuen og så sig om. Det var som vind i græs. Alle blev påvirket af hans tilstedeværelse. Nogle hænder røg i vejret, nogle nik til hilsen, nogle samtaler, der langsomt gik i stå for siden at fortsætte. Nogle hoveder, der vendte sig om. Han blev registreret. Han lænede sig ind over bardisken og sagde til Micke:

"Hende Rebecka Martinsson, er hun skredet?"

"Næ," sagde Micke. "Hun arbejder faktisk her i aften."

Noget i Lars-Gunnars blik fik ham til at fortsætte:

"Det er en engangsforestilling. Vi har mange gæster i aften, og Mimmi har rigeligt at se til."

Lars-Gunnar langede sin bjørnearm ind over disken og trak Micke med sig hen mod køkkenet.

"Kom. Jeg vil snakke med hende, og jeg vil have, at du er med."

Mimmi og Micke nåede at veksle et blik, før Micke og Lars-Gunnar forsvandt gennem svingdørene og ud i køkkenet.

Hvad sker der nu? spurgte Mimmis øjne.

Aner det ikke, svarede Micke.

Vind i græsset igen.

Rebecka Martinsson stod i køkkenet og spulede opvask.

"Jaså, Rebecka Martinsson," sagde Lars-Gunnar. "Kom med mig og Micke ud bagved, så vi kan snakke lidt."

De gik ud ad bagdøren. Månen som fiskeskæl over den sorte elv. De dæmpede lyde inde fra krostuen. Det susede i fyrretræerne.

"Jeg synes, du skal fortælle Micke her, hvem du er," sagde Lars-Gunnar Vinsa roligt.

"Hvad vil du vide?" sagde Rebecka. "Jeg hedder Rebecka Martinsson."

"Hvad med at fortælle, hvad du laver her?"

Rebecka så på Lars-Gunnar. Hvis der var noget, hun havde lært i sit arbejde, så var det aldrig at begynde at plapre løs.

"Du ser ud til at have noget på hjerte," sagde hun. "Spyt ud."

"Du kommer herfra, ja, ikke lige herfra, men fra Kurravaara. Du arbejder som advokat, og det var dig, der slog de der tre prædikanter ihjel ude i Jiekajärvi for to år siden."

To prædikanter og en syg ung mand, tænkte hun.

Men hun rettede ham ikke. Forholdt sig tavs.

"Jeg troede, du var sekretær," sagde Micke.

"Du kan jo nok forstå, at vi undrer os lidt her i landsbyen," sagde Lars-Gunnar. "Hvorfor en advokat arbejder i køkkenet og sejler under falsk flag. Det, du tjener i aften, er vel, hvad du normalt bruger på en frokost inde i hovedstaden. Man spekulerer jo over, hvorfor du smigrer dig ind hos os ... snuser rundt. Egentlig er jeg faktisk ligeglad. For min skyld kan folk gøre, hvad der passer dem, men jeg syntes, Micke havde ret til at få det at vide. Og desuden ..."

Han slap hende med blikket og kiggede ud mod elven. Pustede luft ud. Der kom en tyngde over ham.

"... at du brugte Nalle. Han er ikke andet end en lille dreng i hovedet. Og du havde den frækhed at smigre dig ind her hos os ved hjælp af ham."

Nu dukkede Mimmi op i døråbningen. Micke sendte hende et blik, der fik hende til at komme ud til dem. Hun lukkede døren bag sig og sagde ikke noget.

"Jeg syntes, jeg genkendte navnet," fortsatte Lars-Gunnar. "Jeg er gammel politibetjent, skal du vide, så jeg kender udmærket til den der historie i Jiekajärvi. Men så faldt tiøren. Du myrdede de tre mennesker. I hvert fald Vesa Larsson. Det er meget muligt, at anklageren ikke mente, der var beviser nok til at rejse tiltale, men du skal vide, at for os politifolk betyder det ikke en pind. Ikke en skid. Halvfems procent af de sager, hvor man ved, hvem der er skyldig, ender med, at der ikke engang bliver rejst tiltale. Og du kan jo føle dig godt tilfreds. At slippe af sted med at begå mord, det er jo dygtigt klaret. Og jeg ved ikke, hvad du bestiller her. Om du fik smag for mere efter den der historie med Viktor Strandgård og leger privatdetektiv helt på egen hånd, eller om du måske arbejder for en eller anden avis. Det vil jeg skide på. Men nu er det i hvert fald slut med komediespillet."

Rebecka så på dem.

Jeg burde naturligvis påberåbe mig min uskyld, tænkte hun. Forsvare mig.

Og sige hvad? At hun havde fået andet at tænke på end at sy sten ind i jakkelommerne? At hun ikke kunne klare sit job som advokat længere? At hun hørte til ved denne elv? At hun reddede Sanna Strandgårds døtre fra døden?

Hun tog forklædet af og rakte det til Micke. Vendte sig om uden et ord. Hun gik ikke tilbage gennem krostuen. I stedet gik hun lige forbi hønsehuset, over landevejen og hen til sin hytte.

Løb ikke! formanede hun sig selv. Hun kunne mærke deres blikke i ryggen.

Ingen fulgte efter hende og krævede forklaringer. Hun smed sine ejendele ned i rejsetasken og toilettasken, kylede dem ind på bagsædet af den lejede bil og kørte derfra.

Hun græd ikke.

Er det egentlig ikke ligegyldigt? tænkte hun. De er helt og aldeles ubetydelige. Alle er ubetydelige. Ingen betyder noget.

Gule Ben

ISKOLD FEBRUAR. Dagene bliver længere, men kulden er som Guds hårde næve. Stadig ubevægelig. Solen er blot et billede på himlen, luften er som hårdt glas. Under et tykt, hvidt tæppe finder mus og lemminger deres stier. Klovdyrene gnaver sig gennem træernes isbark. De udmagres og venter på forårets komme.

Men fyrre graders kulde og snestorme, der trækker hele landskabet med sig i en langsom, hvid bølge af tilintetgørelse, generer ikke ulveflokken. Tværtimod. Dette er den bedste tid. Det bedste vejr. De holder picnic og muntrer sig ude i snefoget. Der er godt med føde. De har et stort revir og er dygtige jægere. Ingen varme plager dem. Ingen blodsugende insekter.

For Gule Ben er timeglasset løbet ud. Førerhunnens glitrende hjørnetænder fortæller, at tiden er ved at være inde. Snart. Snart. Nu. Gule Ben har forsøgt alt. Har krybende bønfaldet om at måtte blive. Denne februarmorgen er uret faldet i slag. Hun får ikke lov at nærme sig familien. Førerhunnen gør udfald. Hendes kæber klipper i luften.

Timerne går. Gule Ben begiver sig ikke af sted lige med det samme. Holder sig et stykke fra flokken. Håber på et tegn til, at hun får tilladelse til at vende tilbage. Men førerhunnen er ubøjelig. Kommer hele tiden på benene og jager hende væk.

En af hannerne, Gule Bens helbror, vender blikket bort. Hendes hoved vil bore snuden ned i hans pels, sove mod hans bug.

Ungulvene ser på Gule Ben med halerne sænket. Hendes gule ben vil strække ud i en jagt efter dem mellem de gamle graner, vil trille rundt i venskabeligt slagsmål, komme på benene igen og selv blive jagtet gennem sneen.

Og hvalpene, snart er de et år gamle, kry, dumdristige, stadig hvalpede. De forstår tilstrækkeligt af det, der skal ske, til at forholde sig rolige og på afstand. Piber usikkert. Hun vil lægge en såret hare for deres fødder og se dem sætte efter den i vild jagtglæde, hoppe hen over hinanden af lutter iver.

Hun gør et sidste forsøg. Tager et spørgende skridt fremad. Denne gang jager førerhunnen hende helt hen til skovbrynet. Ind under de gamle graners grå, nåleløse grene. Hun står derinde og betragter flokken og førerhunnen, der roligt vender tilbage til de andre.

Nu skal hun sove alene. Tidligere har hun hvilet til flokkens søvnlyde, deres bjæffen og spjæt, når de jager i drømme, gryntene, sukkene, prutterne. Nu skal hendes ører våge, mens hun selv skal drive af sted i en urolig slummer.

Nu skal fremmede lugte fylde hendes næsebor. Udhule mindet om de andre, hendes søstre og brødre, halvsøskende, halvfætre og halvkusiner, hvalpe og gamle.

Hun sætter af i et langsomt trav. Skridter ud i én retning, længes i en anden. Her har hun levet. Der skal hun overleve.

Søndag den 10. september

DET ER SØNDAG AFTEN. Rebecka Martinsson sidder på gulvet
i stuen i sin farmors hus i Kurravaara. Hun har fyret op i kami-
nen. Har en plaid om skuldrene og armene om knæene. Nu og
da rækker hun ud efter et brændestykke i trækassen fra Svenska
Sockerbolaget. Blikket er fæstet på ilden. Musklerne i krop-
pen er trætte. Om dagen har hun båret gulvtæpper, tæpper,
dyner, madrasser og puder udenfor. Har banket dem og ladet
dem hænge til luftning. Hun har skuret gulvet med brun sæbe
og pudset vinduer. Vasket alt porcelæn og gjort rent i køkken-
skabene. Kælderen har hun opgivet. Hun har haft vinduerne
stående på vid gab hele dagen og fået bugt med den indeluk-
kede, hengemte luft. Nu fyrer hun i både brændekomfuret og
kaminen for at fordrive den sidste rest af fugtighed. Men hun
har skam holdt hviledagen hellig. Tankerne har jo hvilet. Nu
hviler de i ilden. På urgammel vis.

Politiinspektør Sven-Erik Stålnacke sidder i sin dagligstue.
Fjernsynet er tændt, men lyden skruet ned for det tilfælde, at
en kat skulle mjave udenfor. Og det er lige meget med lyden,
han har set filmen før. Det er den, hvor Tom Hanks forelsker
sig i en havfrue.

Hele huset føles tomt uden katten. Han har gået langs med
vejgrøfterne og kaldt dæmpet. Nu føler han sig meget træt.
Ikke af at gå, men af hele tiden at anstrenge hørelsen. Af at
blive ved, selvom han ved, det ikke fører til noget.

Og ikke et livstegn fra den forsvundne præst. Allerede om

lørdagen var det sivet ud til begge eftermiddagsbladene. Midteropslag om forsvindingen. En kommentar fra et af medlemmerne af rigspolitiets gerningsmandsprofil-gruppe, men ikke fra den kvindelige psykiater, der havde hjulpet dem med en mulig profil. Den ene eftermiddagsavis havde støvet en gammel sag op fra halvfjerdserne, hvor en eller anden galning i Florida havde myrdet to vækkelsesprædikanter. Morderen var selv blevet slået ihjel af en medfange, da han gjorde rent på toiletterne, men under sit fængselsophold havde han pralet med at have begået flere andre mord, som han ikke var blevet sigtet for. Stort billede af Stefan Wikström. Ordene "præst", "far til fire børn" og "fortvivlet hustru" gik igen i billedteksten. Gudskelov ikke ét ord om muligt underslæb. Sven-Erik noterede sig også, at der intetsteds blev nævnt, at Stefan Wikström var modstander af kvindelige præster.

Der fandtes naturligvis ikke ressourcer til overvågning af præster og prædikanter i almindelighed. Kollegerne havde følt modet svigte, da en af aviserne skrev: "Politiet: Vi kan ikke beskytte dem!" *Expressen* gav gode råd til den, der følte sig truet: Omgiv dig med mennesker, lav om på dine vaner, gå en anden vej hjem fra arbejde, lås døren, parkér ikke ved siden af en skraldevogn.

Det var selvfølgelig en galning. En af den slags, der ville fortsætte, til heldet svigtede ham.

Sven-Erik tænker på Manne. Forsvinden var på en måde værre end døden. Man kunne ikke sørge, kun pines af uvisheden. Hovedet som en kloak fuld af uhyggelige gisninger om, hvad der kan være sket.

For pokker, Manne var trods alt kun en kat. Hvis det havde været hans datter. Den tanke er for stor, det er umuligt at gribe fat om den.

Sogne præst Bertil Stensson sidder i sofaen i dagligstuen. Et glas cognac står i vindueskarmen bag ham. Højre arm hviler på sofaryggen bag hans kones nakke. Med venstre hånd kærtegner han hendes bryst. Hun flytter ikke blikket fra fjernsynet, hvor de viser en gammel film med Tom Hanks, men mundvigene peger anerkendende opad. Han kærtegner et bryst og et ar. Han husker hendes bekymring for fire år siden, da de fjernede det. "Man ønsker at blive begæret, selvom man er fyldt tres," sagde hun. Men han er kommet til at elske arret mere end det bryst, der sad der før. Som en påmindelse om, at livet er kort. De skal flyde ud, som vand siver bort, de skal visne som græs ved vejen. Dette ar gengiver ting og sager deres rette proportioner. Hjælper ham med at bevare balancen mellem arbejde og fritid, pligt og kærlighed. Af og til har han tænkt, at han kunne have lyst til at prædike over arret, men det går selvfølgelig ikke. Desuden ville det på en uforklarlig måde føles som alt for nærgående. Arret ville miste sin kraft i hans liv, hvis han gav det luft og satte ord på det. Det er arret, der prædiker for Bertil. Han har ingen råderet over den prædiken og kan ikke holde den for andre.

Det var Mildred, han talte med dengang for fire år siden. Ikke Stefan. Ikke biskoppen, skønt de har været venner i mange herrens år. Det forekommer ham, at han græd. At Mildred var god til at lytte. At han følte, han kunne stole på hende.

Hun gjorde ham rasende, men nu da han sidder her med sin kones ar under venstre pegefinger, kan han ikke rigtig komme i tanker om, hvad der provokerede ham sådan. Det var jo ikke bare det, at hun var rødstrømpe, og at hun ikke rigtig havde nogen fornemmelse for, hvad der hørte ind under kirkens beføjelser.

Hun diskvalificerede ham som chef. Det havde irriteret ham. Spurgte aldrig om lov. Spurgte ham aldrig til råds. Havde meget svært ved at indordne sig.

Han farer næsten sammen ved sit eget ordvalg. Indordne sig – sådan en chef er han virkelig ikke. Han roser sig af at give sine ansatte frihed og medansvar. Men han er trods alt chef.

Nogle gange havde han været nødt til at slå det fast over for Mildred. Som ved den der famøse begravelse. Det var en mand, der havde meldt sig ud af kirken, men han havde overværet Mildreds gudstjenester, i årene inden han blev syg. Så døde han. Og havde ladet meddele, at han ville have Mildred til at forestå begravelsen, og hun havde forrettet en borgerlig begravelse. Han kunne selvfølgelig have set igennem fingre med det lille regelbrud, men han havde indberettet hende for domkapitlet, og hun havde måttet tage hen og tale med biskoppen. Det var da kun ret og rimeligt, mente han dengang. Hvorfor skulle man have regler, hvis de alligevel ikke blev fulgt?

Hun vendte tilbage til arbejdet og var præcis, som hun plejede. Nævnte ikke samtalen med biskoppen med ét ord. Var hverken ydmyg, sur eller forurettet. Det gav Bertil en snigende følelse af, at biskoppen måske havde holdt med hende. At biskoppen havde sagt noget i stil med, at han var nødt til at tale med hende og give hende en reprimande, da Bertil jo havde insisteret. At de stiltiende var blevet enige om at affærdige Bertil som nærtagende, usikker på sin lederrolle og måske oven i købet en smule jaloux. Fordi det ikke var ham, man havde bedt forestå begravelsen.

Det er ikke så ofte, mennesker for alvor ransager sig selv, men nu sidder han ved dette ar, som var det en skriftestol.

Det var sandt. Ja, han havde været en smule jaloux. Lidt vred over denne unuancerede kærlighed, hun blev mødt med hos så mange mennesker.

"Jeg savner hende," siger Bertil til sin kone.

Han savner hende og vil sørge over hende længe.

Hans kone spørger ikke, hvem han mener. Hun dropper filmen og skruer ned for lyden.

"Jeg var hende en dårlig støtte, mens hun arbejdede her," fortsætter han.

"Vist var du ej," siger hans kone. "Du gav hende frihed til at arbejde på sin egen måde. Det lykkedes dig at beholde både hende og Stefan i menigheden, og det var noget af en præstation."

De to besværlige præster.

Bertil ryster på hovedet.

"Jamen så støt hende nu," siger hans kone. "Hun har jo efterladt sig så meget. Før kunne hun klare det selv, men nu har hun måske mere brug for din støtte end nogensinde."

"Hvad mener du?" ler han. "De fleste kvinder i Magdalena opfatter mig som fjenden i egen person."

Hans kone smiler til ham.

"Så må du bare hjælpe og støtte uden at få hverken tak eller kærlighed til gengæld. Du kan få lidt kærlighed af mig i stedet."

"Vi skulle måske gå i seng," foreslår sognepræsten.

Ulven, tænker han, da han sætter sig og tisser. Det ville Mildred have ønsket. At han virkelig bruger fondens penge til at betale for overvågning til vinter.

Så snart han har tænkt den tanke, er det, som om badeværelset nærmest bliver elektrificeret. Hans kone ligger allerede i sengen, og nu kalder hun på ham.

"Jeg kommer straks," svarer han. Tør næsten ikke hæve stemmen. Nærværet er så tydeligt og dog så flygtigt.

Hvad vil du? spørger han, og Mildred kommer nærmere.

Hvor er det dog typisk for hende. Netop nu, hvor han sidder på wc med bukserne nede.

Jeg er i kirken hele dagen, siger han. Kunne du ikke have opsøgt mig der?

Og i samme sekund ved han det. Pengene i fonden er ikke nok. Men hvis nu jagtretten genforhandles? Enten ved at jagtforeningen begynder at betale markedsværdien, eller ved at man skaffer en ny forpagter. Og lader pengene tilflyde fonden.

Han kan mærke, hvordan hun smiler. Hun ved, hvad hun ønsker af ham. Han vil få hele mandeklubben imod sig. Der vil blive en farlig ballade og læserbreve i avisen.

Men hun ved, han kan gøre det. Han kan få menighedsrådet over på sin side.

Jeg gør det, siger han til hende. Ikke fordi jeg mener, det er det rigtige. For din skyld.

Lisa Stöckel har lavet et bål ude på gårdspladsen. Hundene er lukket inde og ligger og sover i deres kurve.

Forbandede banditter, tænker hun kærligt.

Hun har fire stykker nu. Det meste af sit liv har hun haft fem.

Der er Bruno, en korthåret brun hønsehund. Alle kalder ham Tyskeren. Det er hans beherskede adfærd og en anelse militæriske stramhed, der har givet ham kælenavnet. Når Lisa tager rygsækken frem, og hundene er klar over, at de skal ud på langtur, plejer der at blive et helvedes liv i entreen. De farer rundt som i en karrusel. Gør, danser, bjæffer, piber og udstøder små hyl af lykke. Puffer hende næsten omkuld, tramper rundt i oppakningen. Ser på hende med øjne, der siger: For vi skal da med, ikke? Det er da helt sikkert, at du ikke tager af sted uden os?

Alle på nær Tyskeren. Han sidder tilsyneladende helt uberørt som en statue midt på gulvet. Men hvis man bøjer sig ned og kigger ordentligt efter, kan man se en skælven under hundehuden. En næsten umærkelig sitren af tilbageholdt ophidselse. Og hvis det til sidst bliver for meget for ham, hvis han må have afløb for sine følelser for ikke at revne, så sker det, at han stamper med forpoten, mens han sidder der, to gange. Så ved man, han er helt optændt.

Så er der selvfølgelig Majken, hendes gamle labradortæve. Men hende er der ikke meget gang i for tiden. Grå omkring snuden og træt. Majken har opfostret dem alle sammen. Hun er en rigtig hvalpeelsker. Nyankomne i flokken har fået lov at sove ved hendes mave, hun har været deres nye mor. Og hvis hun ikke havde nogen unghund i flokken at tage sig af, blev hun skindrægtig. Indtil for kun to år siden kunne Lisa komme hjem og finde sin seng kradset op og i et syndigt rod, og Majken plejede at ligge mellem dyner og puder sammen med sine små surrogathvalpe: en tennisbold, en sko eller som engang, hvor Majken havde været heldig, et lille pelsdyr, som hun havde fundet i skoven et sted.

Og så er der Karelin, hendes store sorte krydsning mellem en schæfer og en newfoundlænder. Han var kommet til Lisa som treårig. Det var dyrlægen i Kiruna, der havde ringet og spurgt, om hun ikke ville have den. Hunden skulle aflives, men ejeren havde sagt, at han ville foretrække, den fik et nyt hjem. Den hørte bare ikke hjemme i byen. "Det tror jeg gerne," havde dyrlægen sagt til Lisa. "Du skulle have set, hvordan hunden trak af sted med sin herre."

Og så Bræk-Morris, hendes norske springerspaniel. Nedstammer fra en slægt af præmierede jagthunde, men disse talenter er helt spildt herude med resten af røverbanden og Lisa, der ikke engang går på jagt. Han kan godt lide at sidde ved siden af hende og blive kløet på brystet, plejer at lægge poten tungt i hendes skød for at minde hende om, at han er der. En venlig og blid herre. Silkepels og krøller ved ørerne som en fin frøken, døjer hårdt med at køre i bil.

Men nu ligger de derinde alle fire. Lisa smider alt muligt på bålet. Madrasser og gamle hundetæpper, bøger og en del møbler. Papirer. Flere papirer. Breve. Gamle fotografier. Det bliver et gedigent bål. Lisas blik fortaber sig i flammerne.

Til sidst blev det en pine at elske Mildred. At skjule, at tie, at vente. De skændtes. Det var Norén-dramaer af værste skuffe.

Nu skændes de i Lisas køkken. Mildred lukker vinduerne.

Det er det vigtigste, tænker Lisa. At ingen hører noget.

Lisa hæver stemmen. Alle ordene er de samme. Hun væmmes ved dem, allerede inden de er udtalt. Om Mildred, der ikke elsker hende. Om at hun er træt af at være hendes tidsfordriv. Træt af hykleriet.

Lisa står midt ude på gulvet. Hun har lyst til at kaste med ting. Hendes fortvivlelse gør hende skinger og grov. Hun har aldrig været sådan før.

Og Mildred ligesom kryber sammen. Sidder på slagbænken med Bræk-Morris tæt ind til sig. Bræk-Morris kryber også sammen. Mildred klapper hunden, som om hun trøstede et barn.

"Hvad med menigheden?" spørger hun. "Og Magdalena? Hvis vi levede åbent sammen, ville jeg være færdig. Det ville være det endegyldige bevis på, at jeg ikke er andet end en bitter mandehader. Jeg kan ikke udfordre folks tolerance ud over deres evner."

"Og så vil du hellere ofre mig?"

"Nej, hvorfor skulle jeg det? Jeg er lykkelig. Jeg elsker dig, det har jeg sagt tusinder af gange, men du vil ligesom have beviser."

"Det handler ikke om beviser, det handler om at kunne trække vejret frit. Ægte kærlighed vil ses, men det er det, der er problemet. Du vil ikke, du elsker mig ikke. Magdalena er bare din forbandede undskyldning for at lægge afstand. Erik finder sig muligvis i det, men jeg gør ikke. Du må skaffe dig en anden elskerinde, der er sikkert mange, der har lyst til dig."

Nu begynder Mildred at græde. Munden prøver at kæmpe imod. Hun skjuler ansigtet i hundens pels. Tørrer tårerne med bagsiden af hånden.

Det er sådan, Lisa vil se hende. Måske har hun allermest lyst til at slå hende. Hun længes efter hendes tårer og hendes smerte, men hun er ikke tilfreds. Hendes egen smerte er stadig sulten.

"Du kan godt droppe flæberiet," siger hun hårdt. "Det rører mig ikke."

"Jeg skal nok holde op," lover Mildred som et barn, stemmen knækker over, hånden fortsætter med at tørre tårerne bort.

Og Lisa, der altid har anklaget sig selv for sin manglende evne til at vise kærlighed, afsiger dommen:

"Du har ondt af dig selv, det er det hele. Jeg tror, der er noget galt med dig. Der mangler noget derinde. Du siger, du elsker, men hvem kan åbne et andet menneske og kigge indenfor og se, hvad det betyder? Jeg er parat til at sige farvel til alt, udholde alt. Jeg vil giftes med dig. Men du ... du kan ikke føle kærlighed. Du kan ikke føle smerte."

Så løfter Mildred blikket fra hunden. På bordet står et tændt stearinlys i en messingstage. Hun fører hånden hen over flammen, der brænder sig ind i hendes håndflade.

"Jeg ved ikke, hvordan jeg skal bevise, at jeg elsker dig," siger hun, "men jeg kan vise dig, at jeg kan føle smerte."

Munden kniber sig sammen til en forpint streg. Øjnene løber over. En afskyelig lugt i køkkenet.

Efter et stykke tid, der føles som en evighed, griber Lisa fat om Mildreds håndled og fjerner hånden fra lyset. Den er forbrændt og blodig. Lisa ser forskrækket på den.

"Du må på skadestuen," siger hun.

Men Mildred ryster på hovedet.

"Du må ikke gå fra mig," tigger hun.

Nu græder Lisa også. Fører Mildred ud til bilen, spænder hende fast som et barn, der ikke kan selv, og henter en pakke frossen spinat.

Der går flere uger, før de skændes igen. Nu og da vender Mildred den forbundne håndflade mod Lisa, ligesom ved en tilfældighed, for at stryge håret om bag øret eller sådan noget. Det er et hemmeligt kærlighedstegn.

Nu er det mørkt. Lisa holder op med at tænke på Mildred og går hen til hønsehuset. Hønsene sover på deres pinde, trykker sig tæt ind til hinanden. Hun tager dem én efter én. Løfter hønen ned fra pinden, bærer den ud i udkanten af grunden. Holder den ind mod sin krop, hønen føler sig tryg, klukker blot stille. Der står en træstub, der kan bruges som huggeblok.

Et hurtigt greb om benene, svinger den ned mod stubben, et

bedøvende slag. Derefter øksen, den ene hånd holder fast lige under øksehovedet, hugget, ét eneste og tilpas kraftigt, rammer præcis. Hun holder i benene, mens den flakser, lukker øjnene for at beskytte dem mod fjer og skidt. Der er i alt ti høns og en hane. Hun graver dem ikke ned, hundene ville sporenstregs grave dem op igen. I stedet smider hun dem i affaldstønden.

Lars-Gunnar Vinsa kører hjem til landsbyen i mørket. Nalle sover i passagersædet ved siden af ham. De har været i skoven hele dagen og plukket tyttebær. Nu farer en masse tanker gennem hovedet på ham. Gamle minder.

Han kan pludselig se Eva, Nalles mor, stå foran sig. Han er lige kommet hjem fra arbejde. Han har haft aftenvagt, og der er mørkt udenfor, men hun har ikke tændt lyset. Står helt stille i mørket op ad væggen i entreen, da han træder ind.

Det er så besynderlig en opførsel, at han bliver nødt til at spørge hende:

"Hvad er der galt?"

Og hun svarer:

"Jeg dør her, Lars-Gunnar. Jeg er ked af det, men jeg dør her."

Hvad skulle han have gjort? Som om han ikke også selv var dødtræt. Dag ud og dag ind gik han på arbejde og tog sig af alverdens elendighed. Og kom hjem for at tage sig af Nalle. Den dag i dag fatter han ikke, hvad hun foretog sig hele dagen. Sengene var aldrig redt. Det var yderst sjældent, hun havde aftensmad klar til ham. Han gik i seng, bad hende komme med op, men hun ville ikke. Næste morgen var hun væk. Medtog blot sin håndtaske. Ikke engang et brev syntes hun, han var værd. Han måtte tømme huset for hende. Lagde hendes pakkenelliker i kasser og stillede dem op på loftet.

Efter et halvt år ringede hun. Ville tale med Nalle. Han forklarede hende, at det ikke kunne lade sig gøre. Hun ville kun gøre drengen oprevet. Han fortalte, hvordan Nalle havde ledt efter hende, spurgt efter hende og grædt i begyndelsen. Men nu gik det bedre. Han holdt hende underrettet om, hvordan drengen havde det, sendte hende tegninger. Han kunne godt se på landsbyboerne, at de syntes, han var for god af sig, for føjelig. Men han ønskede hende intet ondt. Hvad skulle det tjene til?

Og madammerne i socialforvaltningen, der blev ved at presse på for at få Nalle til at flytte i bofællesskab.

"Han kan være der indimellem," sagde de. "Så du kan blive aflastet lidt."

Han havde været inde og kigge på det der forpulede bofællesskab. Man blev sgu deprimeret, bare man trådte ind over dørtærsklen. Over det hele. Over al denne grimhed. Hver eneste genstand skreg "institution", "opmagasinering af idioter, sinker og vanføre". Over alt nipset, der var fremstillet af beboerne: gipsafstøbninger og perleplader og pissegrimme malerier i billige rammer. Og over personalets kvidren. Over deres stribede bomuldsforklæder. Han husker især en af dem. Hun var næppe mere end halvanden meter høj, og han tænkte:

Er det dig, der skal lægge dig imellem, hvis der bliver slagsmål?

Nalle var ganske vist stor, men han kunne ikke forsvare sig.

"Aldrig i livet," sagde Lars-Gunnar til madammerne på socialen.

De forsøgte at insistere.

"Du trænger til aflastning," sagde de. "Du må tænke på dig selv."

"Nej," havde han sagt. "Hvorfor? Hvorfor skal jeg tænke på mig selv? Jeg tænker på drengen. Drengens mor tænkte på sig selv, og kan I måske sige mig, hvad godt der kom ud af det?"

Nu er de hjemme. Lars-Gunnar sænker farten, da han nærmer sig indkørslen. Han spejder ind mod gården. Man ser ganske godt i måneskinnet. I bagagerummet ligger jagtgeværet. Det er ladt. Hvis der holder en politibil på gårdspladsen, skal han bare køre videre. Hvis de opdager ham, har han stadig et minuts forspring, før de når at starte bilen og køre ud på vejen. Nå nej, men så tredive sekunder i hvert fald. Og det er tilstrækkeligt.

Men der er tomt på gårdspladsen. Mod månen ser han en ugle, der flyver lavt og spejdende hen langs bredden af elven. Han parkerer bilen og lægger førersædet så langt tilbage, som det går an. Han vil ikke vække Nalle. Drengen vågner sikkert om en times tid, og så kan de gå ind i seng. Nu vil han selv lukke øjnene et øjeblik.

Gule Ben

GULE BEN BEGIVER SIG ud af sit eget territorium. Der kan hun ikke blive. Over grænsen til en anden floks revir. Der må hun ikke være. Det er meget farligt. Et velafmærket område. Nys afsatte duftmarkeringer er som pigtråd mellem træstammerne. Gennem det lange græs, der stikker op af sneen, løber en mur af lugte, her har de strintet og kradset op med bagpoterne. Men hun må igennem, hun må begive sig nordpå.

Første dagsetape går fint. Hun løber på tom mave. Pisser lydløst, trykker sig mod jorden, for at lugten af urin ikke skal brede sig. Måske klarer hun sig. Hun har vinden i ryggen, det er godt.

Næste morgen får de færten af hende. To kilometer bag hende står fem ulve og presser snuden ned i hendes spor. Så sætter de efter hende. De skiftes til at ligge i spidsen, og snart er hun inden for synsvidde.

Gule Ben mærker deres fært. Hun har krydset en elv, og da hun vender sig om, kan hun se dem på den anden side knap en kilometer nede ad strømmen.

Nu løber hun for sit liv. En indtrænger dræbes øjeblikkelig. Tungen hænger ud af hendes åbne gab. De lange ben fører hende gennem sneen, men hendes sti er utrampet.

Benene finder et snescooterspor, der fører i den rigtige retning. De andre ulve haler ind på hende, men ikke så hurtigt.

Da de kun er tre hundrede meter bag hende, standser de pludselig op. De har jaget hende ud af deres område, og et stykke til.

Hun er undsluppet.

Endnu en kilometer, så lægger hun sig ned. Spiser noget sne.

Sulten flår som en gnaver i bugen.

Hun fortsætter rejsen nordpå. Derefter, hvor Hvidehavet løsriver Kolahalvøen fra Karelen, drejer hun af mod nordvest.

Årets første tøvejr gør hende følgeskab. Det bliver tungt at løbe.

Skov. Hundredårig og ældre. Nåletræer halvvejs op til himlen. Nøgne, strittende grene næsten hele vejen op. Og deroppe danner deres grønne, svajende, knirkende arme et tag. Solen kan knap nok trænge igennem, er endnu ikke i stand til at smelte sneen bort. Kun pletter af lys og en dryppen af smeltende sne fra det øverste af træerne. Der er en dryppen, piblen og boblen. Alle vejrer forår og sommer. Nu kan man gøre mere end blot overleve. Vingeslag fra tunge skovfugle, ræven stadigt oftere ude af sin hule, lemminger og mus løber af sted hen over sneens morgenisskorpe. Og så den pludselige stilhed, når hele skoven holder vejret, vejrer og lytter til hunulven, der passerer forbi. Kun sortspætten fortsætter stædigt sin hamren på træstammen. De dryppende lyde ophører heller ikke. Foråret frygter ikke ulven.

De store myrstrækninger. Det tidlige forår er en forræderisk sump under et halvsmeltet snedække, som ved den mindste berøring forvandles til et gråt ælte. Hvert skridt synker dybt ned. Hunulven begynder at færdes om natten, hvor den tynde isskorpe bærer hende oppe. Om dagen slår hun lejr i en fordybning i jorden eller under en gran. Er på vagt selv i søvne.

Jagten er noget andet uden flokken. Hun tager harer og andet småvildt. De fylder ikke meget i en ulv på vandring.

Forholdet til andre dyr bliver også anderledes. Ræv og ravn enes fint med ulve i flok. Ræven æder flokkens levninger. Ulven udbygger en rævegrav og tager den i besiddelse. Ravnen rydder op efter ulvens måltider. Ravnen råber oppe fra træet: Her er et bytte! Her står en brunstig hjort! Han har travlt med at gnubbe sin krone mod barken! Tag ham, tag ham! En ravn, der keder sig, kan dumpe ned foran en sovende ulv, pikke til dens hoved og bakke lidt væk. Hoppe rundt på de vingede væsners komiske og kluntede facon. Ulven gør et udfald. Fuglen letter i sidste sekund. Sådan kan de underholde hinanden et godt stykke tid, den sorte og den grå.

Men en enlig ulv er ikke nogen legekammerat. Hun forsmår intet bytte, har ikke lyst til at lege med fugle, deler ikke frivilligt ud af sin føde.

En morgen overrasker hun en hunræv ved dens grav. På en skråning er der gravet flere huller. En af åbningerne ligger gemt under et væltet træs rodnet. Kun sporene og lidt jord i sneen udenfor afslører dens tilstedeværelse. Det er derfra, ræven kommer ud. Ulven har registreret den skarpe duft og taget en lille afstikker fra sin kurs. Hun har vinden imod sig, da hun kommer ned ad skråningen, ser ræven stikke hovedet ud, ser den radmagre krop. Ulven standser op, fryser fast på stedet, ræven skal lidt længere ud, men så snart den drejer hovedet denne vej, vil den opdage hende.

Et spring. Som var hun et kattedyr. Et brag gennem noget buskads og grenene på et vindfældet fyrretræ. Klipper ræven over midt på ryggen. Brækker rygraden. Æder hende grådigt, holder kroppen nede med den ene pote og flænser den smule, der er, i sig.

To krager kommer øjeblikkelig farende og samarbejder i forsøget på at få deres andel af byttet. Den ene sætter livet på spil ved at komme så tæt på hende, at hun vil jagte den, og kammeraten på denne måde skal kunne stjæle en bid. Hun langer ud efter dem, da de styrtdykker over hendes hoved, men poten slipper ikke rævekroppen. Hun sluger rub og stub og går så rundt til de forskellige huller og snuser. Hvis ræven har unger, og de ikke ligger for langt inde, kan hun grave dem frem, men der er ingen.

Hun genoptager sin kurs. Den enlige ulvs ben vandrer rastløst videre.

Mandag den 11. september

"HAN ER SOM SUNKET i jorden."

Anna-Maria Mella kiggede på sine kolleger. Der var morgenbriefing hos anklageren. De havde netop konstateret, at de ikke havde nogen spor efter den forsvundne præst Stefan Wikström.

Der blev musestille i nogle sekunder. Kriminalassistent Fred Olsson, anklager Alf Björnfot, Sven-Erik Stålnacke og kriminalassistent Tommy Rantakyrö så slukørede ud. Det var det værst tænkelige, at han var som sunket i jorden. Gravet ned et eller andet sted.

Sven-Erik så også nedtrykt ud. Han var den, der ankom sidst til anklagerens morgenandagt, og det lignede ham ikke. Han havde et lille plaster på hagen. Det var brunt af indtørret blod. Mandens tegn på en dårlig start på dagen. Skægvæksten på halsen under adamsæblet havde i hastværket undgået barberbladet og stak op af huden som stride, grå pinde. Under den ene mundvig sad en rest indtørret barberskum som en klat hvid fugemasse.

"Nå, men foreløbig er han altså bare forsvundet," sagde anklageren. "Han er jo en kirkens mand, og så fandt han ud af, at vi var på sporet af ham angående denne rejse, som hans familie foretog for ulvefondens penge. Det kan være tilstrækkeligt til at få en mand til at pakke sydfrugterne. Frygten for at få sit rygte spoleret. Han dukker måske op som trold af en æske."

Der var stille ved bordet. Alf Björnfot betragtede dem. Det

var en desillusioneret flok, der sad rundt om bordet. Det var, som om de kun ventede på, at præstens lig skulle dukke op, med spor og beviser og det hele, så der kunne komme gang i efterforskningen.

"Hvad ved vi om hans gøren og laden inden forsvindingen?" spurgte han.

"Han ringede til konen fra sin mobil fem minutter i syv fredag aften," sagde Fred Olsson. "Derefter skulle han tage sig af kirkens ungdomsgruppe, låste op ind til deres lokale, holdt aftenandagt ved halvtitiden. Han tog derfra lidt over ti, og siden er der ingen, der har set ham."

"Og bilen?" spurgte anklageren.

"Står parkeret bag menighedshuset."

Det var så kort en afstand, tænkte Anna-Maria. Fra kirkens ungdomslokale til bagsiden af menighedshuset var der måske hundrede meter.

Hun mindedes en kvinde, der forsvandt nogle år tilbage. Mor til to, var gået ud en aften for at fodre hundene i hundegården. Og så var hun væk. Mandens oprigtige fortvivlelse og hans og alle andres forsikringer om, at hun ikke frivilligt ville have forladt sine børn, havde fået politiet til at opprioritere hendes forsvinden. De fandt hende gravet ned i skoven bag huset. Manden havde slået hende ihjel.

Men Anna-Maria havde tænkt det samme dengang: så kort afstand. Så kort afstand.

"Jeres tjek af telefonsamtaler, e-mails og bankkonti, hvad gav det?" spurgte anklageren.

"Ikke noget særligt," sagde Tommy Rantakyrö. "Opringningen til konen var den sidste. Derudover var der diverse samtaler i embeds medfør med medlemmer af menigheden og med sognepræsten, lederen af jagtklubben om den forestående elgjagt, med konens søster ... jeg har en liste her over samtalerne, og jeg har også noteret, hvad de drejede sig om."

"Udmærket," sagde Alf Björnfot opmuntrende.

"Hvad sagde svigerinden og sognepræsten?" spurgte Anna-Maria.

"Med svigerinden talte han om, at han var bekymret for sin kone. At hun skulle få det dårligt igen."

"Det var hende, der skrev de breve til Mildred Nilsson," sagde Fred Olsson. "Der ser ud til virkelig at have været krig på kniven mellem parret Wikström og Mildred Nilsson."

"Hvad talte Stefan Wikström og sognepræsten om?" spurgte Anna-Maria.

"Han havde det ikke godt med spørgsmålet," sagde Tommy Rantakyrö, "men han fortalte, at Stefan havde været bekymret over, at vi havde taget fondens bogføring med os."

Anklageren rynkede næsten umærkeligt panden, men han sagde intet om tjenestefejl og ulovlig beslaglæggelse. I stedet sagde han:

"Hvilket kunne indikere, at han er forsvundet frivilligt og holder sig væk af frygt for skammen. At stikke hovedet i busken er den mest almindelige reaktion i den slags tilfælde, tro mig. Man siger til sig selv, 'jamen begriber de da ikke, at de bare gør det værre for sig selv?', men oftest er den sunde fornuft gået fløjten."

"Hvorfor tog han ikke bilen?" spurgte Anna-Maria. "Er han bare spadseret ud i vildmarken? Der gik jo ikke noget tog på den tid af aftenen. Heller ikke noget fly."

"Hvad med taxi?" spurgte anklageren.

"De havde ingen ture," svarede Fred Olsson.

Anna-Maria sendte Fred Olsson et påskønnende blik.

Du bider dig fast som en terrier, din stædige rad, tænkte hun.

"Nå men," sagde anklageren, "Tommy, jeg vil bede dig ..."

"... stemme dørklokker i kvarteret rundt om menigheds-huset og spørge, om der er nogen, der har set noget," sagde Tommy opgivende.

"Lige præcis," sagde anklageren, "og ..."

"... og snakke endnu en gang med kirkens ungdomsgruppe."

"Udmærket! Fred Olsson kan gå med. Og Sven-Erik," fortsatte anklageren, "var det ikke en idé, hvis du ringede til gerningsmandsprofil-gruppen og hørte, hvad de har at sige?"

Sven-Erik nikkede.

"Hvordan er det gået med tegningen?" spurgte anklageren.

"Laboratoriet arbejder stadig med den," sagde Anna Maria. "De har endnu ikke fundet noget af interesse."

"Udmærket! Så mødes vi igen i morgen tidlig, medmindre der indtræffer noget særligt inden da," sagde anklageren, tog brillerne af og lagde dem i brystlommen.

Og dermed var mødet forbi.

På vej hen til sit kontor smuttede Sven-Erik forbi Sonja i omstillingen.

"Du," sagde han, "hvis nogen ringer og fortæller, at de har fundet en gråstribet kat, så giv mig besked."

"Er det Manne?"

Sven-Erik nikkede.

"En uge," sagde han. "Han har aldrig været væk så længe."

"Vi holder øjnene åbne," lovede Sonja. "Han kommer tilbage, skal du se. Det er jo stadig varmt ude, så han er garanteret på frierfærd et sted."

"Han er kastreret," sagde Sven-Erik dystert.

"Javel ja," sagde hun. "Jeg siger det videre til pigerne."

Kvinden fra rigspolitiets gerningsmandsprofil-gruppe svarede på sit direkte nummer. Hun lød glad, da Sven-Erik præsenterede sig, og alt for ung til at beskæftige sig med den slags lort.

"Jeg går ud fra, du har læst aviserne?" sagde Sven-Erik.

"Ja. Har I fundet ham?"

"Nej, han er stadig forsvundet. Nå, hvad tror du?"

"Tja," sagde hun. "Hvad tror du selv?"

Sven-Erik prøvede at samle tankerne.

"Jo, altså," begyndte han, "hvis vi antager, at det forholder sig, som alle aviser antyder ..."

"At Stefan Wikström er blevet myrdet, og at det drejer sig om en seriemorder," fortsatte hun.

"Netop. Men virker det ikke ret underligt?"

Nu tav hun. Ventede på, at Sven-Erik skulle fuldføre sin tankerække.

"Jeg mener," sagde han, "at det er underligt, at han er totalt forsvundet. Hvis morderen hængte Mildred op i orglet, hvorfor gør han så ikke det samme med Stefan Wikström?"

"Han er måske nødt til at skrubbe ham ren. I fandt jo et hundehår på Mildred Nilsson, ikke sandt? Eller han vil bare beholde ham et stykke tid."

Hun afbrød sig selv og syntes at gruble over noget.

"Jeg er ked af det," sagde hun til sidst. "Når liget dukker op – hvis det dukker op, for han kan jo være forsvundet frivilligt – så kan vi snakke sammen igen. Se, om der er et mønster."

"Okay," sagde Sven-Erik. "Det kan være frivilligt. Han havde ikke rent mel i posen, hvad angik en fond, der hørte under kirken. Og så opdagede han, at vi var på sporet af den lille luskede historie."

"'Den lille luskede historie'?"

"Ja, det drejede sig om cirka hundrede tusind, og det er nok tvivlsomt, om det er tilstrækkeligt til at rejse tiltale. Det var en efteruddannelsesrejse, som i virkeligheden snarere var en privat ferierejse."

"Så du mener, det ikke var grund nok til at tage flugten?"

"Ja, egentlig ikke."

"Kunne det måske tænkes, at det, der skræmte ham, var overhovedet at komme i politiets søgelys?"

"Hvad mener du?"

Hun lo kort.

"Ikke noget!" sagde hun med eftertryk.

Så lød hun pludselig formel.

"Jeg ønsker jer held og lykke. Slå på tråden, hvis der sker noget."

Straks de havde lagt på, forstod Sven-Erik, hvad hun havde ment. Hvis Stefan myrdede Mildred ...

Hans hjerne begyndte omgående at protestere.

Men hvis vi nu antager, at det forholder sig sådan, fremturede Sven-Eriks indre stemme. Så ville han være blevet skræmt på flugt, hvis politiet nærmede sig. Uanset hvad vi ville ham. Om vi så bare ville spørge, hvad klokken var.

Anna-Marias telefon ringede. Det var kvinden fra science fiction-boghandelen.

"Jeg har fået bid på spørgsmålet om det der symbol," sagde hun uden omsvøb.

"Ja?"

"En af mine kunder genkendte det. Det findes på forsiden af en bog, der hedder *The Gate*. Den er skrevet af en Michelle Moan, der er et pseudonym. Bogen er ikke oversat til svensk. Jeg har den ikke, men jeg kan bestille et eksemplar til dig. Skal jeg det?"

"Ja! Hvad handler den om?"

"Om døden. Det er en dødebog. Enormt dyr, tooghalvtreds pund, plus leveringsomkostninger. Jeg ringede faktisk til forlaget i England."

"Ja?"

"Jeg spurgte, om de havde fået nogen bestillinger fra Sverige. De havde fået nogle stykker, den ene fra Kiruna."

Anna-Maria holdt vejret. Længe leve amatørdetektiverne.

"Opgav de et navn?"

"Ja. Benjamin Wikström. Jeg fik også en adresse."

"Den behøver jeg ikke," råbte Anna-Maria. "Tak skal du have. Du hører fra mig."

Sven-Erik Stålnacke stod hos Sonja i omstillingen. Han havde ikke kunnet lade være at gå ud og spørge.

"Hvad sagde pigerne? Var der nogen, der havde hørt noget om katten?"

Hun rystede på hovedet.

Tommy Rantakyrö materialiserede sig pludselig bag Sven-Eriks ryg.

"Er din kat forsvundet?" spurgte han.

Sven-Erik gryntede til svar.

"Han er sikkert flyttet hjem til en anden," sagde Tommy sorgløst. "Katte, du ved, de knytter sig ikke til nogen, det er bare vores egne ... projektioner ... man overfører sine egne følelser til dem. De kan ikke føle hengivenhed, det er videnskabeligt bevist."

"Mage til sludder," knurrede Sven-Erik.

"Det er så sandt som amen i kirken," sagde Tommy uden at tage sig af Sonjas advarende blikke. "Når de gnubber sig op ad ens ben, du ved, og snor sig, som de har for vane, så gør de det kun for at afsætte deres duftmærker på os, fordi vi er deres helt private mad- og hvilested. De er ikke flokdyr."

"Det er meget muligt," sagde Sven-Erik, "men han kommer ikke desto mindre op og sover i min seng som et andet pattebarn."

"Fordi der er varmt. Du betyder ikke mere for katten end et elektrisk varmetæppe."

"Men du er hundemenneske," snerrede Sonja. "Du kan overhovedet ikke udtale dig om katte."

Til Sven-Erik sagde hun:

"Jeg er også kattemenneske."

I samme øjeblik blev glasdøren slået op, og Anna-Maria kom farende ud. Hun greb fat i Sven-Erik og trak ham væk fra receptionen.

"Vi skal hen til Jukkasjärvi præstegård," sagde hun bare.

Kristin Wikström åbnede døren iført morgenkåbe og hjemmesko. Mascaraen var gnedet ud under øjnene. Det lyse hår var strøget om bag ørerne og lå fladt og uredt ind til hovedet.

"Det drejer sig om Benjamin," sagde Anna-Maria. "Vi vil godt tale lidt med ham. Er han hjemme?"

"Hvad vil I?"

"Tale med ham," gentog Anna-Maria. "Er han hjemme?"

Kristin Wikströms stemme steg en oktav.

"Hvad vil I ham? Hvad skal I snakke med ham om?"

"Hans far er jo forsvundet," sagde Sven-Erik tålmodigt. "Vi vil gerne stille ham et par spørgsmål."

"Han er ikke hjemme."

"Ved du, hvor han er?" spurgte Anna-Maria.

"Nej, og I burde lede efter Stefan. Det er det, I to burde gøre lige nu."

"Må vi godt se hans værelse?" spurgte Anna-Maria.

Moderen glippede træt med øjnene.

"Nej, det må I ikke."

"Jamen så undskylder vi ulejligheden," sagde Sven-Erik venligt og slæbte Anna-Maria med tilbage til bilen.

De kørte ud fra gårdspladsen.

"For helvede da også!" udbrød Anna-Maria, da de kørte ud ad lågen. "Hvordan kunne jeg være så åndssvag at tage herhen uden en ransagningskendelse?"

"Hold ind til siden lidt længere fremme og sæt mig af," sagde Sven-Erik. "Derefter kører du så hurtigt som bare fanden og fikser den ransagningskendelse og kommer tilbage hertil. Jeg holder øje med hende så længe."

Anna-Maria standsede bilen, og Sven-Erik steg ud.

"Af sted," sagde han.

Sven-Erik småløb tilbage mod præstegården. Han stillede sig bag en af ledstolperne, hvor han blev skjult af et rønnebærtræ. Han havde udsyn til både hoveddør og skorsten.

Begynder det at ryge op af den, går jeg ind, tænkte han.

Efter et kvarter kom Kristin Wikström ud. Hun havde skiftet fra morgenkåbe til bluse og lange bukser og havde en lukket affaldspose i hånden. Hun gik hen mod skraldespanden, og i samme øjeblik, som hun åbnede låget, drejede hun hovedet og fik øje på Sven-Erik.

Han havde intet valg. Sven-Erik skyndte sig hen til hende og rakte hånden frem.

"Godt," sagde han, "giv mig nu bare den der."

Hun rakte ham posen uden et ord. Han så, at hun havde børstet håret og kommet lidt farve på læberne. Så begyndte tårerne at flyde. Ingen trækninger, knap nok en ændring af ansigtsudtrykket, kun tårerne. Hun kunne lige så godt have skrællet løg.

Sven-Erik løsnede knuden på posen. Indeni lå nogle avis-udklip om Mildred Nilsson.

"Så så," sagde han og trak hende ind til sig. "Så så. Fortæl mig nu, hvor han er."

"I skole, selvfølgelig," sagde hun.

Hun lod sig omfavne og holde om. Græd lydløst mod hans skulder.

"Men hvad mener du?" spurgte Sven-Erik, da Anna-Maria parkerede bilen uden for Högalidskolan. "At han skulle have myrdet Mildred og sin far?"

"Jeg mener overhovedet ingenting, men han har en bog med samme symbol som det, der var på trusselstegningen til Mildred. Det er formodentlig ham, der har tegnet den. Og han havde en masse avisudklip om mordet på hende."

Högalidskolens inspektør var en charmerende kvinde i halvtredserne. Hun var en anelse buttet og iført knælang nederdel og mørkeblå jakke. Et farvestrålende tørklæde var anbragt som et smykke om halsen. Sven-Erik kom i godt humør af at se på hende. Han kunne godt lide kvinder, der virkede energiske på denne måde.

Anna-Maria forklarede, at hun ønskede, Benjamin Wikström skulle hentes uden bulder og brag. Inspektøren fandt et hæfte med skemaer frem. Så førte hun en kort telefonsamtale med den lærer, der netop nu havde Benjamins klasse.

Mens de ventede, spurgte inspektøren, hvad det drejede sig om.

"Vi tror, at han måske truede Mildred Nilsson, den præst, der blev myrdet i sommer. Så vi vil godt stille ham et par spørgsmål."

Inspektøren rystede på hovedet.

"Undskyld," sagde hun, "men det har jeg meget vanskeligt ved at tro. Benjamin og hans kammerater, ja, de ser aldeles forfærdelige ud. Sort hår og hvide ansigter. Øjnene smurt ind i kohl. Og så deres tøj! I foråret gik en af Benjamins venner rundt i en T-shirt med et billede af et skelet, der var ved at spise et spædbarn."

Hun lo og trak skuldrene op i en påtaget gysen, men blev alvorlig, da Anna-Maria ikke trak på smilebåndet.

"Men i virkeligheden er de nogle dejlige unger," fortsatte hun. "Benjamin havde det lidt svært en tid sidste år, da han gik i ottende, men jeg ville bestemt ikke tøve med at lade ham babysitte mine egne små børn. Hvis jeg ellers havde nogen."

"På hvilken måde havde han det svært sidste år?" spurgte Sven-Erik.

"Han havde problemer med skolearbejdet, og han blev så ... De vil jo skille sig ud fra mængden med deres måde at klæde sig på og den slags. Jeg tænker sommetider, at de bærer deres følelse af utilpassethed uden på kroppen. Gør den til deres eget valg. Men han havde det ikke godt. Han havde en masse smårifter på armene og sad altid og pillede i sårskorperne, så de aldrig fik tid til at læge. Men engang efter jul syntes det at gå bedre. Han fik sig også en kæreste og startede et band."

Hun smilede.

"Hvilket band. De spillede på skolen nu i foråret, og på en eller anden måde havde de fået fat i et grisehoved, som de kunne stå og hakke i med økser på scenen. De var overlykkelige."

"Er han god til at tegne?" spurgte Sven-Erik.

"Ja," svarede inspektøren, "det er han faktisk."

Det bankede på døren, og Benjamin Wikström trådte ind. Anna-Maria og Sven-Erik præsenterede sig.

"Vi vil godt stille dig nogle spørgsmål," sagde Sven-Erik.

"Jeg snakker ikke med sådan nogen som jer," sagde Benjamin Wikström.

Anna-Maria sukkede.

"I så fald er jeg nødt til at anholde dig for at fremkomme med trusler. Vi må tage dig med på stationen."

Sænket blik. Det tjavsede hår ned foran ansigtet.

"Jamen så gør det."

"JAMEN," SAGDE ANNA-MARIA til Sven-Erik, "skal vi så se at få snakket med ham?"

Benjamin Wikström sad i forhørslokale 1. Han havde ikke ytret ét ord, siden de tog ham med. Sven-Erik og Anna-Maria havde hentet hver sin kop kaffe. Og en Cola-Cola til Benjamin Wikström.

Anklager Alf Björnfot kom galopperende hen mod dem gennem gangen.

"Hvem har I snuppet?" gispede han.

De fortalte om anholdelsen.

"Femten år," sagde anklageren. "Den, der har forældremyndigheden, skal være til stede. Er moderen her?"

Sven-Erik og Anna-Maria vekslede blikke.

"Så sørg for at hente hende," sagde anklageren. "Giv knægten noget at spise, hvis han har lyst til det. Og ring til socialforvaltningen. De skal også være repræsenteret. I kan ringe til mig bagefter."

Så var han forsvundet igen.

"Jeg gør det ikke!" stønnede Anna-Maria.

"Jeg henter hende," sagde Sven-Erik.

En time efter sad de i forhørslokalet. Sven-Erik Stålnacke og Anna-Maria Mella sad på den ene side af bordet, Benjamin Wikström på den anden. En sagsbehandler fra socialforvaltningen sad på hans venstre side, til højre for ham sad Kristin Wikström. Hendes øjne var rødrandede.

"Sendte du denne tegning til Mildred Nilsson?" spurgte Sven-Erik. "Vi har fingeraftrykkene klar inden længe, så hvis det var dig, kan vi lige så godt få det frem nu."

Benjamin Wikström tav hårdnakket.

"Men herregud," sagde Kristin. "Hvad er det her, Benjamin? Hvordan kunne du gøre sådan noget? Det er jo sygt!"

Benjamins kæber strammedes. Han så ned i bordet. Armene var presset ind til kroppen.

"Vi skulle måske tage en lille pause," sagde sagsbehandleren og lagde armen om Kristin.

Sven-Erik nikkede og slukkede for båndoptageren. Kristin Wikström, sagsbehandleren og Sven-Erik gik ud af lokalet.

"Hvorfor vil du ikke tale med os?" spurgte Anna-Maria.

"Fordi I ikke forstår en skid," sagde Benjamin Wikström. "I forstår overhovedet ingenting."

"Det siger min søn også altid til mig. Han er på din alder. Kendte du Mildred?"

"Det er ikke hende på tegningen. Kan I ikke få det ind i hovedet? Det er et selvportræt."

Anna-Maria kiggede på tegningen. Hun var gået ud fra, at det forestillede Mildred, men han havde jo også langt, mørkt hår.

"Du og hende var venner!" udbrød Anna-Maria. "Det var derfor, du gemte avisudklippene."

"Hun forstod mig," sagde han. "Hun forstod mig."

Bag sløret af hår dryppede nogle tårer ned på bordpladen.

Mildred og Benjamin sidder inde på hendes kontor i menighedshuset. De drikker urtete med honning. Hun har fået teen af en af kvinderne i Magdalena, der selv har indsamlet og tørret planterne. De griner, for det smager afskyeligt.

En af Benjamins kammerater er blevet konfirmeret hos Mildred, og det er gennem ham, han og Mildred har lært hinanden at kende.

The Gate ligger på Mildreds skrivebord. Nu har hun fået læst den.

"Hvad synes du så?"

Bogen er tyk. En mursten. En masse tekst på engelsk. Også mange farvebilleder.

Den handler om *the gate to the unbuilt house, to the world you create*. Porten til det ubyggede hus, til den verden, man selv skaber. Det er en opfordring til gennem ritualer og i sit hoved at skabe den verden, man ønsker at tilbringe evigheden i. Den handler om vejen derhen. Om selvmordet. Det kollektive eller det enkelte individs. Det engelske forlag blev stævnet af en gruppe forældre til fire unge mennesker, der begik kollektivt selvmord i foråret 1998.

"Jeg kan godt lide tanken om, at man skaber sin egen himmel," siger hun.

Derefter lytter hun. Rækker ham papirlommetørklæder, når han græder. Det gør han, når han taler med Mildred. Det er denne følelse af, at hun interesserer sig for ham, der sætter det i gang.

Han fortæller om sin far. Der er nok også en lille smule hævngerrighed i det. At han taler med Mildred, som hans far afskyr.

"Han hader mig," siger han. "Og det er ligegyldigt, hvad jeg gør. Om jeg så klippede håret og gik rundt i skjorte og slips og passede min skole og blev formand for elevrådet, så ville han alligevel ikke være tilfreds, det ved jeg."

Det banker på døren. Mildred får en irriteret rynke mellem brynene. Når den røde lampe lyser ...

Døren går op, og Stefan Wikström træder ind. Det er egentlig hans fridag.

"Så det er her, du holder til," siger han til Benjamin. "Tag din jakke og gå ud og sæt dig i bilen."

Til Mildred siger han:

"Og du har at blande dig uden om min families anliggender. Han sjofler skolen. Han klæder sig, så man får lyst til at kaste op. Gør, hvad han kan, for at bringe skam over familien. Ivrigt opmuntret af dig, kan jeg forstå. Inviterer ham på te, når han pjækker fra skolen. Hørte du, hvad jeg sagde? Ud i bilen med dig."

Han trommer på sit armbåndsur.

"Du har time nu. Jeg kører dig."

Benjamin bliver siddende.

"Din mor sidder derhjemme og græder. Din klasselærer ringede og spurgte, hvor du var. Du gør mor syg. Er det dét, du ønsker?"

"Benjamin ville snakke lidt," siger Mildred. "Sommetider ..."

"Man snakker med sin familie!" siger Stefan.

"Gør man det?!" råber Benjamin. "Men du nægter jo at svare. Som i går, da jeg spurgte, om jeg måtte tage på weekend med Kevins familie. 'Bliv klippet og klæd dig som et normalt menneske, så skal jeg tale med dig som et normalt menneske.'"

Benjamin rejser sig og tager sin jakke.

"Jeg cykler hen til skolen. Du behøver ikke køre mig."

Han stormer ud.

"Det her er din skyld," siger Stefan og peger på Mildred, der stadig sidder med tekoppen i hånden.

"Det er synd for dig, Stefan," svarer hun. "Der må være meget tomt omkring dig."

"VI LADER HAM GÅ," sagde Anna-Maria til anklageren og sine kolleger. Hun gik ud i kantinen og bad sagsbehandleren følge mor og søn hjem.

Så gik hun ind til sig selv.

Hun følte sig træt og modløs.

Sven-Erik kiggede ind og spurgte, om hun ville med til frokost.

"Klokken er jo tre," sagde hun.

"Har du da spist?"

"Nej."

"Tag din jakke. Jeg kører."

Hun grinede smørret.

"Hvorfor skal du køre?"

Tommy Rantakyrö dukkede op bag Sven-Eriks ryg.

"I er nødt til at komme," sagde han.

Sven-Erik så bistert på ham.

"Dig snakker jeg overhovedet ikke med," sagde han.

"På grund af det med katten? Jeg lavede jo bare sjov. Men det her må I nok hellere tage alvorligt."

De fulgte efter Tommy Rantakyrö ind i forhørslokale 2, hvor der sad en kvinde og en mand. Begge var iført friluftstøj. Manden var temmelig kraftig, holdt den militærgrønne kasket fra Överskottsbolaget i hånden, tørrede sved af panden. Kvinden var unaturligt mager og havde den slags dybe furer over munden og i ansigtet, som mangeårig rygning giver. Tørklæde om hovedet og bærpletter på bukserne. Begge lugtede af røg og myggeolie.

"Kan man få et glas vand?" sagde manden, da de tre betjente kom ind i lokalet.

"Styr dig lige!" sagde kvinden i et tonefald, der antydede, at intet af det, manden kunne finde på at sige eller gøre, kunne være rigtigt.

"Vil I gentage, hvad I fortalte mig før?" bad Tommy Rantakyrö.

"Nå, sig det så!" sagde kvinden irriteret til sin mand.

Hendes blik flakkede stresset fra den ene betjent til den anden.

"Jo, altså, vi var nord for Nedre Vuolusjärvi og plukkede bær," sagde manden. "Min svoger har en hytte derude. Utroligt multebærterræn, når det er årstiden for det, men nu gjaldt det jo tyttebær ..."

Han så op på Tommy Rantakyrö, der viftede lidt med hånden som tegn til, at manden burde komme til sagen.

"Nå, men så hørte vi en høj lyd midt om natten," sagde manden.

"Det var et skrig," fastslog hans kone.

"Ja, ja, men bagefter hørte vi i hvert fald et skud."

"Og så et skud til," tilføjede konen.

"Jamen så fortæl det da selv!" sagde manden irriteret.

"Nej, jeg sagde jo, at du skulle tale med politiet!" Kvinden kneb munden sammen.

"Ja, så er der sådan set ikke mere," afsluttede manden.

Sven-Erik så forbavset på dem.

"Hvornår var det?" spurgte han.

"Natten til lørdag," svarede manden.

"Og nu er det mandag," sagde Sven-Erik langsomt. "Hvorfor kommer I først nu?"

"Jeg sagde jo til dig, at ..." begyndte kvinden.

"Ja, ja, og tag så lige og hold din kæft," afbrød manden.

"Jeg sagde jo, vi skulle tage herind med det samme," sagde kvinden til Sven-Erik. "Og gud, altså, da jeg læste om ham der præsten ... Tror I, det er ham?"

"Så I noget?" spurgte Sven-Erik.

"Nej, vi havde lagt os," sagde manden. "Vi hørte kun det, jeg lige har fortalt. Ja, og så hørte vi også en bil, men det var meget senere. Der går jo en bilvej derud fra Laxforsen."

"Indså I ikke, at det kunne være noget alvorligt?" spurgte Sven-Erik mildt.

"Jeg ved snart ikke," sagde manden tvært. "Der er jo elgjagt, så det er faktisk ikke så underligt, at folk skyder i skoven."

Sven-Eriks stemme var unaturligt tålmodig.

"Det var jo midt om natten. I jagttiden er der skydeforbud fra en time før solnedgang. Og hvem var det, der skreg? Var det elgen?"

"Jeg sagde jo, at ..." begyndte kvinden.

"Lyde kan blive totalt forvrængede i skoven," sagde manden og så rigtig sur ud. "Det kan have været ræven. Eller en brunstig råbuk, der brølede op. Har du nogensinde hørt det? Nå, men nu har vi i hvert fald fortalt det, og så kan vi måske tage hjem."

Sven-Erik stirrede på manden, som om han var gået fra forstanden.

"Tage hjem?!" udbrød han. "Tage hjem! I bliver her! Vi skal have fat i et kort og se nærmere på området. I skal fortælle, hvorfra skuddene kom. Vi skal finde ud af, om det var et jagtgevær eller en haglbøsse. I skal tænke over, hvad det var for et skrig, om I kunne udskille nogen ord. Og vi skal også snakke om den der bil. Hvorfra kom lyden, hvor langt væk var den, det hele. Jeg vil have et nøjagtigt klokkeslæt for, hvornår det skete, og vi skal gennemgå det her meget grundigt. Mange gange. Er det opfattet?!"

Konen så bedende på Sven-Erik:

"Jeg sagde til ham, at vi skulle køre ned til politiet med det samme, men du ved, når han først er kommet godt i gang med bærplukningen ..."

"Ja, og se nu bare, hvad vi fik ud af det," sagde manden. "Jeg har tyttebær for tre tusind kroner ude i bilen. Jeg vil i hvert fald have lov til at ringe til sønnen, så han kan komme og hente dem. Jeg skal fanden tage mig ikke have bærrene ødelagt."

Sven-Eriks brystkasse hævede sig op og ned.

"Men bilen var i hvert fald en diesel," sagde manden.

"Tager du gas på mig?" spurgte Sven-Erik.

"Næ, sådan en kan man sgu da altid genkende. Hytten ligger et stykke fra vejen, men alligevel. Men det var som sagt langt senere. Behøver ikke have noget at gøre med skuddene og alt det der."

KLOKKEN KVART OVER FIRE om eftermiddagen fløj Anna-Maria Mella og Sven-Erik Stålnacke nordpå med helikopter. Neden under dem slyngede Torneälven sig som et sølvbånd. Nogle få drivende skyer kastede deres skygge på fjeldsiderne, men ellers skinnede solen på det guldgule terræn.

"Man kan da godt forstå, de ville blive og plukke bær i stedet for at køre ind til byen og ødelægge ferien," sagde Anna-Maria.

Sven-Erik gav hende ret og lo.

"Hvad går der dog af folk?"

De kiggede ned på kortet.

"Hvis hytten ligger her ved søens nordlige ende, og skuddene kom sydfra ..." sagde Anna-Maria og pegede.

"Han syntes, det lød ret tæt på."

"Ja, og der ligger jo nogle hytter ud til vandet lidt længere nede. Og så hørte de en bil. Det kan ikke have været mere end én eller højst to kilometer fra deres hytte."

De havde markeret et område på kortet med en cirkel. Næste dag ville folk fra politiet og hjemmeværnet gennemsøge området.

Helikopteren gik længere ned og fulgte den aflange sø Nedre Vuolusjärvi nordpå. De lokaliserede den hytte, bærplukkerne havde overnattet i.

"Gå lidt længere ned, så vi bedre kan se," råbte Anna-Maria til piloten.

Sven-Erik sad med en kikkert for øjnene, men Anna-Maria syntes, hun så bedre uden. Birkeskov og store sumpområder. Skovvejen, der fulgte søbredden næsten helt op til dens nordlige spids. En enlig ren, der gloede dumt, og en elgko med kalv, der galopperede væk og forsvandt i vildnisset.

Men alligevel, tænkte Anna-Maria, mens hun missede med øjnene og prøvede at få øje på andet end fjeldbirk og buskads. Det er ikke så helt let at grave nogen ned. Der er rødder og alt muligt i jorden.

"Vent!" råbte hun pludselig. "Kig lige der."

Hun trak i Sven-Erik.

"Kan du se den?" sagde hun. "Der ligger en båd neden for vildthegnet. Lad os tjekke den."

Søen var over seks kilometer lang. Fra skovvejen førte en sti ned til vandet. Det sidste stykke var belagt med brædder. Den hvide plastjolle var trukket op på land og lå med bunden i vejret for ikke at blive fuld af vand.

Sammen vendte de jollen om.

"Ren og fin," sagde Sven-Erik.

"Ualmindeligt ren og fin," sagde Anna-Maria.

Hun bøjede sig ned og undersøgte omhyggeligt bunden af båden. Kiggede op på Sven-Erik og nikkede. Han bøjede sig også ned.

"Ja, lidt blod kan aldrig undgås," sagde han.

De kiggede ud over søen. Den spejlblanke og rolige over-flade krusedes nu og da af ringene efter en snappende fisk. Et sted kaldte en lom.

Dernede, tænkte Anna-Maria. Han ligger i søen.

"Lad os gå tilbage," sagde Sven-Erik. "Teknikerne bliver bare skidesure, hvis vi tramper for meget rundt. Vi får Krister Eriksson og Tintin herop. Hvis de finder noget, får vi fat i en dykker. Vi undgår at bruge stien for det tilfælde, at der er fod-spor eller lignende."

Anna-Maria så på sit ur.

"Vi kan godt nå det, inden det bliver mørkt," sagde hun.

Klokken var efterhånden blevet halv fem om eftermiddagen, da de samledes ved søen igen, Anna-Maria Mella, Sven-Erik

Stålnacke, Tommy Rantakyrö og Fred Olsson. De ventede på Krister Eriksson og Tintin.

"Ligger han i nærheden, så finder Tintin ham," sagde Fred Olsson.

"Men hun er nu ikke lige så skrap som Zack," sagde Tommy.

Tintin var en sort schæfertæve, der tilhørte kriminalbetjent Krister Eriksson. Da han flyttede op til Kiruna for fem år siden, havde han haft Zack med, en schæferhanhund med tyk beige og brunsort pels. Bredt hoved. Ikke just en hund, der ville begå sig på en udstilling. Brød sig kun om én person, og det var Krister. Hvis nogen prøvede at hilse på ham eller klappe ham, vendte han ligegyldigt hovedet væk.

"Det er en ære at få lov at arbejde med ham," havde Krister selv sagt om hunden.

Fjeldredningspatruljen havde lovprist ham i høje toner. Zack var den bedste lavinehund, man nogensinde havde set. Han havde også været en god jagthund. De eneste tidspunkter, hvor man kunne støde på Krister Eriksson i politistationens kantine, var, når Zack inviterede på lagkage. Eller rettere sagt, når en eller anden taknemmelig pårørende eller nogen, hvis liv han havde reddet, inviterede på lagkage. Ellers brugte Krister Eriksson sine kaffepauser til at gå tur med hunden eller træne den.

Han var ikke ligefrem selskabeligt anlagt. Måske havde det noget at gøre med hans udseende. Efter hvad Anna-Maria havde hørt, skyldtes Kristers skader en ildebrand, han havde været involveret i som teenager. Hun havde aldrig turdet spørge, han var ikke den type. Hans ansigt var som lyserødt pergament. Ørerne bestod af to huller direkte ind i hovedet. Han havde ingen hårvækst, ingen øjenbryn eller øjenvipper, ingenting.

Næsen var der heller ikke meget tilbage af. To aflange grotter lige gennem kraniet. Anna-Maria vidste, at kollegerne kaldte ham Michael Jackson.

Da Zack levede, havde man lavet vittigheder om hunden og dens herre. Påstået, at de snuppede sig en øl og sad og så sport sammen om aftenen. At det var Zack, der udfyldte tips-kuponen.

Efter at Krister havde anskaffet Tintin, havde hun ikke hørt noget. Vittighederne fortsatte sandsynligvis som før, men efter-som Tintin var en hunhund, mente man sikkert, at de var for grove til Anna-Marias ører. "Hun skal nok blive god," plejede Krister at sige om Tintin. "Hun er stadig lidt for ivrig. For ung i hovedet, men det retter sig."

Krister Eriksson ankom til stedet ti minutter efter de andre. Tintin sad på forsædet, fastspændt med en hundesikkerheds-sele. Han lukkede hende ud.

"Er båden kommet?" spurgte han.

De andre nikkede. En helikopter havde sat den ned i søens nordspids. Den var orangefarvet og fladbundet og udstyret med projektør og ekkolod.

Krister Eriksson gav Tintin flydevesten på, og hun var helt på det rene med, hvad det betød. Arbejde. Sjovt arbejde. Hun trissede ivrigt rundt om hans ben. Munden var åben og for-ventningsfuld. Næseborene vejrede i forskellige retninger.

De gik ned til båden. Krister Eriksson anbragte Tintin på den lille forhøjning og stødte fra land. Kollegerne blev stående og så dem glide udefter. De hørte Krister starte motoren. De havde modvind. I begyndelsen trissede Tintin ophidset rundt, peb og dansede, men til sidst faldt hun til ro. Sad i forstavnen og så ud til at tænke på noget andet.

Der gik fyrre minutter. Tommy Rantakyrö kradsede sig i hovedbunden. Tintin havde lagt sig. Båden gik frem og tilbage over søen. Arbejdede sig sydover. Politikollegerne fulgte med ned langs søbredden.

"De satans myg," jamrede Tommy Rantakyrö.

"Mænd og hunde ... Det kender du jo alt til," sagde Sven-Erik til Anna-Maria.

"Nu stopper du," knurrede Anna-Maria advarende. "Desuden var det ikke hans hund."

"Hvad?" kom det fra Fred Olsson.

"Ikke noget!" sagde Anna-Maria.

"Næ nej, har man sagt A," sagde Tommy Rantakyrö.

"Det var Sven-Erik, der sagde A," sagde Anna-Maria. "Jamen så fortæl dem det! Bare træk mig ned i sølet."

"Ja, det var jo dengang, du boede i Stockholm," begyndte Sven-Erik.

"Da jeg gik på politiskolen."

"Nå, men Anna-Maria var næsten lige flyttet sammen med en fyr."

"Vi havde boet sammen i to måneder og havde egentlig ikke kendt hinanden ret meget længere."

"Og nu må du korrigere mig, hvis jeg tager fejl, men en dag, da hun kom hjem, lå der et par sorte herrelædertrusser med G-streng på gulvet i soveværelset."

"Med snører og nitter som i den værste pornofilm," sagde Anna-Maria. "Og så havde de et hul på forsiden, og der skulle ikke meget fantasi til at forestille sig, hvad der skulle stikke ud af det hul."

Hun holdt en pause og kiggede på Fred Olsson og Tommy Rantakyrö. Aldrig i sit liv havde hun set dem så glade og forventningsfulde.

"Og som om det ikke var nok," sagde hun, "lå der et hygiejnebind på gulvet."

"Hold da helt kæft!" sagde Tommy Rantakyrö andægtigt.

"Jeg var dybt chokeret," fortsatte Anna-Maria. "Jeg mener, hvor godt kender man egentlig andre mennesker? Så da Max kom hjem og kaldte på mig ude fra entreen, blev jeg bare siddende i soveværelset. 'Hvad er der i vejen?' spurgte han, og jeg pegede på lædertrusserne og sagde: 'Vi må få talt ud om det her.' Og han reagerede overhovedet ikke. 'Ja,' sagde han helt uanfægtet, 'det må være faldet ned fra skabet,' hvorefter han lagde trusserne og hygiejnebindet oven på klædeskabet uden at fortrække en mine."

Så begyndte hun at grine.

"Det var en hundetrusse. Hans mor havde en boksertæve, som han passede indimellem, og når hun var i løbetid, fik hun bind på og de der underbukser med hul til halen. Så enkelt var det."

De tre mænds latterbrøl rullede ud over søen.

De fortsatte med at fnise et godt stykke tid endnu.

"For fanden da," peb Tommy Rantakyrö og tørrede øjnene.

Så rejste Tintin sig op i båden.

"Nu sker der noget derude," sagde Sven-Erik Stålnacke.

"Ja, det behøver du sgu ikke fortælle os," svarede Tommy Rantakyrö og strakte hals.

Tintin var helt stiv i kroppen. Snuden pegede ind mod midten af søen som en kompasnål. Krister Eriksson sænkede farten til et minimum og styrede båden i den retning, Tintins snude pegede. Hunden begyndte at pibe og gø, trampede rundt på forhøjningen og kradsede. Hun gøede stadigt højere, og til sidst hang hun med overkroppen ud over rælingen på båden. Da Krister Eriksson tog bøjen og blyloddet frem for at afmærke stedet, kunne Tintin ikke styre sig længere. Hun sprang i vandet og svømmede rundt om bøjen, mens hun gøede og spruttede vand ud.

Krister Eriksson kaldte på hende, greb fat i flydevestens håndtag og trak hende op. Et øjeblik så det ud, som om han selv ville falde i vandet. Oppe i båden fortsatte Tintin med at pibe og hyle af fryd. Betjentene hørte Krister Erikssons stemme hen over motorens brummen og hundens gøen.

"Dygtig tøs. Sååå dygtig."

Tintin hoppede i land, gennemblødt som en svamp. Hun rystede pelsen, så samtlige betjente fik sig et ordentligt brusebad.

Krister Eriksson roste hende og strøg hende over hovedet.

Hun stod kun stille ét sekund, så løb hun en runde i skoven og proklamerede, hvor skidegod hun var. De hørte hende gø fra flere forskellige retninger.

"Var det meningen, at hun skulle hoppe i vandet?" spurgte Tommy Rantakyrö.

Krister Eriksson rystede på hovedet.

"Hun blev bare så ivrig," sagde han. "Men når hun rammer rigtigt og finder det, hun søger, skal det være en positiv oplevelse for hende, og så kan jeg jo ikke så godt skælde hende ud, fordi hun hoppede i, men ..."

Han kiggede i retning af hundens gøen med en blanding af umådelig stolthed og grublen.

"Hun er sateme skrap," sagde Tommy imponeret.

De andre udtrykte deres enighed. Sidst de så Tintin, havde hun fundet en forsvunden senildement kvinde på seksoghalvfjerds i skoven oven for Kaalasjärvi. Det havde været et stort område at gennemsøge, og Krister Eriksson havde kørt meget langsomt ad gamle tømmerveje i en firehjulstrækker. Han havde anbragt en badekarsmåtte på motorhjelmen, så Tintin ikke gled ned. Hunden havde siddet som en sfinks på motorhjelmen med snuden i vejret. Et imponerende skue.

Det var ikke ofte, man førte så lange samtaler med Krister Eriksson. Tintin vendte tilbage fra sin sejrsrunde, og selv hun blev ramt af den pludselige fællesskabsfølelse. Hun gik så vidt som til at løbe en tur ind mellem betjentene og hastigt snuse til Sven-Eriks bukser.

Så var øjeblikket forbi.

"Jamen så er vi vel færdige for i dag," sagde Krister næsten surt, kaldte på hunden og tog flydevesten af hende.

Det begyndte at skumre.

"Nu er det bare at ringe til teknikerne og dykkerne," sagde Sven-Erik. "De kan gå i gang, så snart det bliver lyst i morgen."

Han følte sig både glad og nedtrykt. Det værste var hændt. Endnu en præst var blevet myrdet, det kunne man jo næsten være helt sikker på nu. Men på den anden side: Der lå et lig dernede et sted. Der var spor at gå efter i jollen og formentlig også på stien. De vidste, der var tale om en bil med dieselmotor. Nu havde de atter noget at arbejde med.

Han så på sine kolleger. Kunne mærke den samme elektricitet i dem alle.

"De skal komme allerede i aften," sagde Anna-Maria. "De må i det mindste gøre et forsøg, selvom det er mørkt. Jeg vil have ham op nu."

MÅNS WENNGREN SAD på sit stamværtshus og kiggede på sin mobil. Hele dagen havde han sagt til sig selv, at han ikke måtte ringe til Rebecka Martinsson, men nu kunne han ikke længere huske, hvorfor han ikke måtte det.

Han ville ringe til hende og sådan lidt henkastet spørge, hvordan det gik med hendes sorte arbejde.

Han tænkte den slags tanker, som han tænkte, da han var femten. Hvordan hendes ansigtsudtryk ville se ud i det øjeblik, man trængte ind i hende.

Gamle gris! sagde han til sig selv og tastede nummeret.

Hun tog telefonen efter tre ringetoner. Lød træt. Han spurgte henkastet til hendes sorte arbejde, sådan som han havde planlagt.

"Det gik ikke så godt," sagde hun.

Så busede hun ud med hele historien om, hvordan Nalles far havde beskyldt hende for at rende rundt og snuse.

"Det var ellers ret lækkert at slippe for at være 'kvinden, der har dræbt tre mænd'," sagde hun. "Jeg holdt det ikke hemmeligt, men der var heller ingen grund til at fortælle det. Det værste er, at jeg stak af uden at betale regningen."

"De har vel en girokonto eller sådan noget, som du kan overføre pengene til," sagde Måns.

Rebecka lo en kort latter.

"Det tror jeg ikke."

"Skal jeg ordne det for dig?"

"Nej."

Nej, naturligvis ikke, tænkte han. Kan selv.

"Jamen så må du jo bare tage derhen og betale," sagde han.

"Ja."

"Du har ikke gjort noget forkert, du behøver ikke dukke nakken."

"Nej."

"Selvom man har gjort noget forkert, skal man ikke dukke nakken," fortsatte Måns.

Nu blev hun helt tavs.

"Er du der endnu, Martinsson?" spurgte Måns.

Tag dig nu sammen, sagde Rebecka til sig selv. Han må jo tro, du er blevet rablende gal.

"Undskyld," sagde hun.

"Tag det ikke så tungt," sagde Måns. "Jeg ringer til dig i morgen tidlig og pepper dig op. Du skulle nok kunne finde ud af at betale en regning i en eller anden afkrog. Kan du huske dengang, du selv måtte overtage Axling Import?"

"Hmm."

"Jeg ringer til dig i morgen."

Han ringer ikke, tænkte hun, da de havde lagt på. Hvorfor skulle han det?

Dykkerne fra redningstjenesten fandt Stefan Wikströms lig i søen fem minutter over ti om aftenen. Man fik ham op ved hjælp af netbåren, men han var tung. Der var viklet en jernkæde rundt om ham. Huden var helt hvid og porøs som noget, der har ligget for længe i blød. I panden og brystet havde han fem millimeter store indgangshuller.

Gule Ben

DET ER FØRST I MAJ. Løvet, der har ligget under sneen, er blevet presset sammen og dækker jorden som en brun skal. Her og der stikker noget forsigtigt grønt op. Varme vinde sydfra. Fugle på træk.

Hunulven er endnu i bevægelse. Nogle gange overvældes hun af den store ensomhed. Så strækker hun struben op mod himlen og lader det hele komme ud.

Halvtreds kilometer syd for Sodankylä ligger en landsby med en fritliggende losseplads. Der roder hun rundt et stykke tid, finder madrester og graver fede, skrækslagne rotter frem. Mæsker sig og fylder bugen.

Et stykke uden for landsbyen står en karelsk bjørnehund i en lænke. Da hunulven dukker frem fra skovbrynet, begynder han ikke at gø som besat. Han bliver heller ikke bange og forsøger at slippe væk. Bliver stående helt stille og venter på hende.

Menneskelugten skræmmer hende ganske vist, men nu har hun været alene længe, og denne frygtløse hund er god nok til hende. Tre dage vender hun tilbage til ham i skumringen. Vover sig helt derhen. Snuser og lader sig snuses til. De kurtiserer hinanden. Så vender hun tilbage til skovbrynet, standser op og ser på hannen. Venter på, at han skal følge efter.

Og hunden rykker i sin lænke. Han holder op med at tage føde til sig.

Da hunulven kommer tilbage den fjerde aften, er han der ikke længere. Hun bliver stående i skovbrynet et stykke tid. Så traver hun ind i skoven igen. Og fortsætter sin færd.

Sneen er helt væk nu. Jorden damper og skælver af længsel efter livet. Det kribler og pibler, klikker og klimprer overalt. Bladene sprænger sig vej ud af de våndende træer. Sommeren kommer nedefra som en grøn, ubetvingelig bølge.

Hun vandrer tyve kilometer nordpå langs Torneälven. Krydser en menneskebro i Muonio.

Kort efter lægger en mand sig på knæ for hende for anden gang i hendes liv. Hun ligger i birkeskoven med tungen hængende ud af gabet. Hun har ingen ben. Træerne oven over hende forsvinder i en dis.

Manden på knæ er ulveforsker og er udsendt af Naturstyrelsen.

"Du er så smuk," siger han og stryger ned over hendes sider, hendes lange gule ben.

"Ja, hun er flot," medgiver dyrlægen.

Hun giver hende en vitaminindsprøjtning, undersøger hendes tænder, bøjer forsigtigt hendes led.

"Tre år, muligvis fire," gætter hun. "Meget fin foderstand, intet utøj, ingen skavanker."

"En rigtig prinsesse," siger forskeren og anbringer radiosenderen om hendes hals, et pudsigt smykke til en kongelig.

Helikopterens propel drejer stadig rundt. Jorden er så sumpet, at piloten ikke har turdet standse motoren, for hvis den synker længere ned, risikerer de ikke at kunne lette igen.

Dyrlægen giver hunulven endnu en sprøjte, og tiden er inde til at forlade hende.

Forskeren kommer på benene, kan stadig mærke hende i hænderne. Den kraftige, sunde pels. Uldlaget længst inde. De lange, grove hår i yderlaget. De tunge poter.

Da de er lettet, ser de hende komme på benene. Hun vakler lidt.

"Skrap dame," lyder det fra dyrlægen.

Forskeren sender en tanke til de højere magter. En bøn om beskyttelse.

Tirsdag den 12. september

DET HELE STÅR AT LÆSE i morgenaviserne, og de taler om det i radionyhederne. Den forsvundne præst er blevet fundet i en sø med kæder rundt om kroppen. Dræbt med to skud. Et i brystet, et i hovedet. Gemen likvidering, siger en kilde inden for politiet og kalder det mere held end forstand, at liget overhovedet blev fundet.

Lisa sidder ved spisebordet i køkkenet. Hun har lukket avisen og slukket for radioen. Hun prøver at sidde fuldkommen stille. Så snart hun rører sig, sætter en bølge sig i bevægelse i hendes indre. En bølge, der farer gennem hendes krop, får hende på benene og får hende til at vandre rundt i sit tomme hus. Ind i dagligstuen med de gabende boghylder og de tomme vindueskarme. Ud i køkkenet. Der er vasket op. Der er rent i køkkenskabene. Skufferne er tømt for gammelt ragelse. Ingen papirer eller ubetalte regninger ligger og flyder. Ind i soveværelset. I nat har hun sovet uden sengetøj, trak bare dynefrakken over sig og faldt til sin store overraskelse i søvn. Dynen ligger foldet sammen i fodenden, puderne ligger ovenpå. Hendes tøj er væk.

Ved at sidde helt stille tæmmer hun sin længsel. Længslen efter gråd og skrig. Eller efter smerte. Længslen efter at lægge hånden på den glohede kogeplade. Det er ved at være tid til at køre. Hun har været i bad og taget rent undertøj på. Bh'en gnaver uvant under armhulerne.

Hundene er ikke så lette at narre. De kommer logrende hen til hende. Lyden af deres kløer mod gulvet, kliketi-kliketi-klik.

De tager sig ikke af, at hendes krop er stiv og afvisende. De maser snuden ind mod hendes mave, presser den ind mellem hendes ben, putter hovedet ind under hendes hænder og forlanger at blive klappet. Hun klapper dem. Det er en kolossal anstrengelse. At lukke så meget af, at hun er i stand til at kærtegne dem, mærke den bløde pels og varmen indenunder fra det levende, strømmende blod.

"Op i kurven," siger hun med fremmed stemme.

Og de går op i kurven. Kort efter er de tilbage og vimser rundt om hende.

Klokken halv otte rejser hun sig. Skyller kaffekruset og stiller det i opvaskestativet. Det ser underlig forladt ud.

Ude på gårdspladsen begynder hundene at trodse hende. Normalt hopper de direkte ind i bilen, ved, at det betyder en lang dag i skoven. Men nu fjoller de rundt. Karelin løber hen og tisser på solbærbuskene. Tyskeren sætter sig på rumpen og kigger ufravendt på hende, mens hun står og kommanderer med hele hånden inden for den åbne bagklap. Majken er den første, der giver efter. Løber hen over gårdspladsen med krum ryg og halen mellem benene. Karelin og Tyskeren hopper ind efter hende.

Bræk-Morris er aldrig vild med at køre bil, men nu er han værre end nogensinde. Lisa må løbe efter ham og bander og svovler, indtil han standser op. Hun må slæbe og trække ham hen til bilen.

"Hop så ind med dig, for helvede," brøler hun og dasker ham over lænden.

Og så hopper han ind. Han har forstået det. Det har de helt sikkert alle sammen. Betragter hende gennem ruden. Hun sætter sig på kofangeren, allerede totalt udmattet. Det havde ikke været hendes hensigt, at det sidste, hun skulle gøre, var at skælde dem ud.

Hun kører ned til kirkegården. Hundene må blive i bilen. Går ned til Mildreds grav, hvor der som altid ligger en masse blomster, små kort og sågar fotografier, der krøller sammen og bulner i fugtigheden.

De holder hendes grav fint, alle kvinderne.

Hun burde selvfølgelig have haft noget med at lægge på graven, men hvad skulle det have været?

Hun prøver at finde på noget at sige. En tanke at tænke. Hun stirrer på Mildreds navn på den regngrå sten. Mildred, Mildred, Mildred. Borer navnet ind, som var det en kniv.

Min Mildred, tænker hun lidt efter. Dig, som jeg havde i armene.

Erik Nilsson ser Lisa på afstand. Hun står der helt stiv og passiv og synes at se lige igennem gravstenen. De andre kvinder ligger altid på knæ og roder i jorden, graver og luger, snakker med andre kirkegårdsbesøgende.

Han er på vej ned til graven, men nu tøver han et øjeblik. Han plejer at komme her tidligt om morgenen på hverdage for at have graven i fred for en stund. Magdalena-slænget ... han har ikke noget imod dem, men de har okkuperet Mildreds grav. Der er ikke plads til ham blandt de sørgende. De overlæsser stedet med blomster og lys. Lægger små sten oven på gravstenen. Hans bidrag forsvinder helt i virvaret. For de andre er det sikkert okay at være en del af det sørgende kollektiv. For dem er det en trøst, at de er mange, der savner hende. Men han. Det er en barnlig tanke, det ved han godt, men han ønsker, folk skal pege på ham og sige: "Han var hendes mand, det er mest synd for ham."

Mildred går lige bag ham.

Skal jeg gå derhen? spørger han.

Men hun svarer ikke. Ser ufravendt på Lisa.

Han går hen mod Lisa. Rømmer sig i god tid for ikke at skræmme hende, hensunken i dybe tanker som hun er.

"Hej," siger han forsigtigt.

De har ikke set hinanden siden begravelsen.

Hun nikker og prøver at tvinge et smil frem.

Han skal lige til at sige "så du har også et morgenmøde her" eller noget andet meningsløst, der skal lette på stemningen, men han skifter mening og siger i stedet alvorligt:

"Man havde hende kun til låns. Det er fandens, at man aldrig kan forstå det, mens man har nogen hos sig. Jeg var tit vred på hende over det, jeg ikke fik. Nu ville jeg ønske, at jeg havde ... jeg ved snart ikke ... taget imod det, jeg fik, med glæde i stedet for at føle smerte over det, jeg ikke fik."

Han ser på hende. Hun ser udtryksløst tilbage.

"Sikke jeg vrøvler," siger han afværgende.

Hun ryster på hovedet.

"Nej, nej," får hun frem. "Det er bare ... jeg kan ikke ..."

"Hun havde altid så travlt, arbejdede konstant. Nu da hun er død, føles det endelig, som om vi har tid til hinanden. Det er, som om hun er gået på pension."

Han ser på Mildred. Hun har bukket sig ned og er i gang med at læse kortene på graven. Indimellem smiler hun stort. Hun tager småstenene, der ligger oven på gravstenen, og holder dem i hånden. En efter en.

Han tier. Venter på, at Lisa skal spørge, hvordan det går med ham. Hvordan han klarer sig.

"Jeg må gå nu," siger hun. "Jeg har hundene i bilen."

Erik Nilsson ser efter hende, idet hun forsvinder. Da han bukker sig ned for at skifte blomster i vasen, der er stukket ned i jorden, er Mildred væk.

LISA SÆTTER SIG i bilen.

"Læg jer ned," siger hun til hundene omme bagi.

Jeg burde selv have lagt mig, tænker hun. I stedet for at vade rundt i huset og vente på Mildred. Dengang. Natten før midsommeraften.

Det er natten før midsommeraften. Mildred er allerede død, men det ved Lisa ikke. Hun traver rundt, frem og tilbage. Drikker kaffe, selvom hun ikke burde gøre det så sent.

Lisa ved, at Mildred har holdt midnatsmesse i Jukkasjärvi. Hun har hele tiden tænkt, at Mildred ville komme hjem til hende bagefter, men nu begynder det at være lige lovlig sent. Måske er en eller anden blevet hængende for at snakke lidt. Eller også er Mildred taget hjem og gået i seng. Hjem til sin Erik. Lisas mave snører sig sammen.

Kærligheden er som en plante eller et dyr. Den lever og udvikler sig. Fødes, vokser, ældes, dør. Skyder nye, mærkelige skud. Indtil for nylig var kærligheden til Mildred en varm, vibrerende glæde. Fingrene tænkte på Mildreds hud. Tungen tænkte på hendes brystvorter. Nu er den lige så stor som før, lige så stærk. Men i mørket er den blevet bleg og krævende. Den suger alt ud af Lisa. Kærligheden til Mildred gør hende udmattet og bedrøvet. Hun er så helt eventyrlig træt af at tænke på Mildred hele tiden. Der er ikke plads til andet i hovedet. Mildred og Mildred. Hvor hun er, hvad hun laver, hvad hun har sagt, hvad hun har ment med dette eller hint. Hun kan længes efter hende en hel dag blot for at skændes med hende, når hun endelig kommer. Såret i Mildreds hånd er lægt for længe siden. Det er, som om det aldrig har eksisteret.

337

Lisa ser på uret. Det er langt over midnat nu. Hun sætter en snor i Majkens halsbånd og går ned mod den store vej. Har tænkt sig at gå ned til bådebroen og se, om Mildreds robåd ligger der.

På vejen kommer hun forbi Lars-Gunnars og Nalles hus.

Hun bemærker, at bilen ikke står på gårdspladsen.

Bagefter. Hver eneste dag bagefter tænker hun på dette. Uafbrudt. At Lars-Gunnars bil ikke stod på gårdspladsen. At Lars-Gunnar er den eneste, Nalle har. At intet kan gøre Mildred levende igen.

MÅNS WENNGREN RINGER og vækker Rebecka Martinsson. Hendes stemme er varm og morgenhæs.

"Så er det ud af fjerene!" kommanderer han. "Drik kaffe og tag dig en mad. Gå i bad og gør dig i stand. Jeg ringer igen om tyve minutter, og så har du at være klar."

Det her har han prøvet før. Da han var gift med Madelene og endnu ikke var stået af over for hendes periodevise agorafobi og panikangst, og guderne måtte vide hvad, da talte han hende igennem tandlægebesøg, familiemiddage og skoindkøb i stormagasiner. Intet er så dårligt ... nu mestrer han i hvert fald teknikken.

Han ringer igen efter tyve minutter, og Rebecka tager telefonen som en lydig pigespejder. Nu skal hun sætte sig ud i bilen, køre ind til byen og hæve så mange penge, at hun kan betale lejen for hytten i Poikkijärvi.

Da han ringer til hende næste gang, siger han til hende, at hun skal køre ned til Poikkijärvi, parkere uden for kroen og ringe til ham.

"Godt," siger Måns, da hun ringer. "Nu tager det halvandet minut, og så er det overstået. Gå ind og betal. Du behøver ikke sige et ord, hvis du ikke har lyst. Bare stik dem pengene. Når du har gjort det, sætter du dig ud i bilen igen og ringer til mig. Okay?"

"Okay," siger Rebecka som et barn.

Hun sidder i bilen og betragter kroen. Hvid og afskallet ligger den der i den skarpe efterårssol. Hun spekulerer på, hvem der er derinde. Micke eller Mimmi?

Lars-Gunnar slår øjnene op. Det er Stefan Wikström, der vækker ham i drømmen. Hans ynkelige råb, jamren og klynken, da han synker ned på knæ ved søen. Da han har forstået det.

Han har sovet i lænestolen i dagligstuen. Geværet ligger i skødet. Han rejser sig med besvær, er stiv i ryggen og skuldrene. Han går op til Nalles værelse. Nalle sover stadig tungt.

Han burde selvfølgelig aldrig have giftet sig med Eva, men han var jo blot en tåbelig norrlænding. Et let bytte for en som hende.

Han har altid været stor. Allerede som barn var han tyk. Dengang var børn nogle magre gespenster, der spillede fodbold. De var tynde og hurtige og kastede snebolde efter tykke drenge, der spænede hjemad, så hurtigt benene kunne bære dem. Hjem til farmand. Som gav ham en omgang med livremmen, hvis han var i det humør.

Jeg har aldrig lagt hånd på Nalle, tænker han. Det ville jeg aldrig kunne finde på.

Men den tykke dreng Lars-Gunnar voksede op og klarede sig nogenlunde i skolen på trods af drillerierne. Han uddannede sig til politibetjent og flyttede hjem igen. Og nu var han en anden mand. Det er ikke så ligetil at komme tilbage til barndommens landsby og ikke falde ind i den rolle, man havde før. Men Lars-Gunnar forandrede sig i løbet af sin tid på politiskolen. Og man rager ikke uklar med en strisser. Han havde også fået nye venner. Inde i byen. Kollegerne. Han kom med i jagtklubben, og eftersom han ikke var bleg for at tage en ekstra tørn og havde anlæg for planlægning, blev han hurtigt jagtleder. Det havde jo været meningen, at tjansen som jagtleder skulle gå på skift, men sådan blev det aldrig. Lars-Gunnar forestiller sig, at de andre sikkert fandt det bekvemt at have en, der planlagde og organiserede. Inderst inde er han også klar over, at ingen ville have vovet at sætte spørgsmålstegn ved hans ret til at fortsætte som jagtleder. Fint nok. Respekt skader ikke. Og han har fortjent den respekt. Ikke udnyttet den til egen fordel, som mange andre ville have gjort.

Nej, hans problem har snarere været, at han er for rar. Tror for godt om sine medmennesker. Som Eva.

Det er svært ikke at anklage sig selv, men han var fyldt halvtreds, da han mødte hende. Havde levet alene i alle de år, for det med kvinderne flaskede sig ikke rigtig. Sammen med dem blev han ligesom sløv i det, bevidst om sin alt for store krop. Og så kom Eva. Som havde lænet hovedet mod hans bryst. Hendes hoved forsvandt næsten i hans store næve, da han trak hende ind til sig. "Lille menneske," plejede han at sige.

Men siden hen, da det ikke passede hende længere, var hun skredet. Havde efterladt ham og drengen.

Han kan knap nok huske månederne, der kom og gik, efter at hun rejste. Det var som et stort mørke. Han havde syntes, folk i landsbyen kiggede på ham. Spekulerede på, hvad de sagde om ham bag hans ryg.

Nalle vender sig tungt i søvne. Sengen knirker under ham.

Jeg må ... tænker Lars-Gunnar og glemmer, hvad det er, han må.

Det er svært at koncentrere sig. Men hverdagen, den skal fortsætte. Det er det, der er hele meningen. Hans og Nalles hverdag. Det liv, Lars-Gunnar har skabt for dem begge.

Jeg må se at få købt ind, tænker han. Mælk og brød og pålæg. Vi er ved at løbe tør for alting.

Han går ned ad trappen og ringer til Mimmi.

"Jeg kører ind til byen," siger han. "Nalle sover, og jeg vil ikke vække ham. Hvis han kommer ned til dig, så giv ham noget morgenmad, ikke?"

"ER HAN DER?"

Anna-Maria Mella har ringet til retsmedicinsk afdeling i Luleå. Det var obduktionstekniker Anna Granlund, der tog telefonen, men Anna-Maria ville tale med overlæge Lars Pohjanen. Anna Granlund vågede over ham, som en mor passer på sit syge barn. Hun holdt obduktionslokalet i perfekt stand. Åbnede ligene for ham, tog organerne ud og lagde dem tilbage igen, når han var færdig, syede kroppene sammen og skrev desuden hovedparten af hans rapporter.

"Han må ikke holde op," havde hun på et tidspunkt sagt til Anna-Maria. "Det bliver jo nærmest som et ægteskab, ikke? Jeg har vænnet mig til ham og vil ikke have nogen anden."

Og Lars Pohjanen slæbte sig af sted. Det lød, som om han trak vejret gennem et sugerør. Blot det at tale gjorde ham forpustet. Han var blevet opereret for lungekræft et års tid forinden.

Anna-Maria kunne se ham for sig. Han lå formodentlig og sov på den noprede halvfjerdsersofa i personalerummet. Askebægeret ved siden af de slidte træsko. Den grønne operationskittel som tæppe.

"Ja, han er her," svarede Anna Granlund. "Et øjeblik."

Pohjanens stemme i den anden ende, rusten og hvæsende.

"Fortæl," sagde Anna-Maria Mella. "Du ved jo, hvor elendig jeg er til at læse."

"Der er ikke meget at sige. Hrrrm. Skudt i brystet forfra, derefter fra klos hold i hovedet. Der er en eksplosionseffekt i udgangshullet i hovedet."

Lang indånding, sugerørslyden.

"... vaskekonehud, men ikke opsvulmet ... men I ved jo, hvornår han forsvandt ..."

"Natten til lørdag."

"Jeg vil tro, han har ligget der siden da. Der er smålæsioner i de dele af huden, der ikke var dækket af tøj, på hænderne og i ansigtet. Det er fisk, der har nappet i ham. Meget mere er der ikke at sige. Har I fundet patronerne?"

"De leder stadigvæk. Ingen kamp? Ikke andre skader?"

"Nej."

"Hvad ellers?"

Pohjanens stemme blev brysk.

"Der er ikke mere, sagde jeg jo. Du kan jo få nogen til ... at læse erklæringen op for dig."

"Hvordan står det til med dig, mente jeg."

"Javel. Jeg ved sgu snart ikke," sagde han og blev straks mildere stemt. "Det er selvfølgelig noget lort det hele."

Sven-Erik Stålnacke talte med retspsykiateren. Han sad i sin bil ude på parkeringspladsen. Han kunne godt lide hendes stemme. Allerede fra første færd havde han bemærket hendes varme – og at hun talte langsomt. De fleste kvinder i Kiruna snakkede så helvedes hurtigt. Og temmelig højt. Det var som et maskingevær, man havde ikke en chance. Nu kunne han høre Anna-Maria for sit indre øre: "Chance, siger du? Det er sgu da os, der ikke har en chance. Ikke en chance for at få et fornuftigt svar inden for en rimelig tid. Man spørger: Hvordan gik det? Og der bliver stille, og endnu mere stille, og efter uendelig lang overvejelse lyder det: Godt. Derefter kan man godt skyde en hvid pind efter at klemme flere oplysninger ud, i hvert fald når det drejer sig om Robert. Så man må snakke for to. Ikke en chance, siger du? Rend mig."

Nu lyttede han til retspsykiaterens stemme, der emmede af humor, skønt det var en alvorlig samtale. Hvis han havde været nogle år yngre ...

"Nej," sagde hun, "jeg kan ikke tro, det er en copycat. Mildred Nilsson blev udstillet. Det var overhovedet ikke meningen, at Stefan Wikströms lig skulle blive fundet. Der er heller ikke tale om et udtryk for nogen forløsende vold. Det er en helt anden fremgangsmåde, og gerningsmanden kan også være en helt anden, så svaret på dit spørgsmål er nej. Det er højst usandsynligt, at Stefan Wikström blev dræbt af en seriemorder, der lider af en psykisk afvigelse, eller at mordet er begået under voldsom affekt og inspireret af Viktor Strandgård. Enten er gerningsmanden en anden, eller også blev Mildred Nilsson og Stefan Wikström dræbt af en mere, hvad skal jeg sige, reel grund."

"Jaså?"

"Ja, mordet på Mildred forekommer jo meget ... følelsesladet, mens mordet på Stefan mere ligner en ..."

"... likvidering."

"Netop! Det kunne føre tanken hen på et trekantsdrama – ja, det er blot ren gisning, det må du lige huske. Jeg prøver bare at sætte ord på det billede, jeg får ... okay?"

"Ja."

"Altså et trekantsdrama. Ægtefælle slår sin kone ihjel i raseri og dræber derefter hendes elsker på en mere koldblodig måde."

"Men de var jo ikke sammen," sagde Sven-Erik.

Så vidt vi ved, tænkte han så.

"Jeg siger bestemt ikke, at det er manden. Jeg mener bare ..."

Hun tav.

"Jeg ved ikke, hvad jeg mener," fortsatte hun så. "Der kan være en forbindelse. Det kan helt afgjort være samme gerningsmand. Psykopat. Ja. Eller måske, for det er på ingen måde en selvfølge. Og ikke nødvendigvis i den forstand, at personens virkelighedsopfattelse har mistet enhver forankring i realiteterne."

Det var tid til at afslutte samtalen. Sven-Erik gjorde det med et stik af vemod. Og Manne var stadig forsvundet.

Rebecka Martinsson går indenfor på Mickes. Der sidder tre gæster i lokalet og spiser morgenmad. Nogle ældre herrer, der sender hende påskønnende blikke. Kvindelig skønhed *live*. Den slags er altid velkommen. Micke er i gang med at moppe gulvet.

"Hej," siger han til Rebecka og stiller moppen og spanden fra sig. "Kom med mig."

Rebecka følger efter ham ud i køkkenet.

"Det må du sgu undskylde," siger han. "Det gik bare skævt i lørdags, men jeg blev helt paf, da Lars-Gunnar fortalte om ... Var det dig, der dræbte de der tre prædikanter i Jiekajärvi?"

"Ja, men det var to prædikanter og en ..."

"Jeg ved det. En psykopat, ikke? De skrev jo om det, selvom de aldrig skrev, hvad du hed. Thomas Söderbergs og Vesa Larssons navne kom jo heller aldrig på tryk, men alle her vidste jo nok, hvem de prædikanter var. Det må have været hæsligt."

Hun nikker. Det måtte det have været.

"I lørdags tænkte jeg, det måske forholdt sig, som Lars-Gunnar sagde. At du var her for at snage. Jeg spurgte dig jo, om du var journalist, og du sagde nej, men så tænkte jeg, at aha, hun er måske ikke journalist, men hun arbejder i hvert fald for en avis. Men det gør du ikke, vel?"

"Nej, jeg ... det var en ren tilfældighed, at jeg havnede her. Torsten Karlsson og jeg skulle bare have noget at spise."

"Ham fyren, der fulgtes med dig første gang?"

"Ja. Og jeg plejer ikke at tale om det ... alt det, der skete dengang. Ja, og så blev jeg hængende for at være i fred, og fordi jeg ikke rigtig turde køre ud til Kurravaara. Jeg har min farmors hus derude, og ... men til sidst tog jeg derhen sammen med

Nalle. Han er min helt."

Det sidste siger hun med et smil.

"Jeg kom for at betale for hytten," siger hun så og rækker ham pengene.

Micke tager imod dem og giver hende penge tilbage.

"Jeg har modregnet din løn. Hvad siger din anden chef til, at du arbejder sort på et værtshus?"

Rebecka ler forsigtigt.

"Uha, der har du vist noget på mig."

"Du burde sige farvel til Nalle, du kommer jo lige forbi hans hus på vej herfra. Hvis du drejer til højre op mod kapellet ..."

"Det ved jeg, men det er vist en temmelig dårlig idé. Hans far ..."

"Lars-Gunnar er i byen, og Nalle er alene hjemme."

Aldrig i livet, tænker Rebecka. Der må være grænser.

"Hils ham fra mig," siger hun.

Ude i bilen ringer hun til Måns.

"Nu er det klaret," siger hun.

Måns Wenngren svarer hende, som han plejede at svare sin kone. Det ryger bare ud af ham.

"Dygtig pige!"

Så tilføjer han hurtigt:

"Glimrende, Martinsson, men jeg skal til møde nu. Vi tales ved."

Rebecka sidder tilbage med mobilen i hånden.

Måns Wenngren, tænker hun. Han er som fjeldet. Det rusker og regner. Blæser kraftigt. Man er træt, og skoene er gennem-blødte, og man har ikke rigtig tjek på, hvor man er. Kortet vil ikke lade sig overføre til virkeligheden. Og så lige pludselig driver skyerne bort. Tøjet tørrer i vinden, og man sidder på fjeldskråningen og kigger ud over en solbeskinnet dal. Lige med ét er det det hele værd.

Hun prøver at ringe til Maria Taube, men ingen tager telefonen. Sender en SMS: "Alt vel. Ring."

Hun begynder at køre hen ad landevejen. Finder en eller anden snakkekanal på radioen.

Ved afkørslen op til kapellet møder hun Nalle. Et jag af længsel og skyldfølelse farer igennem hende. Hun løfter hånden til hilsen. I bakspejlet ser hun, hvordan han vinker efter hende. Vinker ivrigt. Så begynder han at løbe efter bilen. Det går ikke hurtigt, men han giver ikke op. Pludselig ser hun, hvordan han falder. Det ser slemt ud. Han tumler ned i vejgrøften.

Rebecka holder ind til siden og standser motoren. Kigger i bakspejlet. Han rejser sig ikke. Nu kommer der fart over hende, hun hopper ud og løber tilbage.

"Nalle!" råber hun. "Nalle!"

Sæt nu, han har slået hovedet mod en sten?

Han ligger i grøften og smiler til hende. Som en bille, der er landet på ryggen.

"Becka!" siger han, da hun dukker op oven over ham.

Selvfølgelig skal jeg sige farvel til ham, tænker hun. Hvad er jeg dog for et menneske?

Han kommer på benene. Hun børster støvet af ham.

"Farvel med dig, Nalle," siger hun så. "Det var smadderhyggeligt at ..."

"Følge," afbryder han og trækker hende i armen som et barn. "Følge!"

Så vender han om på hælen og lunter hen ad vejen. Han er på vej hjem.

"Nej, altså, jeg ..." begynder hun.

Men Nalle fortsætter, vender sig ikke om. Stoler på, at hun følger efter.

Rebecka ser på bilen. Den er parkeret helt ind til siden og kan ses tydeligt af andre trafikanter. Hun kan godt gå med ham et lille stykke tid. Hun sætter efter ham.

"Jamen så vent da på mig," råber hun.

LISA STANDSER BILEN uden for dyrlægeklinikken. Hundene er udmærket klar over, hvor de er. Det er ikke noget rart sted. De står op alle sammen og kigger ud gennem bilruden, gispende med åbent gab. Tungerne er langt ude. Tyskeren begynder at skælle. Det gør han altid, når han er nervøs. Hvide skæl trænger op gennem hårlaget og lægger sig som sne oven på den brune pels. Halerne er stukket ind mellem benene og som limet til deres mave.

Lisa går ind. Hundene må blive ude i bilen.

Skal vi ikke med? spørger deres blikke. Slipper vi for sprøjter, undersøgelser, skræmmende lugte og fornedrende hvide plastictragte rundt om hovedet?

Dyrlægen Anette ekspederer hende. De får ordnet det finansielle, Anette vil gøre det selv. Der er kun de to derinde, intet andet personale. Ingen i venteværelset. Lisa bliver rørt over omtanken.

Det eneste, Anette spørger om, er:

"Vil du have dem med tilbage?"

Lisa ryster på hovedet. Hun har faktisk ikke tænkt så langt. Det er knap nok, at hendes tanker er nået så langt som til dette øjeblik. Og nu er hun her. De bliver affald. Hun skubber tanken om, hvor uværdigt det er, til side. At hun skylder dem noget bedre end dette.

"Hvordan gør vi?" spørger Lisa. "Skal jeg tage dem ind én efter én, eller hvad synes du?"

Anette betragter hende.

"Jeg tror, det bliver for hårdt for dig. Lad os få dem herind alle sammen, og så giver jeg dem noget beroligende først."

Lisa vakler udenfor.

"Dæk!" råber hun advarende, da hun åbner bagsmækken.

Hun giver dem snor på. Vil ikke risikere, at nogen af dem stikker af.

Ind på dyrlægeklinikken med hundene rundt om benene. Gennem venteværelset, rundt om hjørnet, forbi kontoret og konsultationen.

Anette åbner døren ind til operationsstuen.

Deres gispen. Og lyden af deres kløer, der klikker og stresset glider hen over gulvet. De vikler sig ind i hinandens snore. Lisa trækker og forsøger at vikle dem fra hinanden samtidig med, at hun går hen mod det dér lokale; lad os nu bare få dem derind.

Nu er de endelig på plads. I det hæslige rum med det hæslige røde vinylgulv og de lortebrune vægge. Lisa slår låret mod det sorte operationsbord. Alle de kløer, der har ridset gulvet, har fået skidtet til at trænge ned i vinylbelægningen, så det ikke længere er muligt at skure den ren. Det har afsat en mørkerød sti fra døren og rundt om bordet. På et af vægskabene hænger en modbydelig plakat med en lille pige i et blomsterhav. Hun holder en hundehvalp med lodne ører i favnen. Uret på væggen har en tekst, der løber hen over urskiven fra ti til to: "Tiden er inde."

Døren lukker sig bag Anette.

Lisa befrier dem fra deres snore.

"Vi begynder med Bruno," siger Lisa. "Han er så stædig, at han alligevel vil sørge for at være den sidste. Det ved du jo."

Anette nikker. Mens Lisa lader hånden glide kærtegnende hen over ørerne og brystet, stikker Anette den beroligende sprøjte i musklen på det ene forben.

"Er du min gode dreng?" spørger Lisa.

Så ser han på hende. Lige i øjnene, selvom hunde ikke gør den slags. Så flytter han hurtigt blikket. Bruno er en hund, der holder på etiketten. Man møder så sandelig ikke floklederens blik.

"Det er en tålmodig herre, det her," siger Anette og klapper ham, da hun er færdig.

Lidt efter bliver det for meget for Lisa. Hun sidder på gulvet under vinduet. Varmeapparatet brænder i ryggen. Bræk-Morris, Bruno, Karelin og Majken ligger halvsovende på gulvet rundt om hende. Majkens hoved på hendes ene lår, Bræk-Morris' på det andet. Anette skubber Bruno og Karelin nærmere hen til Lisa, så hun kan nå dem alle sammen.

Der er ingen ord. Kun en frygtelig smerte i halsen. Deres varme kroppe under hendes hænder.

At I har gidet elske mig, tænker hun.

Hende, der er så fuld af så håbløs en bedrøvelse indeni. Men hundekærlighed er enkel. Man løber i skoven. Og er glad. Man ligger og gasser sig i varmen fra hinanden. Slipper en fjært og har det godt.

Anette holder den brummende barbermaskine og anbringer kanyler i deres forben.

Det går hurtigt. Alt for hurtigt. Anette er allerede færdig. Nu mangler kun det sidste. Hvordan skal hun sige farvel? Smerten i halsen bliver uudholdelig. Det gør så ondt overalt. Lisa ryster, som om hun havde feber.

"Så får de den," siger Anette.

Og så giver hun dem aflivningssprøjten.

Det tager et halvt minut. De ligger der ligesom før. Hovederne i hendes favn. Brunos ryg op ad hendes lænd. Majkens tunge er faldet ud på en måde, som den ikke gør, når hun sover.

Lisa tænker, at hun bør rejse sig op. Men hun kan ikke.

Gråden ligger under huden i ansigtet. Ansigtet forsøger at holde stand. Det er som en tovtrækning. Musklerne kæmper imod. Vil trække munden og øjenbrynene tilbage til det normale udtryk, men gråden får vristet sig løs. Til sidst sprækker hun i en grotesk, hulkende grimasse. Ud løber tårer og snot. At det kan gøre så uudholdeligt ondt. Tårerne har ligget bag øjnene, og det er, som om låget har været presset ned over en gryde. Nu løber de kogende varme ned over ansigtet. Ned på Bræk-Morris.

Der kommer en jamrende klynken ud af hendes hals. Det lyder så grimt. Et uhu-uhu. Hun kan selv høre dette gamle, visne, kasserede kvindemenneskes skrig. Hun kommer op på alle fire. Omfavner hundene. Hendes bevægelser er voldsomme og ubeherskede. Hun kravler ind mellem dem og lægger armene ind under deres slappe kroppe. Kærtegner dem over øjenlåg og snuder, ører og mave. Trykker sit ansigt mod deres hoveder.

Gråden er som en storm. Den river og slider i kroppen. Hun snøfter og prøver at synke. Det er svært at synke, som hun står dér på alle fire med hovedet nedad. Til sidst løber snottet ud af hendes mund. Hun tørrer sig med hånden.

Og samtidig er der en stemme. En anden Lisa, der står og ser på. Som siger: Hvad er du for et menneske? Hvad med Mimmi?

Og så ophører gråden. Netop i det øjeblik, hvor hun tænker, at den aldrig vil høre op.

Mærkeligt. Hele sommeren har været en lang liste over ting, der skulle gøres. Én efter én har hun krydset dem af. Gråden var ikke med på listen. Den indskrev sig selv. Hun ønskede den ikke. Hun var bange for den. Bange for, at hun skulle drukne i den.

Og så kom den. Først var den frygtelig, uudholdelig pine og mørke. Men derefter. Derefter blev gråden et fristed. Et rum at hvile ud i. Et venteværelse før den næste ting på listen. Så var der pludselig en del af hende, der ønskede at blive i gråden. At udskyde det andet, der skal ske. Og så forlader gråden hende. Siger: Så er dét overstået. Hvorefter den bare holder op.

Hun rejser sig op. Der er en håndvask, hun griber fat om kanten og løfter sig op på benene. Anette har tydeligvis forladt lokalet.

Øjnene er ophovnede. Føles som halve tennisbolde. Hun presser sine iskolde fingerspidser mod øjenlågene. Åbner vandhanen og plasker vand i ansigtet. Ved siden af håndvasken er der en holder med grove papirservietter. Hun tørrer ansigtet og pudser næse, sørger for ikke at se sig selv i spejlet. Papiret kradser mod næsen.

Hun kigger ned på hundene. Nu er hun så udmattet og forgrædt, at hun ikke længere kan føle så stærkt. Den voldsomme sorg er kun som et minde. Hun bukker sig ned og giver hver af dem et mere behersket kærtegn.

Så går hun ud. Anette sidder travlt optaget foran computeren inde på kontoret. Lisa behøver blot fremmumle et farvel.

Ud i septembersolen. Der stikker og plager. Skarpt optrukne skygger. Nogle drivende skyer sender solreflekser ind i hendes øjne. Hun sætter sig i bilen og trækker solskærmen ned. Hun starter bilen og kører gennem byen og ud på Norgevägen.

Under hele turen tænker hun ikke på noget. Ud over vejens bugten. Hvordan billederne skifter. Knaldblå himmel. Hvide vatskyer, der opløses i deres hurtige fremmarch højt over fjeldryggene. Forrevne, dystre kløfter. Det langstrakte Torneträsk som en blå og blank sten omspundet med det pureste guld.

Da hun har passeret Katterjåkk, dukker den op. En stor lastbil med anhænger. Lisa kører hurtigt. Hun løsner sikkerhedsselen.

REBECKA MARTINSSON FULGTE efter Nalle ned i husets kælder. Der var en grønmalet stentrappe, der førte ned under huset. Han åbnede en dør. Indenfor lå et rum, der blev brugt som viktualierum og værksted. Masser af ting overalt. Der var fugtigt. Nogle steder var de hvidmalede vægge sortprikkede. Hist og her var pudset skallet af. Der var opsat nogle primitive hylder med syltetøjsglas, æsker med søm og skruer og alle mulige beslag, malingsspande, dåser med indtørret terpentin og stive pensler, sandpapir, spande, el-værktøj samt et virvar af forlængerledninger. På de frie vægoverflader hang diverse værktøj.

Nalle tyssede ad hende. Lagde pegefingeren mod munden. Han tog hendes hånd og førte hende hen til en stol, hvor hun satte sig. Selv lagde han sig på knæ på kældergulvet og bankede med neglen i gulvet.

Rebecka sad musestille og ventede.

Ud af jakkens brystlomme fremdrog han en næsten tom pakke mariekiks. Raslede lidt, åbnede pakken og trak en kiks frem, som han knækkede.

Og så kom en lille mus farende over gulvet. Den løb i en S-formet bane hen til Nalle, standsede op ved hans knæ og stillede sig på bagbenene. Den var gråbrun, ikke mere end fire-fem centimeter høj. Nalle rakte den en halv kiks. Musen prøvede at trække den med sig, men da Nalle ikke slap taget, blev den stående og spiste. De små knasende lyde var det eneste, der hørtes.

Nalle vendte sig om mod Rebecka.

"Musen," sagde han højt. "Lille."

Rebecka troede, den ville blive skræmt over, at han talte så højt, men den blev stående og gnaskede videre. Hun nikkede til ham og smilede. Det var et besynderligt syn. Kæmpestore Nalle og den lille mus. Hun spekulerede på, hvordan det var gået til. Hvordan han havde fået den til at overvinde sin frygt. Kunne han have været så tålmodig, at han havde siddet hernede helt stille og ventet på den? Måske.

Du er en meget speciel dreng, tænkte hun.

Nalle strakte pegefingeren frem og prøvede at klappe musen på ryggen, men så blev frygten stærkere end sulten. Den pilede af sted som et gråt lyn og forsvandt ind mellem skramlet, der stod op ad væggen.

Rebecka fulgte den med øjnene.

Nu måtte hun gå. Kunne ikke have bilen parkeret på den måde i al evighed.

Nalle sagde noget.

Hun så på ham.

"Musen," sagde han. "Lille!"

Hun overvældedes af en slags sorg. Her befandt hun sig i en gammel kælder sammen med en udviklingshæmmet dreng. Han føltes som det nærmeste, hun var kommet et andet menneske i evigheder.

Hvorfor kan jeg ikke? tænkte hun. Jeg kan ikke holde af mennesker. Stoler ikke på dem. Men Nalle kan man stole på. Han kan ikke forstille sig.

"Farvel, Nalle," sagde hun.

"Farvel," sagde han uden at lyde det mindste ked af det.

Hun gik op ad trappen fra kælderen til stueetagen. Hun hørte ikke bilen, der standsede udenfor. Hørte ikke skridtene i bislaget. I samme øjeblik, som hun åbnede døren til entreen, gik hoveddøren op. Lars-Gunnars store skikkelse fyldte døråbningen. Som et bjerg, der spærrede hende vejen. Noget inden i hende krympede sig. Og hun så ind i hans øjne. Han så på hende.

"Hvad i helvede," var alt, han sagde.

KRIMINALPOLITIETS TEKNIKERE fandt en patron fra et gevær klokken halv ti om morgenen. De gravede den op af jorden ved søbredden. Kaliber .30-06.

Kvart over ti havde politiet sammenkørt våbenregisteret med bilregisteret, hvilket ville sige alle, der var indehavere af en dieseldrevet personbil samt havde våbentilladelse.

Anna-Maria Mella lænede sig tilbage i sin kontorstol. Den var virkelig megaluksus. Man kunne fælde ryggen tilbage, så man næsten lå som i en seng. Som en tandlægestol, men uden tandlæge.

473 hits. Hun skimmede navnene.

Så faldt hendes blik på et, som hun genkendte. Lars-Gunnar Vinsa.

Han ejede en diesel-Mercedes. Hun slog ham op i våbenregisteret. Han var registreret for tre våben. To jagtgeværer og en haglbøsse. Det ene våben til skarp ammunition var en Tikka. Kaliber .30-06.

Nå, men man kunne jo ikke slæbe alle ind til prøveskydning, bare fordi kaliberen passede. Men man skulle måske lige snakke med ham først. Det var jo ikke videre behageligt, når der var tale om en gammel kollega.

Hun tjekkede klokken. Halv elleve. Hun kunne tage derhen efter frokost sammen med Sven-Erik.

LARS-GUNNAR VINSA kigger på Rebecka Martinsson. Da han var nået halvvejs ind til byen, var han kommet i tanker om, at han havde glemt sin tegnebog, og var vendt om.

Hvad var det her for en skide sammensværgelse? Han havde sagt til Mimmi, at han ville være væk. Havde hun så ringet til hende advokaten? Det har han svært ved at tro, men det må selvfølgelig være forklaringen. Og nu er hun kommet styrtende for at snage.

Mobiltelefonen ringer i kvindemenneskets hånd. Hun tager den ikke. Han ser sammenbidt på hendes ringende telefon. De står der helt stille begge to. Mobilen ringer og ringer.

Rebecka tænker, at hun bør tage den. Det er sikkert Maria Taube. Men hun kan ikke. Og da hun ikke tager den, står det pludselig skrevet i hans blik. Og hun ved det. Og han ved, at hun ved det.

Lammelsen slipper sit tag. Mobiltelefonen ryger ned på gulvet. Er det ham, der har slået den ud af hånden på hende? Er det hende, der har smidt den fra sig?

Han står i vejen. Hun kan ikke komme ud. Hun overvældes af skræk.

Hun vender sig om og løber op ad trappen til første sal. Den er smal og stejl. Tapetet smudsigt af ælde. Blomstermønster. Fernissen på trappetrinnene som tykt glas. Hun kravler lynhurtigt på alle fire som en krabbe. Må ikke glide.

Hun hører Lars-Gunnar bag sig. Tungtåndende.

Det er som at gå lige i en fælde. Hvor skal hun løbe hen?

Toiletdøren lige foran hende. Hun styrter derind.

På en eller anden måde lykkes det hende at lukke døren og

få fingrene til at dreje nøglen om.

Håndtaget trykkes ned udefra.

Der er et vindue, men der er intet tilbage inden i hende, der magter at forsøge at undslippe. Det eneste, der er tilbage derinde, er frygt. Hun kan ikke stå op. Synker ned på toiletbrættet. Så begynder hun at ryste. Kroppen spjætter som i krampe. Albuerne er presset ind mod maven. Hænderne er foran ansigtet og ryster så voldsomt, at hun ufrivilligt slår sig selv på munden, næsen, hagen. Fingrene er krogede som kløer.

Et tungt bump, et brag mod ydersiden af døren. Hun kniber øjnene sammen. Tårerne strømmer ud. Hun vil presse hænderne mod ørerne, men de lystrer ikke, ryster kun.

"Mor!" græder hun, da døren går op med et smæld. Den rammer hendes knæ. Det gør ondt. Nogen trækker i hendes tøj. Hun nægter at åbne øjnene.

Han løfter hende op i kraven. Hun klynker.

"Mor, mor!"

Han hører sig selv klynke. Äiti, äiti! Det er mere end tres år siden, og hans far kaster moderen rundt i køkkenet, som var hun en vante. Hun har låst Lars-Gunnar og hans søskende inde i stuen. Han er ældst. Hans små søstre sidder blege og tavse på sofaen. Han og hans bror banker på døren. Moderens gråd og bønner. Ting, der falder på gulvet. Faderen, der vil have nøglen. Han får den inden længe, og om lidt skal Lars-Gunnar og broderen have en omgang, mens pigerne ser på. Moderen vil være låst inde i stuen. Det bliver livremmen. Som straf for noget, han husker ikke hvad. Der var så mange grunde.

Han slår hendes hoved ned i håndvasken. Hun bliver tavs. Barnegråden og moderens "Älä lyö! Älä lyö!" tier også i hovedet. Han slipper hende. Hun falder ned på gulvet.

Da han vender hende om, kigger hun på ham med store, stumme øjne. Blodet strømmer fra panden. Det er ligesom dengang, han påkørte en ren på vej til Gällivare. Samme store blik. Og denne skælven.

Han tager fat i hendes fødder, slæber hende ud på reposen.

Nalle står på trappen. Han får øje på Rebecka.

"Hvad?" råber han.

Et højt og bekymret råb. Han lyder som en fjeldkjove.

"Hvad?"

"Der er ikke noget, Nalle!" råber Lars-Gunnar. "Ud med dig."

Men Nalle er opskræmt. Hører ikke efter. Tager endnu et par skridt op ad trappen. Ser på den liggende Rebecka, råber sit "hvad?".

"Kan du så høre efter!" brøler Lars-Gunnar. "Ud med dig!"

Han slipper Rebeckas fødder og vifter med hænderne. Til sidst går han ned ad trappen og genner Nalle ud på gårdspladsen. Han låser døren.

Nalle står udenfor. Han kan høre ham derude. "Hvad? Hvad?" Angsten og forvirringen i hans stemme. Han kan se for sig, hvordan han tramper rådvild omkring ude i bislaget.

Han føler en ubændig vrede mod kvinden oppe på første sal. Det er hendes skyld. Hun skulle have ladet dem være i fred.

Han tager trappen i tre skridt. Det er ligesom Mildred Nilsson. Hun skulle have ladet dem være i fred. Ham og Nalle og landsbyen.

Lars-Gunnar står ude på gårdspladsen og hænger vasketøj op. Det er sidst i maj. Der er endnu ikke kommet blade på træerne, men der er begyndt at spire lidt grønt i bedene. Det er en solrig og blæsende dag. Til efteråret fylder Nalle tretten. Det er seks år, siden Eva døde.

Nalle løber rundt på gårdspladsen. Han er god til at holde sig selv beskæftiget, men man får aldrig mulighed for at være alene. Det savner Lars-Gunnar. At være i fred en gang imellem.

Forårsvinden river og flår i vasketøjet. Lidt efter hænger lagner og undertøj som en række smældende flag mellem birketræerne ude på gårdspladsen.

Bag Lars-Gunnar står den nye præst, Mildred Nilsson. Som hun dog kan snakke. Hun er simpelthen ikke til at standse. Lars-Gunnar tøver lidt, da han rækker ud efter de underbukser, der er en smule lasede. Helt hvide er de heller ikke, selvom de er rene.

Men hvad fa'en, tænker han så. Hvorfor skal han skamme sig for hende?

Hun vil have Nalle konfirmeret.

"Hør lige her," siger han. "For et par år siden kom der nogle af de der hallelujapersoner og ville bede for ham, så han blev rask. Jeg smed dem ud med fuld musik. Kirken er ikke rigtig noget for mig."

"Det ville jeg aldrig gøre!" siger hun med eftertryk. "Altså jo, jeg vil helt sikkert bede for ham, men jeg lover at gøre det i tavshed og hjemme hos mig selv. Men jeg kunne ikke drømme om at ønske ham anderledes. Du er virkelig blevet velsignet med en dejlig dreng. Han kunne ikke være bedre."

REBECKA TRÆKKER KNÆENE OP. Skubber fra. Trækker dem op. Skubber fra. Bakser sig selv ind på toilettet igen. Magter ikke at rejse sig. Kravler så langt ind i et hjørne, hun kan. Nu kommer han op ad trappen igen.

Det var sgu da nemt nok for Mildred at sige, at Nalle var en velsignelse, tænker Lars-Gunnar. Hun skulle jo ikke passe ham dag ud og dag ind. Og det var ikke hende, der havde et ægteskab bag sig, der var gået i stykker på grund af det barn, man fik. Hun behøvede ikke bekymre sig. For fremtiden. For hvordan Nalle skulle klare sig. For Nalles pubertet og seksualitet. Når man stod der med de plettede lagner og spekulerede på, hvad fanden man skulle stille op. Der var jo ingen piger, der ville have ham. De der vanvittige tanker, man fik, og frygten for, at han ville blive farlig på grund af sine drifter.

Og efter præstens besøg kom kællingerne i landsbyen rendende. Lad drengen blive konfirmeret, sagde de. Og så tilbød de at stå for konfirmationsfesten. Sagde, det ville være sjovt for Nalle, og han kunne jo bare holde op, hvis han ikke syntes om at gå til præst. Selv Lars-Gunnars kusine Lisa kom og masede på. Sagde, hun ville give ham et jakkesæt, så han slap for at stå der i en alt for lille kappe.

Det havde gjort Lars-Gunnar edderspændt. Som om det handlede om jakkesæt eller gaver.

"Det handler ikke om penge!" brølede han. "Jeg har sgu da altid betalt for ham. Hvis jeg havde villet spare, havde jeg anbragt ham på en institution for længe siden. Så lad ham dog blive konfirmeret!"

Og han havde punget ud til et jakkesæt og et armbåndsur.

Hvis der var to ting, Nalle så absolut ikke havde brug for, så var det et jakkesæt og et armbåndsur, men det sagde Lars-Gunnar ikke til nogen. Ingen skulle kalde ham nærig bag hans ryg.

Derefter indtraf der en forandring. Det var, som om Mildreds venskab med sønnen berøvede Lars-Gunnar et eller andet. Folk glemte den pris, han havde måttet betale. Ikke at han overdrev sin egen betydning, men han havde ikke haft noget let liv. Faderens brutalitet mod familien. Evas svigt. Den tunge byrde, det var at være enlig forælder til et udviklingshæmmet barn. Han havde kunnet træffe andre valg. Nogle enklere valg. Men han fik sig en uddannelse og vendte tilbage til landsbyen. Blev til noget.

Da Eva skred, kastede hun ham ned i en dyb brønd. Han gik derhjemme sammen med Nalle og følte sig som ham, ingen vil have. Følte skammen ved at være tilovers.

Alligevel tog han sig af Eva, da hun lå for døden. Han beholdt Nalle hjemme. Passede ham selv. Hvis man skulle tro Mildred Nilsson, var han fandens heldig, at han havde fået sådan en dejlig dreng. "Jo da," havde Lars-Gunnar sagt til nogle af kvindemenneskene, "men det er også et stort ansvar. Man har mange bekymringer." Og de havde svaret: Forældre nærer altid bekymringer for deres børn. Han slap jo for at skulle skilles fra Nalle, sådan som det går andre forældre, når børnene vokser op og forlader dem. Han måtte lægge øre til den værste gang pis fra mennesker, som ikke havde den fjerneste idé om, hvordan det var. Men fra da af holdt han sin mund. Hvordan skulle nogen kunne forstå ham?

Det var det samme med Eva. Efter at Mildred flyttede dertil, og når Eva blev omtalt, skete det, at folk sagde "den stakkel". Om hende! Sommetider havde han lyst til at spørge, hvad de egentlig mente med det. Troede de måske, han var så forfærdelig at leve sammen med, at det endog fik hende til at forlade sin egen søn?

Han fik en følelse af, at man talte om ham bag hans ryg.

Allerede på det tidspunkt fortrød han, at han var gået med til at lade Nalle konfirmere, men da var det for sent. Han kunne jo ikke forbyde ham at være sammen med Mildred i kirken, for i så fald ville han fremstå som decideret misundelig. Nalle trivedes jo. Han havde jo ikke forstand til at gennemskue Mildred.

Så Lars-Gunnar lod det ske. Nalle fik et liv ved siden af ham. Men hvem vaskede hans tøj, hvem bar ansvaret og bekymringerne?

Og Mildred Nilsson. Nu tænker Lars-Gunnar, at det hele tiden var ham selv, der var hendes mål. Nalle var blot et middel.

Hun flyttede ind i den der præstegård og organiserede sin kvindemafia. Fik dem til at føle sig betydningsfulde. Og de lod sig føre som skræppende gæs.

Det er klart, at hun med det samme fik et horn i siden på ham. Hun var misundelig på ham, for han havde jo en vis position i landsbyen. Leder af jagtklubben. Havde været politibetjent. Han lyttede jo også til folk, satte andre før sig selv, og det gav ham både respekt og autoritet. Det var dét, hun ikke kunne tåle. Det var, som om hun satte sig for at berøve ham alt.

Der udbrød en slags krig mellem dem. En krig, kun de selv kunne se. Hun prøvede at miskreditere ham. Han forsvarede sig, så godt han kunne, men han havde aldrig haft noget anlæg for den slags spil.

Kvinden er krøbet ind på toilettet igen. Hun ligger sammenkrummet mellem wc-kummen og håndvasken og holder armene over hovedet som for at beskytte sig. Han tager fat i hendes fødder og slæber hende ned ad trappen. Hovedet hamrer rytmisk ned på hvert trin. Dunk, dunk, dunk. Og Nalles råb udenfor. "Hvad? Hvad?" Det har han svært ved at lukke ørerne for. Det må få en ende. Nu må det få en ende én gang for alle.

Han mindes Mallorca-turen. Det var endnu en af Mildreds

ideer. Pludselig skulle kirkens unge rejse til udlandet. Og Mildred ville have Nalle med. Lars-Gunnar havde sagt blankt nej, og Mildred havde sagt, at kirken ville sende en ekstra voksen med bare for Nalles skyld. På menighedens regning. "Og husk lige," sagde hun, "hvad unge på hans alder normalt koster. Slalomudstyr, rejser, computerspil, dyre ting, dyrt tøj ..." Lars-Gunnar fattede pointen. "Det drejer sig ikke om penge," havde han sagt, men han var klar over, at det præcis var, hvad folk i landsbyen ville tro. At han ikke undte Nalle den fornøjelse. At Nalle måtte undvære alt. Og når nu Nalle endelig havde chancen for at opleve noget sjovt ... Så Lars-Gunnar måtte give sig. Det var bare at finde tegnebogen frem. Og alle sagde til ham, at ih, hvor var det dog herligt, at Mildred gjorde så meget for Nalle. Hvor var det dog godt for drengen, at hun var flyttet hertil.

Men Mildred ville se ham gå under, det er han klar over. Da hun fik ruderne smadret, eller da den der narrøv til Magnus Lindmark prøvede at brænde hendes udhus ned, så meldte hun det ikke til politiet. Og så gik snakken jo, nøjagtig som hun havde ønsket. Politiet kan ikke gøre noget. Når det virkelig gælder, er de ingen nytte til. Al sladderen ramte Lars-Gunnar. Det var ham, der stod tilbage med skammen.

Og så rettede hun kikkerten mod hans plads i jagtklubben.

Det kan måske godt være, at kirken ejer jorden på papiret, men skoven er hans. Det er ham, der kender den. Ja, lejen har ganske vist været lav, men når ret skal være ret, burde jagtklubben i virkeligheden få penge for at holde vildtbestanden nede. Elgen forårsager store skader på skoven.

Elgjagten om efteråret. Planlægningen sammen med gutterne. De mødes lige før daggry. Solen er ikke stået op. Hundene trækker i deres snore, vejrer ind mod det grå tusmørke i skoven. Derinde et sted er byttet. Jagten i løbet af dagen. Efterårsluft og hundeglam langt borte. Fællesskabet, når man håndterer vildtet. Sliddet med det nedlagte bytte i slagtehuset.

Snakken omkring pejsen i hytten om aftenen.

Hun skrev et brev. Turde ikke fremføre det ansigt til ansigt. Skrev, at hun vidste, Torbjörn var blevet dømt for overtrædelse af jagtloven. At han ikke havde fået frataget sin våbentilladelse. At det var Lars-Gunnar, der havde fikset det. At han og Torbjörn ikke skulle have tilladelse til at jage på kirkens jorder. "Det er ikke blot upassende, men stødende med tanke på den hunulv, som kirken har til hensigt at beskytte," skrev hun.

Han mærker, hvordan det knuger i brystet, når han tænker på det. Hun ville kaste ham ud i total isolering, det var det, hun var ude på. Gøre ham til en skide taber. Som Malte Alajärvi. Intet arbejde og ingen jagt.

Han havde talt med Torbjörn Ylitalo. "Hvad fanden kan man stille op?" sagde Torbjörn. "Jeg må være glad, hvis jeg beholder jobbet." Lars-Gunnar havde følt det, som om han sank ned i et mosehul. Han kunne se sig selv om nogle år. Ældes derhjemme sammen med Nalle. De kunne sidde som to åndsboller og glo på Bingolotto.

Det var ikke rimeligt, det der med våbentilladelsen! Det var jo næsten tyve år siden! Det var bare hendes undskyldning for at skade ham.

"Hvorfor?" havde han sagt til Torbjörn. "Hvad vil hun mig?" Og Torbjörn havde trukket på skuldrene.

Derefter gik der en uge, hvor han ikke talte med et menneske. En forsmag på, hvordan tilværelsen ville blive. Om aftenen drak han. For at kunne sove.

Aftenen før midsommer sad han i køkkenet og hyggede sig. Eller hyggede var måske ikke ligefrem det rette ord, lukket inde i køkkenet med sine egne grublerier som han var. Passede sig selv, snakkede med sig selv og drak for sig selv. Gik til sidst i seng og forsøgte at sove. Det var, som om noget bankede i brystet på ham. Noget, han ikke havde mærket til, siden han var barn.

Så sad han ude i bilen og forsøgte at få hold på sig selv. Han husker, at han var lige ved at køre i grøften, da han bakkede ud fra gårdspladsen. Og så kom Nalle løbende ud kun iført underbukser. Lars-Gunnar havde troet, at han var faldet i søvn for længst. Han vinkede og hujede, og Lars-Gunnar måtte standse motoren. "Du må godt komme med," sagde han, "men du skal have mere tøj på." "Ikke, ikke," sagde Nalle og nægtede først at slippe bildøren. "Bare rolig, jeg kører ikke fra dig. Gå nu ind og tag tøj på."

Hans hoved fyldes af en slags tåge, når han prøver at huske tilbage. Han ville tale med hende. Hun skulle kraftedeme høre på ham. Nalle faldt i søvn på passagersædet.

Han husker, hvordan han slog. At han tænkte: Det må være nok. Nu må det være nok.

Hun holdt ikke op med at give lyd fra sig, uanset hvor meget han slog. Hun rallede og jamrede sig. Trak vejret. Han hev hendes sko og strømper af. Masede strømperne ind i munden på hende.

Han var stadig rasende, da han bar hende op til kirken. Hængte hende op i kæden foran orgelpiberne. Tænkte, mens han stod oppe på galleriet, at det var fuldstændig ligegyldigt, om der kom nogen, om nogen havde set ham.

Så kom Nalle ind. Han var vågnet og kom trampende ind i kirken. Stod pludselig nede i altergangen og så op på Lars-Gunnar og Mildred med store øjne. Sagde ikke noget.

Lars-Gunnar blev ædru på stedet. Han blev vred på Nalle. Og pludselig rædselsslagen, det husker han meget tydeligt. Han husker, hvordan han trak Nalle med sig ud til bilen og kørte væk. Og de tav. Nalle sagde ingenting.

Hver dag ventede Lars-Gunnar på, at de skulle komme, men ingen kom. Jo, de kom naturligvis og spurgte, om han havde set noget. Eller vidste noget. Stillede ham de samme spørgsmål, som de stillede andre.

Han tænkte på, at han havde taget arbejdshandskerne på. De havde ligget i bagagerummet. Det var ikke noget, han havde overvejet. Noget med fingeraftryk og den slags. Det var sket helt automatisk. Skal man bruge et stykke værktøj som et koben, så tager man arbejdshandsker på. Rent held. Rent held.

Og derefter blev alt, som det plejede. Nalle syntes ikke at huske noget. Han opførte sig nøjagtig, som han plejede. Lars-Gunnar var også, som han plejede. Han sov godt om natten.

Jeg lå som et skamskudt dyr, tænker han nu, da han står med denne kvinde foran fødderne. Som et dyr, der lægger sig i en hulning, og det kun er et spørgsmål om tid, før jægeren finder frem til det.

Da Stefan Wikström ringede, kunne han høre det i hans stemme. At han vidste besked. Blot det, at han ringede til Lars-Gunnar, hvorfor gjorde han det? De sås under jagten, men derudover havde han ikke noget med den lille vatpik til præst at gøre. Og nu ringede han. Fortalte, at sognepræsten syntes at vakle, hvad angik jagtklubbens fremtid. Bertil Stensson ville muligvis foreslå menighedsrådet at opsige lejekontrakten. Og han talte om elgjagten på en måde, som om ... som om han overhovedet havde noget at skulle have sagt i den sag.

Og da Stefan ringede, lettede tågen i Lars-Gunnars hukommelse. Han huskede, hvordan han havde stået ved bådebroen og ventet på Mildred. Pulsen som et slagbor. Kiggede op mod præstegården. Og der stod nogen i vinduet på første sal. Først da Stefan Wikström ringede, kom han i tanker om dette.

Hvad ville han mig? tænker han nu. Han ville have magt over mig. Ligesom Mildred.

LARS-GUNNAR OG STEFAN WIKSTRÖM sidder i bilen på vej mod søen. Lars-Gunnar har sagt, at han vil trække båden på land inden vinteren og lænke årerne fast.

Stefan Wikström brokker sig over Bertil Stensson som et andet pattebarn. Lars-Gunnar hører kun efter med et halvt øre. Det drejer sig om jagtretten, og om at Bertil ikke påskønner det arbejde, Stefan udfører som præst. Og så må Lars-Gunnar høre på hans ulideligt barnagtige jagtsnak. Som om han begreb noget som helst, den lille duksedreng, der har fået pladsen i jagtklubben foræret som gave af sognepræsten.

Lars-Gunnar føler sig også forvirret over al denne knevren. Hvad vil præsten? Det virker, som om Stefan holder sognepræsten op mod Lars-Gunnar, som et lille barn holder sin forslåede arm i vejret. Pust på den, så forsvinder det væmmelige.

Han agter ikke at lade sig træde under fode af den mide. Han er parat til at betale prisen for sine handlinger, men den skal ikke udbetales til Stefan Wikström. Aldrig.

Stefan Wikström holder blikket fæstet på den del af vejen, der oplyses af bilens lygter. Han bliver let køresyg. Er nødt til at stirre lige frem.

Han mærker frygten komme snigende. Mærker, hvordan den snor sig rundt i maven som en tynd slange.

De taler om alt muligt. Ikke om Mildred. Men hun føles tydeligt nærværende. Det er næsten, som om hun sad på bagsædet.

Han tænker på natten før midsommeraften. Hvordan han stod ved vinduet i soveværelset. Han så nogen stå nede ved Mildreds båd. Pludselig gik personen nogle skridt frem. Forsvandt bag en lille tømmerhytte inde på hjemstavnsmuseets grund. Mere så han ikke, men han tænkte selvfølgelig på det siden hen. At det var Lars-Gunnar. At han havde haft noget i hånden.

Selv ikke nu tænker han, at det var forkert af ham ikke at sige noget til politiet. Lars-Gunnar og han tilhører de tyve i jagt-klubben. Og i en vis forstand er han jo Lars-Gunnars præst. Lars-Gunnar tilhører hans hjord. En præst adlyder andre love end den almindelige samfundsborger. Som præst kunne han ikke løfte fingeren og pege på Lars-Gunnar. Som præst skal han være til rådighed det øjeblik, Lars-Gunnar er parat til at tale. Dette var endnu en byrde, der blev pålagt ham. Og han føjede sig. Lagde det i Guds hænder. Bad: Ske din vilje. Og til-føjede: Jeg kan ikke mærke, at dit åg er mildt, og din byrde er let.

De er fremme og stiger ud af bilen. Han bærer kæden. Lars-Gunnar beder ham gå i forvejen.

Han begynder at gå ned ad stien. Det er måneskin.

Mildred går bag ham. Han kan fornemme det. Han når ned til søen. Lader kæden falde ned på jorden. Betragter den.

Mildred klatrer ind i hans øre.

Løb! siger hun derinde. Løb!

Men han kan ikke løbe. Bliver bare stående og venter. Hører Lars-Gunnar komme. Langsomt tager han form i måneskin-net. Og ja, han har våbenet med.

LARS-GUNNAR SER NED på Rebecka Martinsson. Efter turen ned ad trappen er rystelserne holdt op. Men hun er ved bevidsthed. Ser ufravendt på ham.

Rebecka Martinsson ser op på manden. Hun har set dette billede før. Manden som en solformørkelse. Ansigtet ligger i skygge. Solen fra køkkenvinduet. Som en korona omkring hovedet. Det er pastor Thomas Söderberg. Han siger: Jeg elskede dig lige så højt som min egen datter. Snart vil hun smadre hans hoved.

Da manden bøjer sig ned over hende, griber hun fat i ham. Eller griber fat er måske så meget sagt – højre hånds langemand og pegefinger krummer sig om halslinningen på hans bluse. Det er kun håndens egen tyngde, der trækker ham nærmere.

"Hvordan kan man leve med det?"

Han lirker hendes fingre fri.

Leve med hvad? tænker han. Stefan Wikström? Han følte større sorg, dengang han skød en elgko ovre i Paksuniemi. Det er mere end tyve år siden. Sekundet efter, at hun var faldet, kom to kalve ud af skovbrynet. Så forsvandt de ind i skoven. Han tænkte på sin fejltagelse i lang tid. Først koen, og derefter at han ikke havde reageret hurtigt nok og også skudt kalvene. De måtte have gået en pinefuld død i møde.

Han åbner lemmen i køkkengulvet til jordkælderen. Griber fat i hende og slæber hende hen til hullet.

Nalles hånd banker på køkkenvinduet. Hans uforstående blik mellem plasticpelargonierne.

Og nu kommer der liv i kvinden. Da hun ser lemmen i gulvet.

Hun begynder at vride sig under hans greb. Får fat med hånden i bordbenet og trækker hele bordet med sig.

"Slip så," siger han og løsner hendes greb.

Hun kradser ham i ansigtet. Vrider og vender sig. En lydløs, krampagtig kamp.

Han løfter hende op i nakkeskindet. Hendes fødder letter fra gulvet. Ikke ét ord kommer ud af hende. Skriget er i hendes øjne: Nej! Nej!

Han kaster hende ned som en affaldssæk. Hun falder baglæns. Bulder og brag, og så bliver der stille. Han lader lemmen falde på plads igen. Så tager han fat med begge hænder i skænken, der står op ad sydvæggen, og trækker den hen over lemmen. Den er tung som ind i helvede, men han er stærk.

Hun slår øjnene op. Det varer lidt, før det går op for hende, at hun har været bevidstløs, men det kan ikke have været længe. Nogle sekunder. Hun hører, hvordan Lars-Gunnar slæber noget tungt hen over lemmen.

Vidtåbne øjne, og hun kan ikke se noget. Et tæt mørke. Hun hører skridt og slæben ovenover. Op på knæ. Højre arm hænger leddeløs og lystrer ikke. Instinktivt griber hun fat med venstre hånd om højre arm i skulderhøjde og trækker armen i led igen. Der lyder et knæk. En ildstråle af smerte skyder ud fra skulderen, ud i armen og videre ud i ryggen. Hun er øm og har ondt overalt. Bortset fra i ansigtet. Der føler hun ingenting. Hun prøver at mærke efter med hånden. Ansigtet er som bedøvet. Og et eller andet vådt hænger og dingler. Er det læben? Når hun synker, smager det af blod.

Ned på alle fire. Jordgulv under hænderne. Fugten trænger ind gennem cowboybukserne ved knæene. Der lugter af rottelort.

Hvis hun dør hernede, så æder rotterne hende.

Hun begynder at kravle. Mærker efter med hænderne foran sig på jagt efter trappen. Overalt klæbrigt spindelvæv, der sætter sig fast på den famlende hånd. Noget pusler henne i hjørnet. Der er trappen. Hun står på knæ med hænderne på et af trinnene lidt længere oppe. Som en hund på bagbenene. Hun lytter. Og venter.

Lars-Gunnar har trukket skænken på plads over lemmen. Han tørrer panden med bagsiden af hånden.

Nalles "Hvad?" er forstummet. Lars-Gunnar ser ud ad vinduet. Nalle vandrer rundt i en cirkel ude på gårdspladsen. Lars-Gunnar genkender den måde at gå på. Når Nalle bliver bange eller ked af det, kan han finde på at gå rundt sådan der. Det kan tage en halv time at få ham beroliget. Det er, som om han holder op med at høre. Første gang, han teede sig sådan, blev Lars-Gunnar så frustreret og magtesløs, at han endte med at lange ham en. Den lussing brænder fortsat inden i ham. Han husker, at han så på hånden, der slog, og tænkte på sin egen far. Og Nalle fik det jo ikke bedre, snarere værre. Nu ved han, at man må have tålmodighed. Og tid.

Hvis der bare havde været tid.

Han går ud på gårdspladsen. Prøver, selvom han ved, det er håbløst.

"Nalle!"

Men Nalle hører ingenting. Går rundt og rundt.

Lars-Gunnar har tænkt på dette øjeblik mindst tusind gange. Men i fantasien har Nalle altid sovet fredeligt. Lars-Gunnar og han har haft en dejlig dag. De har måske været i skoven. Eller kørt med snescooter på elven. Lars-Gunnar har siddet lidt ved Nalles seng. Nalle er faldet i søvn, og så …

Det her er for meget. Værre end det her kunne det ikke være. Han stryger sig med hånden over kinden. Det virker, som om han græder.

Og han ser Mildred for sig. Lige siden dengang har han været på vej hertil. Det forstår han nu. Det første slag. Da var han optændt af vrede mod hende. Men bagefter. Bagefter var det sit eget liv, han slog sønder og sammen. Hængte det op til alles beskuelse.

Hen til bilen. Der ligger jagtgeværet. Det er ladt. Det har det været hele sommeren. Han afsikrer det.

"Nalle," siger han med grødet stemme.

Han vil trods alt sige farvel. Det ville han gerne have gjort.

"Nalle," siger han til sin store dreng.

Nu. Før han ikke længere kan holde om våbnet. Han kan ikke sidde her, når de kommer. Lade dem tage Nalle med.

Han lægger våbnet til skulderen. Sigter. Skyder. Den første kugle i ryggen. Nalle falder forover. Det andet skud sætter han i hovedet.

Så går han ind.

Helst ville han åbne gulvlemmen og slå hende ihjel. Hvad er hun? Ingenting.

Men som han har det nu, orker han ikke at skubbe skænken væk.

Han sætter sig tungt på slagbænken.

Så rejser han sig. Åbner væguret og standser pendulet med hånden.

Sætter sig på ny.

Geværløbet i munden. Det har været en pine, så langt tilbage han kan huske. Det vil blive en lettelse. Det vil endelig være forbi.

Nede i mørket hører hun skuddene. De kommer udefra. To skud. Så smækker hoveddøren. Hun hører skridt hen over køkkengulvet. Så det sidste skud.

Der er noget gammelt, der vågner i hende. Noget fra før.

Hun klatrer op ad trappestigen for at slippe væk. Slår hovedet mod lemmen. Falder næsten ned, men får fat.

Lemmen er umulig at rokke. Hun banker på den med sine knyttede hænder. Huden over knoerne revner. Hun kradser neglene til blods.

Anna-Maria Mella kører ind på Lars-Gunnar Vinsas gårds-plads klokken halv fire om eftermiddagen. Sven-Erik sidder ved siden af hende i bilen. De har ikke mælet et ord på hele turen ned til Poikkijärvi. Det føles ubehageligt at skulle sige til en gammel kollega, at man vil beslaglægge og prøveskyde hans våben.

Anna-Maria kører som altid lidt for hurtigt, og det er kun med nød og næppe, hun undgår at køre hen over kroppen, der ligger i gruset.

Sven-Erik udstøder en ed. Anna-Maria bremser hårdt op, og de styrter ud af bilen. Sven-Erik ligger allerede på knæ og mærker efter med hånden på siden af halsen. En sort sværm af tunge fluer løfter sig fra det blodige baghoved. Han ryster på hovedet som svar på Anna-Marias tavse spørgsmål.

"Det er Lars-Gunnars søn," siger han.

Anna-Maria kigger op mod huset. Hun har intet tjeneste-våben på sig. Satans.

"Nu har du fandeme ikke at gøre noget tåbeligt," advarer Sven-Erik. "Ind i bilen med dig, så ringer vi efter forstærk-ning."

Det varer en evighed, før kollegerne kommer, synes Anna-Maria.

"Tretten minutter," siger Sven-Erik, der tjekker tiden.

Der er Fred Olsson og Tommy Rantakyrö i en civilbil samt fire kolleger iført skudsikre veste og sorte overalls.

Tommy Rantakyrö og Fred Olsson parkerer oppe på åsen og løber ned og går i dækning bag Lars-Gunnars gård. Sven-Erik har bakket Anna-Marias bil uden for husets skudvidde.

Den anden politibil standser på gårdspladsen. De går i dækning bag den.

Sven-Erik Stålnacke får stukket en megafon i hånden.

"Hallo!" råber han. "Lars-Gunnar! Hvis du er derinde, så vær rar at komme ud, så vi kan snakke om tingene."

Intet svar.

Anna-Maria møder Sven-Eriks blik og ryster på hovedet. Der er intet at vente på.

De fire, der er iført skudsikre veste, trænger ind i huset. To via hoveddøren, den ene efter den anden. De andre to går ind ad et vindue på bagsiden af huset.

Der er helt stille bortset fra lyden af vinduesruder, der knuses bag huset. De andre venter. Et minut. To.

Så kommer en af dem ud i bislaget og vinker dem frem. Der er fri bane.

Lars-Gunnars krop ligger på gulvet foran slagbænken. Væggen bag bænken er oversprøjtet med hans blod.

Sven-Erik og Tommy Rantakyrö skubber skænken til side, der står midt på gulvet over gulvlemmen.

"Der er nogen hernede," siger Tommy Rantakyrö og løfter lemmen.

"Kom," siger han og rækker hånden ned.

Men den, der er dernede, kommer ikke op. Til sidst kravler Tommy ned. De andre hører ham:

"For satan da! Så, tag det helt roligt. Kan du komme på benene?"

Nu kommer hun op fra kælderen. Det går langsomt. De andre hjælper hende, tager fat under hendes arme. Så jamrer hun sig lidt.

Det tager en brøkdel af et sekund, før Anna-Maria genkender Rebecka Martinsson.

Det halve af Rebeckas ansigt er blåsort og ophovnet. Hun har et stort sår i panden, og hendes overlæbe hænger løs, sidder kun fast i en hudtrævl. "Hun lignede en pizza med masser af snask på," som Tommy Rantakyrö så malende vil beskrive det senere.

Anna-Maria tænker mest på hendes tænder. De er så hårdt sammenbidte, som om kæben har låst sig fast.

"Rebecka," siger Anna-Maria. "Hvad ..."

Men Rebecka vifter hende væk med armen. Anna-Maria ser, at hun skæver til den døde krop på køkkengulvet, inden hun stift går ud ad døren.

Anna-Maria, Sven-Erik og Tommy følger efter hende ud.

Udenfor er himlen blevet grå. Skyerne hænger tunge og regnsvangre oven over dem.

Fred Olsson står ude på gårdspladsen.

Ikke et ord kommer over hans læber, da han får øje på Rebecka. Men hans mund åbnes rundt om dette usagte, og øjnene spærres op.

Anna-Maria betragter Rebecka Martinsson. Hun står som en pind foran Nalles døde krop. Der er noget i hendes øjne. Instinktivt fornemmer de alle sammen, at det ikke er det rette tidspunkt at røre ved hende. Hun er i sin egen verden.

"Hvor fanden bliver ambulancen af?" spørger Anna-Maria.

"De er på vej," er der en, der svarer.

Anna-Maria kigger op. Nu begynder det at dryppe. De må lægge noget over den døde krop på gårdspladsen. En presenning eller sådan noget.

Rebecka træder et skridt tilbage. Hun vifter med hånden foran ansigtet, som om der er noget, hun prøver at skubbe væk.

Så begynder hun at gå. Først stavrer hun hen mod huset, så vakler hun lidt og går i stedet ned mod elven. Det er, som om hun har bind for øjnene, ser ikke ud til at vide, hvor hun er, og hvor hun går.

Så kommer regnen. Anna-Maria mærker efterårskulden komme som en kold luftstrøm. Den trækker ind over gårdspladsen. En tæt, kold regn. Tusind nåle af is. Anna-Maria trækker lynlåsen op i sin blå jakke, hagen forsvinder ned i halslinningen. Nu må hun finde en presenning til at lægge over liget.

"Hold øje med hende," råber hun til Tommy Rantakyrö og peger på Rebecka Martinsson, der vakler af sted. "Hold hende væk fra våbnet derinde, og også fra jeres egne. Og lad hende ikke gå ned til elven."

Rebecka Martinsson bevæger sig over gårdspladsen. Der ligger en død, død, død stor dreng i gruset. For lidt siden sad han nede i kælderen med en mariekiks i hånden og fodrede en mus.

Det blæser. Vinden brøler ind i øregangene.

Himlen fyldes af kradsemærker, dybe revner, der selv fyldes af sort blæk. Regner det? Er det begyndt at regne? Hun løfter prøvende hænderne mod himlen for at se, om de bliver våde. Frakkeærmerne glider ned, blotter de tynde, bare håndled, hænderne er som nøgne birketræer. Hun taber halstørklædet i græsset.

Tommy Rantakyrö indhenter Rebecka Martinsson.

"Hør lige her," siger han. "Du skal ikke gå ned til elven. Ambulancen kommer snart, og så ..."

Hun hører ikke efter. Stavrer videre ned mod vandet. Nu synes han, det er uhyggeligt. Hun er uhyggelig. Uhyggelige, opspilede øjne i det der bankekødsansigt. Han vil ikke være alene med hende.

"Undskyld," siger han og griber fat i hendes arm. "Jeg kan ikke ... Du får simpelthen ikke lov til at gå derned."

Nu sprækker jorden som en rådden frugt. Nogen tager hende i armen. Det er pastor Vesa Larsson. Han har ikke længere noget ansigt. Der sidder et brunt hundehoved på hans skuldre. De sorte hundeøjne ser anklagende på hende. Han havde børn. Og hunde, der ikke kan græde.

"Hvad vil du mig?" skriger hun.

Og der står pastor Thomas Söderberg. Han trækker døde

spædbørn op af brønden. Bøjer sig ned og løfter dem op ét efter ét. Holder dem med hovedet nedad, tager fat i hælen eller rundt om den lille ankel. De er nøgne og hvide. Deres hud er opløst og svampet. Han smider dem i en stor bunke. Den vokser og vokser ved hans fødder.

Da hun hurtigt vender sig om, står hun ansigt til ansigt med sin mor. Hun er så ren og fin.

"Du rører mig ikke med de der fingre," siger hun til Rebecka. "Har du forstået? Har du forstået, hvad du har gjort?"

Anna-Maria Mella har fået fat på et gulvtæppe, som hun vil lægge over Lars-Gunnars søn. Det er ikke så let at vide, hvordan teknikerne vil have det. Hun må også have sat afspærringer op, inden hele landsbyen kommer rendende. Og pressen. Fandens også, at det skulle begynde at regne. Midt i det hele, mens hun råber noget om afspærringer og kommer halvløbende med gulvtæppet, længes hun efter Robert. Efter i aften, hvor hun kan græde i hans arme. Græde over, at alting er så forfærdeligt og meningsløst.

Tommy Rantakyrö kalder på hende, og hun vender sig om.

"Jeg kan ikke holde hende," råber han.

Han kæmper med Rebecka Martinsson i græsset. Hun fægter med armene og slår vildt omkring sig. Kommer fri og begynder at løbe ned mod elven.

Sven-Erik Stålnacke og Fred Olsson sætter efter hende. Anna-Maria når knap nok at reagere, før Sven-Erik næsten har indhentet hende. Fred Olsson er lige i hælene på ham. De indfanger Rebecka. Hun er som en slange i Sven-Eriks arme.

"Så så," siger Sven-Erik højt. "Så så, så så."

Tommy Rantakyrö holder hånden under næsen. En lille stribe blod pibler ud mellem fingrene. Anna-Maria har altid papir i lommerne. Der er altid et eller andet, der skal tørres af Gustav. Is, banan, snot. Hun rækker papiret til Tommy.

"Få hende ned på jorden," råber Fred Olsson, "så vi kan lægge hende i håndjern."

"Hun skal fandeme ikke i håndjern," svarer Sven-Erik skarpt. "Kommer der snart en ambulance?"

Det sidste råber han til Anna-Maria, der gør en bevægelse med hovedet, som betyder, at hun ikke ved det. Nu holder Sven-Erik og Fred Olsson Rebecka Martinsson fast i hver sin arm. Hun står på knæ mellem dem og rokker fra side til side.

Og netop da kommer ambulancen omsider, tæt fulgt af endnu en patruljevogn. Blinklys og sirener gennem den hårde, grå regn. Satans til liv.

Og midt gennem det hele hører Anna-Maria, hvordan Rebecka Martinsson skriger.

Rebecka Martinsson skriger. Hun skriger som en afsindig. Hun kan ikke holde op.

Gule Ben

HAN ER SORT som Satan selv. Kommer farende gennem et hav af afblomstret, brunrosa gederams. De hvide, uldne frøkapsler flyver som sne i efterårssolen. Så standser han brat op. Hundrede meter fra hende.

Hans bringe er bred. Hovedet ligeså. Lange, grove sorte dækhår rundt om halsen. Smuk er han ikke, men stor. Nøjagtig ligesom hende selv.

Han bliver stående blikstille, da hun nærmer sig. Hun har hørt ham helt siden i går. Hun har lokket og kaldt. Sunget efter ham. Fortalt ud i mørket, at hun er helt alene. Og han er kommet. Nu er han endelig kommet.

Lykken prikker i hendes poter. Hun går direkte hen til ham. Hendes kurtiseren er helt uden forbehold. Hun samler ørerne og stiller sig i frierposition. Bryster sig. Den lange ryg er som et svungent S. Hans hale vifter i lange, langsomme og fejende bevægelser.

Snude mod snude. Snude mod genitalier. Snude under hale. Og så snude mod snude igen. Bringen frem og nakken strakt. Det er alt sammen uudholdeligt højtideligt. Gule Ben lægger alt, hun har, for hans fødder. Vil du have mig, så er jeg din, siger hun tydeligt.

Og så giver han hende tegnet. Han lægger den ene forpote hen over hendes brystkasse. Så tager han et legesygt skridt fremad.

Og så kan hun ikke styre sig længere. Legelysten, som hun havde glemt, at hun havde, vender tilbage med fuld styrke. Hun sætter i et spring væk fra ham. Tyvstarter, så jorden sprøjter op bag hende. Accelererer, vender brat om, stormer tilbage og flyver hen over ham i et langt spring. Vender sig om. Sænker hovedet, rynker snuden og viser tænder. Og så af sted igen.

Han sætter efter hende, og de slår en kolbøtte sammen, da han får fat i hende.

De er som berusede. Leger som gale. Ligger i en bunke bagefter og gisper.

Hun strækker dovent nakken og slikker hans kæbe.

Solen synker mellem fyrretræerne. Benene er trætte og tilfredse.

Alting er i dette nu.

Forfatterens tak

Rebecka Martinsson kommer til hægterne, jeg tror på den der lille pige i røde gummistøvler. Og husk: I mit eventyr er det mig, der er Gud. Personerne giver ganske vist udtryk for deres frie vilje nu og da, men jeg har fundet på dem. Stederne i bogen er for det meste også opdigtede. Der findes en landsby, der hedder Poikkijärvi, ved Torneälven, men der ophører enhver lighed. Der er ikke nogen grusvej, ingen kro, ingen præstegård.

Mange har hjulpet mig, og nogle af dem vil jeg takke her: cand.jur. Karina Lundström, der arbejder ved politiet og opstøver nogle interessante personer. Overlæge Jan Lindberg, der hjalp mig med mine døde. Ph.d. Catharina Durling og dommer Viktoria Edelman, der altid tjekker lovgivningen, når jeg ikke forstår den eller selv gider slå tingene op. Hundefører Peter Holmström, der fortalte om supervovsen Clinton.

Fejlene i bogen er mine. Jeg glemmer at spørge, misforstår tingene eller finder på noget mod bedre vidende.

Også tak til: forlægger Gunnar Nirstedt for synspunkter. Lisa Berg og Hans-Olov Öberg, der læste og kunne lide det. Mor og Eva Jensen, der altid gider trykke på repeatknappen og sige fantastisk! Virkelig! Far, der kan det der med landkort og kan svare på alle mulige spørgsmål, og som så en ulv, da han var sytten år og lagde garn ud under isen.

Og endelig: Tak til Per – for alting.

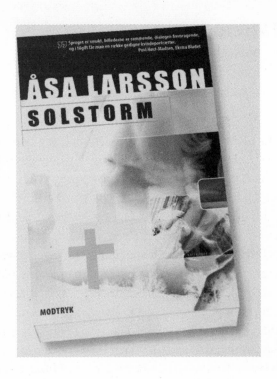

Lysende svensk krimidebut! Det er barsk, men også morsomt, for Larsson er
herligt usentimental, når hun tager sine personer på kornet.

Mette Strømfeldt, B.T.

Et brag af en debut. Faktisk kommer man under læsningen flere gange til
at tænke på Kerstin Ekmans 'Hændelser ved vand', som nok er verdens bed-
ste kriminalroman.

Povl Høst-Madsen, Ekstra Bladet

'Solstorm' er simpelthen en rigtig spændende og velfortalt historie, og jeg
glæder mig allerede til Åsa Larssons anden bog om Rebecka Martinsson.

Helle Hellmann, Politiken